Un matrimonio americano

Tayari Jones

UN MATRIMONIO AMERICANO

Traducido del inglés por Miguel Marqués

S

AdN Alianza de Novelas

Título original: *An American Marriage*
Esta edición ha sido publicada por acuerdo
con Algonquin Books de Chapel Hill, un sello
editorial de Workman Publishing, Company, Inc.
New York.

Epígrafe de *Citizen: An American Lyric,* por Claudia
Rankine, copyright © 2014 by Claudia Rankine.
Reproducido con autorización de Graywolf Press.
Todos los derechos reservados.

Diseño de colección: Estudio Pep Carrió

Copyright © Tayari Jones, 2018
© de la traducción: Miguel Marqués Muñoz, 2018
© AdN Alianza de Novelas (Alianza Editorial, S. A.)
Madrid, 2018
Calle Juan Ignacio Luca de Tena, 15
28027 Madrid
www.AdNovelas.com

ISBN: 978-84-9181-268-5
Depósito legal: M. 33.916-2018
Printed in Spain

Para la hermana de mi madre, Alma Faye,
y para Maxine y Marcia, mis hermanas

Lo que te ocurre no te pertenece, solo te atañe
a medias. No es tuyo. No es solo tuyo.

CLAUDIA RANKINE

UNO

La música del puente

Roy

Hay dos tipos de personas en el mundo: quienes se marchan de casa y quienes no. Yo me siento orgulloso de pertenecer a la primera categoría. Mi mujer, Celestial, decía que en el fondo yo era un chico de campo, pero a mí siempre me dio igual esa etiqueta. Para empezar, yo no soy de campo campo. Eloe, en Luisiana, es un pueblo. Cuando uno oye decir «campo», piensa en sembrar, embalar heno y ordeñar vacas. Yo jamás en la vida he recogido una sola bola de algodón, aunque mi padre sí lo hizo. Nunca le he puesto la mano encima a un caballo, una cabra o un cerdo y no tengo ninguna intención de hacerlo. Celestial se reía y aclaraba que no estaba llamándome granjero, sino tipo de campo, sin más. Ella nació en Atlanta, pero podría decirse que también es de campo. Siempre dice, no obstante, que es una «mujer del sur», que no es lo mismo que una «dama sureña», claro está. De todos modos, «melocotón de Georgia» le gusta, y a mí también, así que la llamo así.

Celestial se tiene por una persona cosmopolita y realmente lo es. Y, sin embargo, todas las noches duerme en la misma casa que la vio nacer. Yo, por mi parte, quise huir de casa en el primer cacharro que echase humo y que se me cruzase por delante, exactamente setenta y una horas después de graduarme en secundaria. Me habría marchado todavía antes, pero los autobuses de Trailways Luisiana no pasaban a diario por Eloe. Cuando el cartero entregó a mi madre el tubo de cartón que contenía mi título, yo ya estaba instalado en la habitación de mi residencia universitaria de Morehouse College. Tenía beca por ser la primera persona de mi familia en matricularse en estudios superiores. Los novatos empezábamos dos meses y medio antes que los veteranos, para hacernos al campus y aprender algunas cuestiones básicas. Imaginad a veintitrés jóvenes negros viendo en bucle *Aulas turbulentas*, de Spike Lee, y *Rebelión en las aulas*, la de Sidney Poitier, y os haréis una idea bastante aproximada (o quizá no). El adoctrinamiento no siempre es algo malo.

Toda mi vida me he beneficiado de los programas de ayudas: el Head Start del Departamento de Salud, cuando tenía cinco años, y el Upward Bound, del Departamento de Educación, a partir de esa edad. Si alguna vez tengo hijos, ellos podrán pedalear por la vida sin ruedines, pero hay que darle el crédito a quien le corresponde.

Fue en Atlanta donde aprendí las reglas de la vida, y las aprendí rápido. Nadie me llamó nunca tonto. El hogar no es el lugar donde uno aterriza, sino aquel desde donde despega. No se puede elegir el hogar, como tampoco puede elegirse la familia. Como en el póquer, en la vida te reparten cinco cartas; te puedes descartar de tres, pero hay dos que son tuyas para siempre: la familia y la tierra.

No voy a hablar mal de Eloe. Obviamente, hay sitios peores, cualquier persona de mente un poco abierta se da cuenta de eso. Por ejemplo, es cierto que Eloe está en Luisiana, que no es un estado que destaque por sus oportunidades de futuro, pero resulta que Luisiana está en Estados Unidos, y, si eres negro y tienes que esforzarte por conseguir lo que quieres, Estados Unidos quizá sea el lugar más apropiado. En cualquier caso, nosotros no éramos pobres. Quiero dejarlo muy claro: mi padre trabajaba (demasiadas horas) en una tienda de deportes, Buck's Sporting Goods, y luego, por las tardes, hacía chapuzas. Mi madre echaba horas (demasiadas) en una casa de comidas. El caso es que en ningún momento pensé que no tuviéramos donde caernos muertos. Que conste que sí, teníamos sitio de sobra.

Olive (mi madre), Roy Padre (mi padre) y yo éramos una familia de tres y vivíamos en una sólida casa de ladrillo situada en una manzana segura. Yo tenía mi propio cuarto y, cuando Roy Padre amplió la casa, llegué a tener un aseo para mí solo. Cuando se me quedaban pequeños los zapatos, nunca tenía que esperar para que me compraran unos nuevos. Cuando empezaron a darme becas, mis padres hicieron su parte del trabajo y me mandaron a la universidad.

Aun así, lo cierto es que no nos sobraba el dinero. Si mi infancia hubiese sido un sándwich, la loncha de jamón cocido no habría asomado por los bordes. Teníamos lo que necesitábamos y nada más. «Y nada menos», solía decir mamá, para luego envolverme en uno de sus abrazos, que olían a caramelo de limón.

Cuando llegué a Atlanta, me dio la impresión de que tenía por delante toda la vida: montones y montones de folios en blanco. Y ya sabéis lo que dicen: a un tipo educado en Morehouse (donde estudiaron Martin Luther King, Spike Lee o Samuel L. Jackson) jamás le falta una pluma con la que escribir. Diez años después, mi vida entraba en su momento más dulce. Cuando alguien me preguntaba de dónde era, yo respondía orgulloso: «¡ATL!». Tan íntimamente me sentía unido a la ciudad que la llamaba por su apodo. Y cuando me preguntaban por mi familia, yo hablaba de Celestial.

Estuvimos casados como es debido durante un año y medio, y ese tiempo fuimos felices, o, al menos, yo lo fui. Quizá no felices como otras parejas, pero es cierto que tampoco éramos los típicos negros burgueses con jardín que tanto abundan en Atlanta; esos matrimonios en los que él se va a la cama con el portátil bajo la almohada y ella, cuando se queda dormida, sueña con las alhajas que guarda en un joyerito azul. Yo era joven, quería comerme el mundo y creía que el triunfo estaba a la vuelta de la esquina. Celestial era artista, y una mujer preciosa y apasionada. Éramos como los protagonistas de la película *Love Jones*, pero en maduro. ¿Qué otra cosa puedo decir? Siempre he sentido debilidad por las mujeres estrella fugaz. Cuando estás con ellas, sabes que estás metido hasta el cuello en algo; nada de hola y adiós. Antes de empezar a salir con Celestial estaba viendo a otra chica, que también había nacido y se había criado en ATL. Esta chica, que parecía estupenda por donde se la mirase, un día sacó una pistola y me apuntó con ella en una gala de una asociación contra la discriminación racial. Jamás olvidaré ese revólver del 22; era plateado y tenía la empuñadura chapada en madreperla rosa. La chica abrió el bolso en que lo llevaba y me lo enseñó por debajo de la mesa sobre la que nos acababan de servir chuletón y patatas al gratén. Dijo que sabía que la estaba engañando con una tipa del Colegio de Abogados Negros. ¿Cómo podría explicarlo? Me asusté, pero se me pasó enseguida. Solo una chica de Atlanta es capaz de hacer algo así de barriobajero con tanta clase. Estaba claro que se habían enredado razón y pasión, y yo no supe si proponerle matrimonio o llamar a la policía. Antes de que se levantara el sol de nuevo, habíamos roto, y no por decisión mía.

Tras la Pistolera, perdí durante un tiempo mi buen hacer con las chicas. Yo leía el periódico, como todo el mundo, y un día me enteré de que, al parecer, había escasez de hombres negros disponibles para emparejarse. Esa buena noticia tardaría aún un tiempo en tener su impacto en mi vida social.

Todas las mujeres que me hacían tilín tenían a alguien que las esperaba en su pueblo o en su barrio.

Siempre es sano, para todas las partes involucradas, que exista cierta competición. La marcha de la Pistolera me descompuso el cuerpo, así que decidí volver a Eloe unos días para pasar un tiempo con Roy Padre y charlar con él. Mi padre es un poco el alfa y el omega; parece que llevase en este mundo desde mucho antes de que apareciésemos por aquí y también que fuese a seguir ahí sentado, en su butacón, hasta mucho después de que todos nos hayamos marchado.

—No te conviene tener cerca a una mujer que te apunta con un arma, hijo.

Intenté explicar que lo más llamativo de todo era el contraste entre lo macarra de llevar una pistola en el bolso y lo glamuroso del contexto, y le aclaré que ella solo quería bromear. Roy Padre hizo un gesto con la cabeza y sorbió la espuma de su vaso de cerveza.

—Si así es como bromea, ¿qué hará cuando se enfade?

Desde la cocina, como si estuviera hablando a través de un intérprete, mi madre gritó:

—Pregúntale con quién está ella ahora. Quizá sea una loca, pero no está loca. No es lo mismo. Nadie rechazaría al Pequeño Roy sin tener a alguien esperando en el banquillo.

Tras lo cual, Roy Padre me dijo:

—Tu madre quiere saber con quién está ella ahora.

—Con un abogado, creo. Pero no a lo Perry Mason. Algo relacionado con contratos. Un tipo que trabaja con papeles, ya sabes.

—¿No trabajas tú con papeles también? —preguntó él.

—No tiene nada que ver. Soy comercial, pero es temporal. Además, esto no es el trabajo de mi vida. Es a lo que me dedico ahora, nada más.

—Ya veo —apostilló mi padre.

Mi madre seguía el espectáculo desde su gallinero particular, en ese momento, la cocina.

—Dile que siempre está dejando que esas niñas de piel clara hieran sus sentimientos. Dile que se acuerde de algunas de las chicas que hay aquí, en la parroquia de Allen. Dile que se busque a alguna que esté a su altura.

—Tu madre dice que... —empezó a decir Roy Padre, antes de que yo le interrumpiera.

—La he oído. Y nadie ha dicho que esa chica fuera de piel clara.

Pero sí, claro que lo era. Mi madre tiene cierto olfato para eso.

Olive salió de la cocina por fin, limpiándose las manos con un paño de cocina de rayas.

—No te enfades. No quiero entrometerme en tus asuntos.

Nadie es capaz de satisfacer a una madre en lo que se refiere a las chicas. Todos mis amigos me cuentan que sus madres no dejan de hacerles advertencias: «Si tu peine no le sirve, no la traigas a esta casa». Las revistas especializadas *Ebony* y *Jet* juran y perjuran que cualquier hombre negro con dos dólares en el bolsillo es candidato a tener pareja blanca. Yo me ciño estrictamente a la piel marrón y mi madre tiene la caradura de ponerse quisquillosa con el tono de piel de las mujeres negras que elijo.

Podría uno suponer que Celestial debería haberle caído bien. Se parecían tanto que la gente creía que las parientes eran ellas. Ambas hacían gala de esa belleza limpia, como la de Thelma, el personaje de la serie *Good Times,* la primera chica de la tele de la que me enamoré. Pero no; en lo que concernía a mi madre, Celestial tenía un aspecto apropiado, sin más, aunque provenía de un mundo muy diferente al nuestro: era como Jasmine, una de las protagonistas de *Good Times,* vestida con la ropa de la otra, Bernadette. Roy Padre, por su parte, estaba tan encantado con Celestial que se habría casado con ella de no haberlo hecho yo. Y eso tampoco le ganaba puntos a Celestial de cara a mi madre.

—Creo que para meterme a tu madre en el bolsillo solo puedo hacer una cosa —dijo una vez Celestial.

—¿Y qué cosa es esa?

—Tener un hijo —contestó ella, dejando escapar un suspiro—. Siempre que nos vemos, me mira de arriba abajo, como si tuviera secuestrados a sus nietos dentro de mi cuerpo.

—No exageres.

Pero lo cierto era que yo tenía muy claro por dónde iba mi madre. Después de un año juntos, yo tenía ya ganas de ir poniendo en marcha el chiringuito: traer al mundo a una nueva generación, con un apartado actualizado de términos y condiciones.

No es que a nosotros no nos criasen bien, pero el mundo es un lugar que no deja de cambiar, así que también debe cambiar el modo en que educamos a nuestros hijos. Uno de mis planes era que no se hablase jamás de la recogida de algodón. Mis padres no dejaban de evocar el algodón real, o la idea del algodón. Los blancos dicen: «Esto cansa más que cavar una zanja». Los negros: «Esto cansa más que recoger algodón». No voy a recordarles a mis hijos que hubo gente que murió para que yo pudiera hacer las cosas que hago cotidianamente. No quiero que Roy III vaya al cine a ver *Star Wars* o lo que sea y, mientras se estira para intentar ver bien la pantalla, piense que alguien, antaño, dio su vida para que él pueda comer palomitas en un cine. No. No quiero nada de eso. O quizá no de ese modo. Tendremos que ajustar la fórmula. Ahora, Celestial promete que nunca dirá que los negros tenemos que ser el doble de buenos en lo que sea para conseguir la mitad. «Aunque fuera cierto —afirmó—, ¿cómo vamos a irle con algo así a un niño de cinco años, por ejemplo?».

Celestial era una mujer perfectamente equilibrada. No era en absoluto la típica pija vestida en plan corporativo, si bien hacía gala de su pedigrí como si fuera un par de resplandecientes zapatos de charol. Además, tenía salidas de artista, aunque sin desvariar. En otras palabras: no llevaba una pistola rosa en el bolso, pero tampoco le faltaba pasión. A Celestial le gustaba hacer las cosas a su modo y eso se notaba solo con mirarla. Era alta, medía un metro setenta y cinco sin tacones. Le sacaba algunos centímetros a su propio padre. Yo sabía que la altura es la que te toca, pero en su caso parecía que hubiese elegido ella misma ser así de alta. Su pelo, abundante y asilvestrado, la hacía un dedo más alta que yo. Antes incluso de saber que ella era un auténtico genio con la aguja y el hilo, uno se daba cuenta de que estaba tratando con una persona única. Aunque algunos —y con «algunos» me refiero a mi madre— no se percatasen, era evidente que todas aquellas virtudes harían de ella una excelente madre.

Todavía no lo tengo del todo claro, pero me gustaría proponerle llamar a nuestro hijo o hija Porvenir.

Si hubiera dependido de mí, habríamos subido al tren de la paternidad y la maternidad en la misma luna de miel. Imaginadnos tirados en una cama, dentro de una cabaña con suelo de cristal, sobre el océano. Yo ni siquiera sabía que existían sitios así, pero fingí estar muy al tanto cuando Celestial me enseñó el folleto. Hasta confesé que era algo que llevaba queriendo hacer toda la vida. El caso es que ahí estábamos los dos, relajados en mitad del mar, disfrutando el uno del otro. Hacía más de un día que nos habíamos casado: Bali estaba a veintitrés horas de vuelo (primera clase). Para la boda, Celestial se había maquillado como una muñeca de sí misma. Se había recogido aquella locura de pelo en un moño de bailarina y el maquillaje la hacía parecer ruborizada. Recuerdo verla avanzar por el pasillo de la iglesia, como flotando hacia mí.

Ella y su padre trataban de resistir la risa como si todo aquello no fuera más que el ensayo de vestuario; y yo esperando, más serio que un ajo o que un sepulturero con estreñimiento. Cuando ella levantó la mirada y arrugó aquellos labios pintados de rosa para lanzarme un beso al aire, entendí la broma. Estaba haciéndome saber que todo aquello —las niñas que sostenían la cola del vestido, mi traje e incluso la alianza que guardaba en el bolsillo— no era más que un *show*. Lo real era el baile de luz en sus ojos y nuestra sangre al galope. Y entonces también yo sonreí.

En Bali, el pelo alisado desapareció y volvió a Celestial su poderoso afro setentero. No llevaba más vestiduras que la purpurina de la celebración.

—Vamos a hacer un niño.

Ella se echó a reír.

—¿Así me lo vas a pedir?

—Lo digo en serio.

—Todavía no, papi —dijo ella—. Pero pronto.

En el primer aniversario de boda, le escribí en una hoja de papel: «¿Pronto es ya?». Ella le dio la vuelta y escribió en el reverso: «Pronto es ayer. Estuve en el ginecólogo y me ha dicho que todo está preparado».

Sin embargo, fue otro trozo de papel el que nos metió en el lío: una tarjeta de visita. La mía. Habíamos celebrado nuestro aniversario de boda cenando en el Beautiful, un sitio a medio camino entre cafetería y restaurante de carretera, en Cascade Road. No era muy estiloso, pero había sido allí donde, un tiempo antes, le pedí matrimonio. «¡Sí, quiero —había respondido ella entonces—, pero guarda ese anillo antes de que nos secuestren!». Celebramos el aniversario a base de asado de tira, pastel de macarrones con queso y pudin de maíz dulce. Luego volvimos a casa para repetir postre: dos trozos de la tarta de boda, que llevaba 365 días en el congelador, esperando comprobar si aguantaríamos un año juntos. No satisfecho con lo bien que estaba yendo todo, abrí la cartera para enseñarle la foto de ella que guardaba. Al sacarla, se cayó una de mis tarjetas de visita, que aterrizó suavemente sobre el merengue de la tarta. En la parte de atrás, en tinta morada, aparecía un nombre de mujer y un número de teléfono. Con eso bastó. Celestial, además, distinguió otros tres dígitos, que interpretó como el número de una habitación de hotel.

—Puedo explicártelo.

La verdad es que me gustan las mujeres. Siempre he disfrutado de la emoción del coqueteo. A veces apuntaba los números de teléfono, cuando me los daban, como si siguiera en la universidad, pero el 99,997% de las veces todo quedaba ahí. Simplemente, me gustaba saber que seguía gustando. Algo inofensivo, ¿no?

—Pues explícalo —contestó ella.

—Me la metió en el bolsillo.

—¿Cómo va a meterte en el bolsillo tu propia tarjeta de visita?

Celestial estaba enfadada y eso me puso un poco, como el clic que hace el hornillo de la cocina antes de que prenda la llama.

—Me pidió una tarjeta de visita, pero no imaginé que era para esto.

Celestial se levantó, recogió los platos de la tarta que nos acabábamos de comer y los tiró a la basura, directamente. A freír espárragos la vajilla de la boda. Regresó a la mesa, agarró su copa aflautada de champán rosa y se tragó el líquido burbujeante como si fuera un chupito de tequila. Luego me arrebató la copa de la mano, se bebió mi champán y, a continuación, tiró ambas copas también a la basura. Se rompieron con un tintineo de campanitas.

—Eres un embustero —espetó ella.

—Pero, a ver, ¿no estoy aquí ahora contigo? ¿En nuestra casa? ¡Compartimos cama todas las noches!

—¡Tenía que ser en nuestro puñetero aniversario! —exclamó ella. El enfado se derretía por momentos en un charco de tristeza. Celestial se sentó en una de las sillas de la mesa de desayunar—. ¿Por qué te casas si vas a engañar a tu mujer?

Evité señalar que no hay por qué estar casado para engañar a una pareja. En su lugar, le conté la verdad: «Jamás llamé a esa chica». Me senté a su lado. «Yo te quiero a ti.» Dije esas cuatro palabras como si fueran un encantamiento. «Feliz aniversario.»

Me dejó besarla, lo cual era buena señal. Noté el champán rosa que aún mojaba sus labios. No nos quedaba ropa encima cuando me mordió con fuerza la oreja.

—Qué mentiroso eres —insistió y, a continuación, alargó el brazo por encima de mi pecho para abrir el cajón de mi mesita de noche, del que sacó un preservativo—. ¿Me vas a dar un regalo sin envolver?

Sé que a muchos les parecerá que ese fue el día en que mi matrimonio empezó a hacer aguas. La gente siempre habla mucho cuando no sabe lo que ocurre a puerta cerrada, bajo las sábanas, o entre la noche y el día. Pero, como testigo y miembro activo de nuestra relación, estoy convencido de que no era así, sino todo lo contrario. Que yo pudiera hacerla enfadar con apenas un trozo de papel y ella a mí volverme loco con un trozo de látex tenía que querer decir algo.

Sí, éramos una pareja casada, pero seguíamos siendo jóvenes y estábamos muy enamorados el uno del otro. Llevábamos un año juntos y el fuego seguía ardiendo con intensidad.

La cosa es la siguiente: ser 2.0 es todo un reto. Sobre el papel somos como personajes de *El show de Bill Cosby*, veinte años después. Denise y Martin, ya maduros. Pero Celestial y yo somos algo que Hollywood jamás podría haber imaginado. Ella tenía talento y yo era su musa y también su agente. No es que anduviera todo el día desnudo por casa para que ella me dibujase. No, yo simplemente vivía mi vida y ella me observaba. Cuando estábamos comprometidos, ganó un concurso con una escultura de cristal que había hecho. Desde lejos, a mí me parecía una canica gigante, pero, cuando te acercabas y la observabas desde el ángulo adecuado, se vislumbraba mi perfil en el interior. Alguien le ofreció cinco mil dólares, pero no fue capaz de deshacerse de ella. Este tipo de cosas no ocurren realmente en un matrimonio en peligro.

Ella me cuidaba a mí y yo a ella. En esos tiempos, cuando trabajabas para que tu mujer no tuviera que trabajar, lo llamaban «proveer». Roy Padre tenía como objetivo proveer a Olive, pero aquello nunca salió bien del todo. En su honor, y también en el mío propio, yo trabajaba todo el día para que Celestial pudiera quedarse en casa haciendo muñecas y muñecos, el principal formato artístico con el que trabajaba. A mí me gustan las esculturas de mármol que se exponen en los museos y los dibujos de líneas delicadas, pero ella pensaba que las muñecas eran algo que podía gustar a la gente corriente. Yo le propuse que creara una línea de muñecas de trapo que pudiéramos vender al por mayor. Se podrían colocar en una estantería o abrazarlas hasta sacarles el relleno, sin dejar de ser piezas artísticas artesanales y de gran calidad. Ese tipo de cosas alcanzan sumas de cinco cifras fácilmente. Sin embargo, las muñecas para el día a día iban a marcar la diferencia, le dije. Y ¿sabéis? Al final no me equivoqué.

Sé que todo esto es agua pasada y no precisamente de un riachuelo tranquilo. Para ser justos, tengo que contar toda la historia. Llevábamos casados solo un año y unos meses, pero había sido una buena temporada. Ella estaría de acuerdo.

*

Un meteorito se estrelló contra nuestra vida el fin de semana del Día del Trabajo, cuando estábamos en Eloe visitando a mis padres. Fuimos en coche porque a mí me apetecía hacer un viaje por carretera. Los aviones me recordaban demasiado al trabajo. Trabajaba entonces como comercial para una editorial de libros de texto especializada en matemáticas (aunque mis habilidades en ese ámbito se habían quedado en la tabla del doce). Tenía éxito porque se me daba bien vender cosas. La semana anterior había cerrado un jugoso trato con la universidad en que yo había estudiado y estaba a punto de conseguir lo mismo con la Estatal de Georgia. No me haría millonario, pero esperaba conseguir una prima lo suficientemente sustanciosa como para poder plantear la compra de una casa nueva. No es que la de entonces —una sólida vivienda de una planta en una calle tranquila— tuviese nada malo, pero había sido el regalo de boda de los padres de Celestial: la casa familiar donde ella se había criado. Así que era suya y solo suya. Lo que los blancos suelen hacer, una ayudita a la americana. Yo, sin embargo, quería colgar mi sombrero en un perchero en el que pudiera grabar mi nombre.

Yo reflexionaba sobre esto, aunque sin ponerle demasiada pasión, mientras recorríamos la carretera interestatal 10, camino de Eloe. Habíamos hecho las paces tras la escaramuza de nuestro aniversario y volvíamos a empatizar el uno con el otro. Retumbaba rap ochentero en los altavoces de nuestro Honda Accord, un coche tipo familiar pero con los dos asientos traseros vacíos.

A las seis horas de conducción, puse el intermitente en la salida 163. Al incorporarnos a la carretera secundaria, noté un cambio en Celestial. Había elevado un poco los hombros y jugueteaba con un mechón de pelo.

—¿Qué ocurre? —pregunté bajando el volumen del mejor disco de rap de la historia.

—Nada. Estoy nerviosa.

—¿Nerviosa? ¿Por qué?

—¿Nunca te da la sensación de que te has dejado encendido un fuego de la cocina cuando te vas de casa?

Volví a subir el volumen y los altavoces atronaron.

—Llama a tu chico, Andre, entonces.

Celestial toqueteó el cinturón de seguridad, como si le estuviera rozando el cuello y le molestara.

—Siempre me pongo así cuando venimos a ver a tus padres. Como que me veo desde fuera todo el rato, ¿sabes?

—¿Por ver a mis padres?

Olive y Roy Padre son la gente más llana que te puedas echar a la cara. Los padres de Celestial, sin embargo, no lo eran en absoluto. Su padre era un tipo pequeñito, que no levantaba tres palmos del suelo, con un afro inmenso a lo Frederick Douglass, raya incluida, y, encima, era algo así como un genio inventor. Su madre trabajaba en educación, no como profesora o directora, sino como superintendente adjunta de todo el sistema escolar. Ah, y olvido decir que su padre dio con un filón de oro hace diez o doce años al inventar un compuesto que evita que la pulpa del zumo de naranja se agolpe en la superficie. Se lo vendió a Minute Maid y desde entonces puede decirse que la familia nada en dinero. Sus padres sí que son un hueso duro de roer. Tratar con Olive y Roy Padre es pan comido en comparación.

—Tú sabes que mis padres te quieren —dije.

—No, te quieren a ti.

—Y yo te quiero a ti, así que ellos también. Es álgebra básica.

Celestial miró por la ventana. Los enclenques pinos pasaban a toda velocidad a nuestro lado.

—Me estoy empezando a sentir incómoda con esto, Roy. Vámonos a casa.

Mi mujer tiene cierto gusto por el drama. Aun así, había en sus palabras una tensión casi imperceptible que solo podría describirse como miedo.

—¿Qué es lo que ocurre?

—No lo sé —respondió—. Pero, por favor, volvamos.

—Pero ¿qué voy a decirle a mi madre? Sabes que, con la hora que es, tendrá la cena casi preparada.

—Échame la culpa —replicó ella—. Dile que todo es culpa mía.

Volviendo la vista atrás, revivo aquella escena como quien, viendo una película de terror, se pregunta por qué los personajes se empeñan en ignorar las evidentes señales de peligro. Cuando una voz espectral te grita «Fuera de aquí», mejor hacerle caso. Pero en la vida real no sabes que estás en una película de terror. Crees que tu mujer se está dejando llevar por las emociones. Esperas para tus adentros que se deba a un posible embarazo, porque lo que necesitas para echarle el cerrojo a lo vuestro y tirar la llave es precisamente eso, un bebé.

*

Cuando llegamos a casa de mis padres, Olive estaba esperándonos en el porche. A mi madre le hacían gracia las pelucas y en esa ocasión se había puesto una con rizos color melocotón en almíbar. Aparqué en el espacio delantero, casi tocando el Chrysler de mi padre, abrí la puerta con energía y subí a toda velocidad los escalones para fundirme con mi madre en un abrazo. Olive es una mujer diminuta. Me enderecé y la levanté en volandas, y ella se rio con una risa musical, como de xilófono.

—¡Ya está en casa mi pequeño Roy!

Cuando la dejé en el suelo, volví la cabeza, pero allí no había nadie. Troté escalones abajo, otra vez de dos en dos. Abrí la puerta del coche y Celestial alargó el brazo. Juro que oí a mi madre resoplar mientras ayudaba a mi mujer a salir del Honda.

*

—Es un triángulo —dijo Roy Padre mientras paladeábamos un culo de coñac en la acogedora morada familiar. Olive estaba terminando de preparar la cena y Celestial había entrado al baño a asearse—. Tuve suerte —continuó—. Cuando conocí a tu madre, ninguno de los dos teníamos vínculos ni compromisos. Mis padres se acababan de morir y los suyos estaban en Oklahoma, aunque para ellos era como si su hija no existiera.

—Se llevarán bien —le dije a Roy Padre—. A Celestial le lleva un rato hacer migas con la gente.

—Tu madre no es precisamente Doris Day —dijo con tono de aquiescencia, y ambos alzamos los vasos a la salud de las difíciles mujeres por las que habíamos perdido la cabeza.

—Cuando tengamos un hijo las cosas irán mejor —dije yo.

—Cierto. Un nieto amansa a la fiera más salvaje.

—¿A quién estás llamando fiera? —preguntó mi madre de repente, materializándose en la puerta de la cocina y sentándose en el regazo de Roy Padre como si fuera una adolescente.

Por la otra puerta del comedor apareció Celestial: fresca, adorable y oliendo a mandarina. Yo estaba en la butaca y mis padres se habían acurrucado como dos tórtolos en el sofá; no quedaba sitio para ella, así que me di dos palmadas en el muslo. Ella se sentó con decisión sobre mi regazo. Parecíamos dos parejas de novios en una incómoda primera cita, en torno a 1952.

Mi madre se incorporó un poco en el sofá.

—Celestial, me he enterado de que eres famosa.

—¿Cómo? —preguntó ella, haciendo también ademán de levantarse. Yo la sujeté con firmeza.

—La revista —continuó ella—. ¿Cómo no nos lo has contado? ¡Estás en la cresta de la ola!

Celestial le dirigió una mirada de modestia.

—Oh. No es más que un boletín de alumnos...

—¡Es una revista! —dijo mi madre, cogiendo un ejemplar reluciente que tenía en la mesita auxiliar y hojeándola hasta encontrar una página a la que había doblado la esquina y en la que aparecía Celestial con una muñeca de trapo que representaba a Josephine Baker. «Atentos a estos artistas», decía el titular en gruesa letra negrita.

—Yo le envié la revista —confesé—. ¿Qué quieres que diga? ¡Estoy orgulloso de ti!

—¿Es cierto que la gente paga cinco mil dólares por tus muñecos? —preguntó Olive entornando los ojos y frunciendo los labios.

—No habitualmente... —explicó Celestial.

—Sí, sí, claro que sí —interrumpí yo—. Yo soy su agente. ¿Cómo voy a dejar que engañen a mi mujer?

—Cinco mil dólares por una muñeca... —repitió Olive abanicándose con la revista. El aire le removía los mechones color melocotón en almíbar—. Supongo que para eso inventó Dios a los blancos.

Roy Padre dejó escapar una risita y Celestial peleó como gato panza arriba para levantarse de mi regazo.

—La fotografía no hace justicia a la muñeca —dijo ella, con voz de niña pequeña—. Las cuentas del tocado están colocadas a mano y...

—Con cinco mil dólares pueden comprarse un montón de cuentas —puntualizó mi madre.

Celestial me miró y, en un intento por instaurar la paz, dije:

—Mamá, tenle manía si quieres al juego, pero no a quien lo juega.

Si tienes mujer, reconoces perfectamente cuándo has dicho algo que no debías. De alguna manera, ellas son capaces de reorganizar los iones del aire y ya no se respira igual que antes.

—Esto no es un juego. Es arte —aseveró Celestial, clavando la mirada en unas cuantas láminas enmarcadas de inspiración africana que colgaban en el comedor—. Arte de verdad.

—Quizá si pudiéramos ver una de cerca... —intervino Roy Padre, el avezado diplomático.

—Hemos traído un muñeco. Está en el coche. Voy a por él —dije yo.

*

El muñeco, envuelto en una toca de fino tejido, parecía un bebé de verdad. Esta era una de las peculiaridades de Celestial. Para ser una mujer tan aprensiva —por decirlo así— al respecto de la maternidad, se mostraba increíblemente protectora con sus creaciones. Intenté decirle que tendría que adoptar una actitud diferente cuando abriéramos la tienda. Las *poupées*, nombre francés por el que se conoce a este tipo de muñecas, se venderían a un precio muy inferior al de las obras de arte, como la que en ese momento sostenía yo entre los brazos. Habría que confeccionarlas más rápido y, cuando empezasen a venderse, se deberían fabricar en serie. Nada de tocas de cachemira. Yo había dejado a Celestial que se explayara con aquel, en cualquier caso, pues era un encargo del alcalde de Atlanta, que quería regalárselo a su jefa de personal, la cual esperaba un bebé para Acción de Gracias.

Aparté la toca para que mi madre viese la carita del muñeco y ella tomó aire profundamente, impresionada. Guiñé un ojo a Celestial, quien tuvo la amabilidad de resetear los iones del aire para que yo pudiese respirar de nuevo.

—Eres tú —dijo Olive, arrebatándome el muñeco de los brazos y sosteniéndole cuidadosamente la cabeza.

—Usé una fotografía suya —explicó Celestial con una vocecita—. Roy es mi musa.

—Por eso se casó conmigo —bromeé yo.

—No solo por eso —replicó ella.

Cuando vivía un momento mágico, mi madre se quedaba sin palabras. Así fue entonces. Tenía los ojos clavados en el bebé que apretaba contra su pecho. Mi padre se unió a nosotros y miró por encima del hombro de su esposa.

—He usado cuentas de cristal austriaco para el pelo —continuó explicando Celestial, emocionada—. Gíralo para que veas los reflejos.

Mi madre hizo caso y las pequeñas cuentas negras de la cabeza del muñeco centellearon a la luz de las lámparas del salón.

—¡Se ve como un halo! —dijo mi madre—. Como cuando tienes un bebé de verdad. Un ángel particular.

Mi madre se dirigió al sofá y colocó el muñeco sobre un almohadón. Estaba siendo una experiencia algo alucinatoria, porque el muñeco se daba realmente un aire a mí, o al menos a mis fotos de bebé. Era como estar mirando un espejo mágico. Pude ver en Olive a la niña de dieciséis años, a aquella madre prematura, tierna como un brote primaveral.

—¿Puedo comprártelo?

—No, mamá —me adelanté yo, notando cómo se me ensanchaba el pecho por el orgullo—. Este es un encargo especial. Diez mil dólares. Dinero sucio y rápido, ¡agenciado aquí por un servidor!

—Claro, claro —contestó ella, envolviendo de nuevo el muñeco en la toca—. ¿Para qué necesito yo un muñeco? Una vieja como yo...

—Puedes quedártelo —intervino Celestial.

Lancé a mi esposa una mirada inquisitiva que ella siempre compara con las del protagonista de la serie *Arnold*. El contrato especificaba claramente que había que entregarlo a finales de mes. La fecha era inaplazable y había un documento por triplicado firmado ante notario. No había cláusula para negros tardones.

—Puedo hacer otro —zanjó Celestial sin siquiera mirarme.

—No, no, no quiero hacerte una faena así. Pero es que se parece tanto a Roy Hijo... —dijo Olive.

Yo alargué la mano para que me devolviese el muñeco, pero mi madre no parecía dispuesta a soltarlo y Celestial tampoco lo estaba poniendo fácil. Se pone muy tonta con cualquiera que valore su trabajo. Es algo en lo que deberemos trabajar si queremos realmente que esto sea un negocio.

—Quédatelo —insistió Celestial, como si los tres largos meses de trabajo que había dedicado al muñeco de repente se hubiesen desvanecido en el aire—. Puedo hacer otro para el alcalde.

Ahora le tocaba a Olive remover los iones.

—Oh, el alcalde. ¡Guau, vaya, perdón! —exclamó, entregándome el muñeco—. Guárdalo en el coche antes de que se ensucie. No quiero que me mandéis a mí la factura de diez mil dólares.

—No quería decir eso —contestó Celestial y me miró con ademán de culpa.

—Mamá... —dije yo.

—Olive... —dijo Roy Padre.

—Señora Hamilton... —dijo Celestial.

—¡Hora de cenar! —replicó mi madre—. Espero que a todos os gusten la ensalada de hoja de mostaza y el ñame dulce.

*

No cenamos en silencio, pero nadie habló de nada en concreto. Olive estaba tan enfadada que le salió mal el té helado. Yo tomé un largo sorbo, esperando el suave dulzor final del azúcar de caña, y me atraganté al toparme con el sabor acre de la sal *kosher*. Un momento después, de repente, mi título de la escuela secundaria se cayó de la pared y el cristal se agrietó. ¿Señales? Tal vez. No se me ocurrió que alguien me estuviera mandando un mensaje desde allá arriba. Me sentía totalmente descolocado, atrapado accidentalmente entre dos mujeres a las que valoraba más allá de toda duda. No es que no sepa cómo manejarme en situaciones delicadas. Todos los hombres sabemos lo que es expandirnos y ocupar territorio. Pero con mi madre y Celestial me partí por la mitad. Olive me trajo a este mundo y me educó para ser el hombre en que me reconozco. Pero Celestial ha sido la vía de acceso al resto de mi vida, el resplandeciente portal al siguiente nivel del juego.

El postre era mi bizcocho relleno preferido, pero la discusión en torno al muñeco de diez mil dólares me había quitado el apetito. Me las apañé como pude para terminarme dos raciones espolvoreadas de canela, porque, como todo el mundo sabe, la mejor manera de empeorar una riña con una mujer sureña es rechazar su comida. Así que comí como un refugiado y también comió Celestial, a pesar de que ambos habíamos prometido mantener a raya el azúcar refinado.

—¿Listo para traer tus maletas? —preguntó Roy Padre cuando hubimos retirado los platos y el mantel.

—No, papá —respondí como no dándole importancia—. Tenemos habitación en el Piney Woods.

—¿Prefieres dormir en ese vertedero antes que en tu propia casa? —inquirió Olive.

—Quiero contarle a Celestial las cosas desde el primer principio.

—Para eso no tienes que quedarte en ese motel.

Pero lo cierto es que sí, tenía que quedarme en ese motel. Tenía que contarle la historia de mi vida a resguardo de las versiones revisionistas de mis padres. Después de un año de matrimonio, esa mujer merecía saber con quién se había casado.

—¿Ha sido idea tuya? —preguntó mi madre a Celestial.

—No, señora. A mí no me importaría en absoluto dormir aquí.

—Es idea mía —intervine, aunque a Celestial le hacía bastante feliz con la idea de quedarnos en el motel. Me había dicho más de una vez que nunca le había hecho gracia que durmiésemos juntos bajo el techo de nuestros padres, a pesar de estar legalmente casados, etcétera. La última vez que vinimos se puso un camisón como de *La casa de la pradera,* aunque normalmente duerme desnuda.

—¡Pero ya he preparado el dormitorio! —dijo Olive, alargando la mano en dirección a Celestial. Aquellas mujeres se estaban mirando de esa manera en que un hombre jamás mira a otro hombre. Durante un instante, estuvieron las dos solas en aquella casa.

—Roy —dijo Celestial volviéndose hacia mí, extrañamente asustada—. ¿Tú qué piensas?

—Vendremos por la mañana, mamá —zanjé, dándole un beso—. Bizcochitos con miel.

*

¿Cuánto tardamos en salir de la casa de mi madre? Tal vez pasado el tiempo todo se exagera, pero en aquel momento nadie parecía tener prisa. Cuando por fin llegamos a la puerta, mi padre le entregó a Celestial el muñeco envuelto. Lo sostenía con torpeza, como si no tuviera muy claro si se trataba de un objeto o de un ser vivo.

—Que le dé un poco de aire —dijo mi madre, retirándolo de la manta. La luz anaranjada del ocaso hizo centellear las cuentas y el halo apareció de nuevo.

—Puedes quedártelo —dijo Celestial—. De verdad.

—No, este es para el alcalde —replicó Olive—. Hazme otro para mí, si quieres.

—O, mejor aún, uno de verdad —intervino Roy Padre, dibujando en el aire un vientre invisible con sus grandes manos. Su carcajada rompió el pegajoso encantamiento que nos ataba a aquella casa y por fin pudimos irnos.

Celestial se relajó tan pronto como subimos al coche. El mal rollo que tan inquieta la tenía se volatilizó en la carretera. Empezó a deshacerse las trenzas francesas que le caían sobre los hombros. Colocó la cabeza entre las rodillas y se afanó en desenredar y ahuecar. Cuando volvió a incorporarse, era ella de nuevo, todo pelo. Esbozó una sonrisa malévola.

—Ay, madre mía, qué situación tan violenta.

—Ya te digo —convine—. No sé de qué iba todo eso.

—Bebés... —dijo ella—. Me da la impresión de que el deseo de tener nietos vuelve un poco locos hasta a los progenitores más sensatos.

—A tus padres, no —dije yo, pensando en su familia, frío como una tarrina de helado.

—Oh, sí, a los míos también —respondió ella—. Delante de ti se contienen. Tienen que ir todos a terapia, creo yo.

—Pero nosotros estamos intentando tener hijos —repuse yo—. ¿Por qué va a ser diferente que ellos lo quieran también? ¿No es bueno tener algo en común?

*

De camino al hotel, detuve el coche en el arcén de la carretera, justo antes de atravesar el puente colgante, que era gigantesco para el alegre arroyo que pasaba por debajo, el cual aparecía rotulado en el mapa como «río Aldridge».

—¿Qué zapatos son esos que llevas?

—Cuñas —dijo ella, frunciendo el ceño.

—¿Puedes caminar con ellas?

Ella pareció de repente avergonzarse de su calzado, dos torres de corcho y tela estampada de lunares.

—¿Cómo voy a impresionar a tu madre con zapatos planos?

—No te preocupes, es cerca —dije yo, escurriéndome por un suave terraplén, mientras ella me seguía dando pasitos de bebé—. Agárrate a mis hombros —propuse cogiéndola en brazos como a una novia. Ella apretó las mejillas contra mi cuello y suspiró. Nunca se lo digo, pero me gusta ser lo suficientemente fuerte como para poder llevarla donde ella quiera, literalmente. Ella tampoco me lo dice a mí, aunque estoy seguro de que también le gusta. Al alcanzar la orilla del arroyo, la posé en el mullido suelo.

—Pesas más que antes, chica. ¿Seguro que no estás embarazada?

—Ja, ja, qué gracioso —dijo ella, alzando la mirada—. Por cierto, esto es mucho puente para tan poco río.

Me senté en el suelo y apoyé la espalda contra uno de los pilares de metal, como si fuera la Gran Pacana, el árbol que teníamos en uno de los laterales del jardín delantero de casa. Abrí las piernas y palmeé el suelo, invitándola a sentarse. Ella lo hizo de espaldas a mí y yo apoyé la barbilla en el punto de unión entre su cuello y su hombro. Las claras aguas que corrían a nuestro lado borboteaban entre las rocas pulidas, y el crepúsculo daba un perfil plateado a las ondas que se formaban en la superficie. Mi mujer olía a lavanda y a tarta de coco.

—Antes de que construyeran la presa, el agua bajaba más rápido. Yo venía con mi padre los sábados a pescar. En cierto modo, eso es la paternidad: sándwiches de mortadela y zumo de uva. —Ella rio, sin imaginar lo muy en serio que hablaba. Muy por encima de nuestras cabezas, pasó un camión haciendo vibrar la rejilla metálica que forraba el puente por su parte inferior, y las corrientes de aire la atravesaron emitiendo una nota musical, como cuando soplas flojito en una botella vacía—. Cuando pasan muchos coches a la vez, suena casi como una canción.

Y ahí nos quedamos sentados, esperando que pasaran más coches, escuchando la música del puente. Nuestro matrimonio iba bien. Y no estoy hablando de memoria.

—Georgia —dije, llamándola por el apodo que yo siempre utilizaba para ella—. Mi familia es más complicada de lo que crees. Mi madre…

No fui capaz de terminar la frase.

—No pasa nada —prometió ella—. No estoy molesta. Te quiere mucho, eso es todo.

Celestial se giró y nos besamos bajo el puente, como dos adolescentes escondidos. Era maravilloso ser adulto y comportarse como un adolescente. Estar casado, pero no haber sentado la cabeza. Estar atado pero libre a la vez.

*

Mi madre exageraba. Piney Woods estaba más o menos al nivel de un Motel 6. Objetivamente podría tener tres estrellas, aunque, bueno, una de ellas contaría como bonus por ser el único hotel de la ciudad. Hace la tira de años, yo llevé a ese hotel a una chica tras un baile en el instituto, con la esperanza de solventar el asunto ese de la virginidad. Tuve que embolsar un montón de compras en el supermercado Piggly Wiggly para pagar la habitación, la botella de espumoso de Asti y algunos otros accesorios románticos. Hasta había ido a la lavandería a cambiar monedas de un cuarto de dólar para usar el sistema de masaje de la cama. La noche terminó convirtiéndose en una comedia de los errores. El sistema de masaje de la cama se tragó seis monedas hasta que por fin echó a andar. Hacía más ruido que un cortacésped. Además, la chica con la que había quedado llevaba un vestido de miriñaque del tiempo de la guerra de Secesión y, justo cuando estaba intentando conocerla mejor, uno de los aros se soltó y me golpeó en la nariz como un resorte.

Al llegar al hotel, nos acomodamos en la habitación y yo le conté esta historia a Celestial, esperando que le hiciera gracia. Sin embargo, me dijo: «Ven aquí, cariño» y me invitó a apoyar la cabeza en su pecho, que es más o menos lo mismo que hizo la chica de la cita de tantos años atrás.

—Parece que estuviéramos de acampada —dije yo.

—Se parece más a una beca en el extranjero.

Al cruzar la mirada con ella en el espejo, dije: «Yo casi nací en este hotel. Olive trabajaba aquí, haciendo habitaciones». En aquel entonces se llamaba de otra manera: Rebel's Roost, tal cual. La bandera confederada colgaba en todas las habitaciones. Cuando mi madre rompió aguas, estaba fregando una bañera, pero se negó a que yo llegase a este mundo bajo aquella bandera. Apretó con fuerza las rodillas hasta que el propietario del hotel, un tipo bastante decente pese a su gusto decorativo, la llevó hasta Alexandria, a cuarenta kilómetros. Era 1969, el 5 de abril, y yo dormí mi primera noche en un nido con bebés negros y blancos. Mi madre estaba orgullosa de eso.

—¿Dónde estaba Roy Padre? —preguntó Celestial, como era de esperar.

Esa pregunta era la razón por la que estábamos allí, así que ¿por qué me costaba tanto trabajo contestarla? Yo la había ido guiando hasta ella, pero, cuando me la formuló, me quedé mudo como una pared.

—¿Estaba trabajando? —Celestial llevaba un rato sentada en la cama, cosiendo cuentas al muñeco del alcalde, pero mi silencio llamó su atención. Mordió el hilo, le echó un nudo y se giró para mirarme—. ¿Qué ocurre? —Yo seguía moviendo los labios sin emitir sonido alguno. Aquel no era el lugar apropiado para contar esa historia. Mi historia personal empezó quizá el día que nací, pero «la historia» va mucho más atrás—. Roy, ¿qué ocurre? ¿Qué te pasa?

—Roy Padre no es mi verdadero padre.

Yo había prometido a mi madre no decir jamás en voz alta aquella frase.

—¿Qué?

—Biológicamente hablando.

—Pero ¿y tu nombre?

—Bueno, él quiso llamarme así cuando era bebé.

Me levanté de la cama y preparé dos copas: vodka con zumo de bote, que removí con un dedo. No era capaz de mirar a Celestial a los ojos, ni siquiera por el espejo.

—¿Desde cuándo lo sabes? —preguntó ella.

—Me lo dijeron antes de entrar a la guardería. Eloe es un pueblo muy pequeño y no querían que me enterase en el patio del colegio.

—¿Por eso me lo estás contando? ¿Para que no me entere de otra manera?

—No —contesté—. Te lo estoy contando porque quiero que conozcas todos mis secretos. —Regresé a la cama y le alargué el endeble vaso de plástico—. Salud.

Celestial no respondió a mi triste brindis. En su lugar, colocó el vaso en la destartalada mesita de noche y envolvió el muñeco del alcalde en su toca.

—Roy, ¿por qué haces las cosas así? Llevamos más de un año casados. ¿No se te había ocurrido contarme esto antes?

Me quedé esperando el resto, las palabras lacónicas y las lágrimas. Puede incluso que las deseara. Pero Celestial no hizo más que dirigir una mirada exhausta al cielo y mover la cabeza de un lado a otro. Inspiró profundamente y dejó escapar el aire.

—Roy, lo estás haciendo aposta, ¿verdad?

—¿El qué? ¿A qué te refieres?

—Me dices que estamos creando una familia y que soy la persona con quien más intimidad tienes, y luego sueltas una bomba como esta.

—No es una bomba. ¿Qué importancia tiene? —Dejé caer la pregunta como si nada, pero estaba deseoso de que me respondiera. Necesitaba oírla decir que daba igual, que yo era yo, y que mi tortuoso árbol genealógico no cambiaría nada.

—No es solo esto. Es el número de teléfono en tu tarjeta y eso de que no siempre lleves la alianza. Y ahora esto. En cuanto pasamos página con una cosa, aparece otra. Si no te conociera, pensaría que estás intentando sabotear nuestro matrimonio, el plan de tener hijos, todo.

Lo dijo como si todo fuera mi culpa, como si fuera posible estar en pareja y a la vez a solas. Yo, cuando me enfadaba, no levantaba la voz. Al contrario, bajaba el tono y hablaba con voz grave, tanto que no se oía con los oídos, sino con los huesos.

—¿Estás segura de que quieres ir por ahí? ¿Es esta la salida que estabas buscando? Esa es la pregunta de verdad. ¿Te digo que no conozco a mi verdadero padre y te replanteas toda nuestra relación? Mira, no te lo he dicho porque es algo que no tiene nada que ver con nosotros.

—Tú tienes un problema —respondió ella. Vi en el espejo manchado su rostro, los ojos bien abiertos y el gesto enojado.

—¿Ves? —dije yo—. Por esto no quería contártelo. Y ahora ¿qué? ¿Te parece que no me conoces solo porque no estás al tanto de mi perfil genético exacto? ¿Qué pijada es esa?

—Lo importante no es eso. Lo importante es que no me lo contaras. No me importa que no sepas quién es tu padre.

—No he dicho que no sepa quién es. ¿Qué estás intentando decir de mi madre ahora? ¿Que no sabe quién la dejó embarazada? ¿De verdad, Celestial? ¿Eso es lo que estás dando a entender?

—No tergiverses las cosas —replicó ella—. Eres tú el que se ha guardado un secreto del tamaño de Alaska.

—¿Y qué quieres que te cuente? Mi padre se llama Othaniel Jenkins. Eso es lo único que sé, y ahora tú también lo sabes. ¿Eso es un secreto del tamaño de Alaska? Es más bien del tamaño de Connecticut, diría yo. O de Rhode Island.

—No le des la vuelta a todo —dijo ella.

—Mira —repuse yo—. Ten un poco de empatía, hazme el favor. Olive no tenía ni diecisiete años. Él se aprovechó de ella. Era un adulto.

—Estoy hablando de ti y de mí. Estamos casados. Casados, ¿lo entiendes? Me da igual cómo se llame. ¿Tú crees que a mí me importa lo que tu madre…?

Me di la vuelta para mirarla directamente a la cara y lo que vi me preocupó. Tenía los ojos medio cerrados y los labios fruncidos, listos para decir algo. Supe instintivamente que no quería oír lo que iba a salir por aquella boca.

—Diecisiete de noviembre —dije yo antes de que ella pudiera terminar de dar forma a lo que estaba pensando.

Otras personas tienen palabras de seguridad para pedir tiempo muerto cuando practican sexo de alto octanaje, pero nosotros la usamos para evitar palabras gruesas. Si alguno de nosotros dice «17 de noviembre», la fecha de aniversario de nuestra primera cita, tenemos que dejar de hablar durante quince minutos. Decidí dar el paso porque sabía que, si decía una palabra más sobre mi madre, alguno de los dos terminaría metiéndose en un berenjenal del que no sabría cómo salir.

Celestial levantó los brazos.

—Vale. Quince minutos.

Yo me levanté y recogí la hielera de plástico.

—Voy a llenar esto.

Quince minutos, quieras que no, es un rato considerable. En cuanto salí por la puerta, Celestial llamaría a Andre. Andre y Celestial se conocieron en un parquecito infantil cuando ni siquiera tenían edad para sentarse solos, así que son uña y carne. Yo conocí a Dre en la universidad y, de hecho, fue él quien me presentó a Celestial.

Mientras se desahogaba con Dre, yo subí al segundo piso del motel para llenar la hielera en la máquina de hielo. Los cubitos cayeron con ruido y desorden. Mientras esperaba, apareció una mujer de la edad de Olive, de complexión fuerte, con hoyuelos y expresión risueña. Tenía un brazo envuelto en un cabestrillo de tela. «El manguito del rotador», dijo, y me explicó que le estaba suponiendo todo un desafío conducir hasta Houston, donde la esperaba su nieto, al que planeaba aupar con su brazo bueno. Como el caballero que mi madre me enseñó a ser, la ayudé a llevar el hielo que ella también venía a buscar de vuelta a su habitación, la número 206. Debido a su lesión, no podía siquiera abrir la ventana, así que se la subí yo, y la aguanté con la Biblia que había en el cajón de la mesita de noche. Aún tenía otros siete minutos de cuarentena por delante, así que fui al baño y le eché un vistazo a la cisterna de su inodoro, que soltaba más agua que el Niágara. El pomo de la puerta de la habitación estaba suelto y, al salir, le pedí que comprobase que la puerta quedaba bien cerrada a mis espaldas. Me dio las gracias y yo me despedí con un «señora». Eran las 21:48. Lo sé porque miré mi reloj de pulsera para comprobar si podía ya volver con mi mujer o no.

Toqué a la puerta a las 21:53. Celestial había preparado dos cócteles. Metió la mano desnuda en la hielera y echó tres cubitos en cada vaso. Removió las bebidas para enfriarlas bien y, a continuación, alargó su hermoso brazo hacia mí.

Esa fue la última noche feliz que viviría en mucho mucho tiempo.

Celestial

La memoria es una criatura extraña, de gustos excéntricos. Sigo recordando esa noche, aunque no tan a menudo como antes. ¿Durante cuánto tiempo se puede vivir evocando el pasado? No importa lo que diga la gente, aquel no fue un fracaso digno de recordar. No estoy segura de que fuera un fracaso, en realidad.

Cuando digo que visito Piney Woods Inn en mis ensoñaciones, no es por ponerme a la defensiva. Es la pura verdad. Como cantaba Aretha: «La mujer es humana. [...] Carne y sangre, como su hombre». Ni más ni menos.

Me arrepiento de lo mucho que discutimos aquella noche, a cuenta de sus padres, sobre todo. Habíamos regañado con más saña aún antes de casarnos, cuando todavía jugábamos al amor, pero aquello eran tiras y aflojas al respecto de la relación. En Piney Woods nos enredamos en nuestras respectivas historias personales y lo cierto es que sobre el pasado no pueden librarse batallas justas. Como sabía algo que yo no, Roy pidió un «17 de noviembre» y detuvo el tiempo. Se marchó con la hielera y yo me alegré.

Llamé a Andre, que respondió después de tres timbrazos. Supo tranquilizarme con su tono racional y civilizado.

—Con Roy tienes que tomarte las cosas con calma —me dijo—. Si cada vez que intenta abrirse tú pierdes los nervios, estarás empujándole a mentir.

—Pero si él ni siquiera... —empecé a decir. No estaba dispuesta a reconocer nada todavía.

—Sabes que tengo razón —dijo sin engreimiento—. Y lo que no sabes es que esta noche tengo una cita.

—*Pardon moi* —exclamé, alegrándome por él.

—También los *gigolos* se sienten solos a veces —replicó.

No se me había borrado la sonrisa de la boca cuando colgué.

Y seguía sonriendo cuando Roy apareció por la puerta ofreciéndome la hielera como quien ofrece un ramo de rosas. El ánimo se me había quedado frío como un café olvidado.

—Georgia, lo siento —dijo, tomando el vaso de mi mano—. Esto me lleva reconcomiendo desde hace mucho. Piensa en cómo me siento. Tienes una familia perfecta. Tu padre es millonario.

—Él no siempre tuvo dinero —respondí. Un detalle que, me daba la impresión, yo tenía que repetirle casi todas las semanas. Antes de que mi padre le vendiera su fórmula para el zumo de naranja a Minute Maid, éramos como cualquier otra familia de Cascade Heights: lo que el resto de estadounidenses considera clase media-media (salvo los negros, que lo ven como clase media-alta). No teníamos sirvienta ni íbamos a una escuela privada. No teníamos inversiones millonarias. Mis padres eran un padre y una madre, cada uno con su título universitario y con un trabajo decente.

—Bueno, desde que te conozco eres la hija del rico del barrio.

—Un millón de dólares no te convierte en rico de por vida —puntualicé yo—. Los ricos de verdad no tienen que ganarse el dinero.

—Rico rico; nuevo rico; negro rico... Me da igual cómo lo llames. Desde mi punto de vista, sois ricos. Ni de coña iba yo a contar a tu padre, sentados en el salón de vuestra mansión, que yo jamás conocí a su consuegro.

Él dio un paso hacia mí y yo me acerqué hacia él.

—No es una mansión —dije yo, suavizando el tono de voz—. Y ya te lo he dicho muchas veces, mi padre es literalmente hijo de un aparcero. De un aparcero de Alabama, para más inri.

Estas conversaciones siempre me cogían con la guardia baja, aunque después de un año ya debería estar acostumbrada a lidiar con este asunto tan espinoso. Mi madre me alertó antes de que me casara con Roy de que ambos proveníamos de realidades muy diferentes. Ella me insistió una y otra vez en que yo tendría que estar demostrándole continuamente que estábamos en igualdad de condiciones y «aparejados en yunta». Me hacía gracia esa expresión, y por ese motivo se lo conté en una ocasión a Roy. Le hice un chiste sobre un arado o algo así, pero maldita la gracia que le hizo.

—Celestial, tu padre no es aparcero de nadie ya. ¿Y qué hay de tu madre? No estoy dispuesto a dejar que tu madre se imagine a la mía como una madre adolescente, abandonada en la cuneta. Ni de broma permitiría que nadie tuviese esa imagen de mi madre.

Yo ocupé el espacio que separaba el cuerpo de Roy del mío, apoyando las manos sobre su cabeza y palpando suavemente la curvatura de su cráneo.

—Mira —le susurré acercando la boca a su oído—. Nosotros no somos precisamente los Flanders negros, ¿sabes? Mi madre es la segunda esposa de mi padre, ya lo sabes.

—¿Y eso es algo que deba dejarme boquiabierto, acaso?

—Te quedarás boquiabierto cuando conozcas toda la historia —anuncié tomando aire profundamente y tratando de expulsar las palabras antes de pensármelo dos veces—. Mis padres se liaron antes de que mi padre se divorciase.

—Pero ¿te refieres a cuando se separaron...?

—Me refiero a que mi madre fue su amante. Durante mucho tiempo. Tres años, más o menos, creo. Tuvieron que casarse por lo civil porque su pastor no quería oficiar la ceremonia.

Yo lo he visto en fotos. Gloria, con un vestido de novia blanco roto y un casquetito con velo. A mi padre se le nota joven y emocionado. En las imágenes no se ven más que sonrisas y una devoción espontánea y fácil. Tampoco aparezco yo, aunque estoy: a la altura del ramo de crisantemos amarillos, dentro del vientre de mi madre.

—Joder —dijo Roy, dejando escapar un silbido grave—. No me imaginaba algo así del señor Davenport. Y jamás me habría imaginado que Gloria...

—Ni una palabra sobre mi madre —amenacé yo—. Yo no hablo de tu madre y tú no hablas de la mía.

—No le reprocharía nada a Gloria. Al igual que tú no le reprocharías nada a Olive, ¿verdad?

—Sí que hay algo que reprochar, pero a mi padre. Mi madre dice que no le confesó que estaba casado hasta que llevaban un mes viéndose. Ella me lo contó cuando yo ya había cumplido dieciocho años. Yo iba a dejar la Universidad Howard después de un desastroso idilio romántico. Mientras me ayudaba a cerrar cajas de cartón, me dijo: «El amor es el enemigo de la sensatez, y solo ocasionalmente hace algún servicio a la causa del bien. Creo que nunca te he contado que tu padre tenía ciertos compromisos en vigor cuando nos conocimos». Fue la primera vez que mi madre me habló de mujer a mujer. Sin palabras, nos juramos la una a la otra guardar el secreto y jamás he traicionado su confianza, hasta ahora.

—Un mes no es mucho tiempo. Ella podría haberse dado la vuelta y dejarlo plantado —observó Roy—. Si hubiera querido, quiero decir.

—No quiso —respondí yo—. Según Gloria, para entonces ya estaba enamorada hasta el tuétano, irreversiblemente —expliqué imitando el tono de voz que ella solía usar en público, con una nítida dicción, muy distinto al temblor con el que me había confesado aquel pequeño secreto.

—¿Qué? —preguntó Roy—. ¿Irreversiblemente? ¿La garantía seguía en vigor treinta días después, pero ella no podía devolver el producto?

—Gloria me contó que, mirando atrás, se alegra de que no le dijera que estaba casado, porque jamás habría salido con él. Mi padre resultó ser el hombre de su vida.

—Bueno, eso puedo entenderlo, en cierto modo. —Roy se llevó la mano a los labios—. A veces, cuando te gusta el lugar en el que estás, deja de ser importante el cómo llegaste allí.

—No —repuse yo—. El cómo llegaste sí importa. Mi madre puede decírtelo. Mi padre mintió por el bien de ella. Yo nunca querría sentirme agradecida porque alguien me haya engañado.

—Sí, lo entiendo —dijo él—. Pero piensa en modo 2.0. Si tu padre no hubiera ocultado su situación real, tú no estarías aquí ahora. Y si tú no estuvieras aquí, ¿dónde estaría yo?

—Sigue sin gustarme el asunto. Quiero que nosotros seamos francos el uno con el otro. No quiero que nuestro hijo o hija herede todos nuestros secretos.

Roy levantó un puño en el aire.

—¿Has oído lo que acabas de decir? —preguntó.

—¿El qué?

—Has dicho «nuestro hijo o hija».

—Roy, deja de hacer el tonto. ¿Puedes escuchar lo que estoy intentando decirte?

—No intentes retirarlo. Has dicho «nuestro hijo o hija».

—Roy, estoy hablando en serio. Se acabaron los secretos, ¿vale? Si tienes algún otro por ahí guardado, suéltalo ahora mismo.

—No tengo nada más.

Y con esas palabras nos reconciliamos, como había ocurrido tantas veces antes. Hay una canción del grupo The Stylistic sobre eso: *Break up to make up, that's all we do**. Quizá fue en ese momento cuando imaginé que ese patrón regiría toda nuestra vida sentimental. Que envejeceríamos juntos, acusándonos y perdonándonos. Entonces no sabía yo qué querían decir realmente las palabras «para siempre». Quizá siga sin saberlo. Sin embargo, esa noche en Piney Woods me convencí de que nuestro matrimonio era un tapiz finamente bordado, delicado pero fácil de arreglar. Lo rasgábamos a menudo y lo remendábamos, siempre con un hilo de seda tan encantador como frágil.

Nos subimos a la pequeña cama, un poco achispados por los improvisados cócteles. La colcha levantó sospechas en ambos, así que la apartamos de un puntapié y nos tumbamos sobre las sábanas, cara a cara. Echada junto a él, repasando con la yema del dedo la línea de sus cejas, pensé en mis padres y también en los suyos. Sus matrimonios se habían tejido con paños menos refinados pero más duraderos, una arpillera como la de los sacos para el algodón, cosida con bramante gris. Esa noche, en aquella habitación alquilada, Roy y yo nos sentimos por encima del resto, envueltos en nuestras entretelas amorosas. Me da vergüenza ese recuerdo y me sube el calor a la cara, incluso en sueños.

Entonces no sabía que el cuerpo puede saber cosas antes de que ocurran, así que, cuando las lágrimas me rebosaron de los ojos, pensé que se trataba del impredecible efecto de la emoción. A veces me conmovía mientras rebuscaba en las tiendas de telas o haciendo la comida: pensaba en Roy, en su andar patizambo o en aquella vez en que forcejeó con un ladrón hasta tirarlo al suelo, lo que le costó un

---

* «Romper y reconciliarnos, no hacemos otra cosa» *(N. del T.)*.

valiosísimo diente. Cuando el recuerdo me embargaba, dejaba escapar unas lágrimas, sin importar dónde me encontrase en ese momento. Siempre podía culpar a la alergia o al rímel. Así que, de nuevo, cuando la emoción me humedeció la mirada y me anudó la garganta aquella noche en Eloe, pensé que se debía no tanto a una premonición como a la mera pasión.

Cuando planeamos el viaje, pensé que íbamos a quedarnos a dormir en casa de su madre, así que no metí lencería fina en la maleta. Llevaba unas sencillas braguitas blancas, con las que habríamos de contentarnos para el juego preliminar de desnudarnos mutuamente. Roy sonrió y me dijo que me quería. Le temblaba la voz, como si la misma emoción que me embargaba a mí se hubiese apoderado también de él. Ingenuos y jóvenes, nos pensábamos en manos del deseo, algo de lo que disfrutamos en abundancia.

Así que ahí estábamos, sin dormir pero agotados, ocupando cierto estado afectivo intermedio, plácido y lleno de posibilidades. Me incorporé en la cama; él estaba tumbado, junto a mí. Aspiré los aromas del día: el lodo del río, el perfume almizclado del jabón del hotel, el olor de Roy, la marca de su química personal. Y luego el mío. La mezcla de fragancias se entretejía con nuestras sábanas. Me acomodé cerca de su cuerpo y lo besé en los párpados cerrados. Me consideré una persona afortunada. No doy a esta palabra el mismo sentido que mis amigas solteras, que me recordaban una y otra vez la suerte que había tenido de encontrar a un hombre dispuesto a casarse, y tampoco el que le dan las revistas cuando se quejan de los pocos hombres negros «buenos» que quedan, entonando una pormenorizada letanía de tipos de hombres negros no aptos: muertos, gais, encarcelados, casados con mujeres blancas. Sí, yo podía considerarme afortunada a todos esos respectos, pero mi matrimonio con Roy me hacía sentir afortunada a la antigua. Simplemente por haber encontrado a alguien cuyo olor me gustaba.

¿Nos amamos con tal intensidad esa noche porque éramos conscientes o quizá porque no lo éramos? ¿Había una alarma sobre el futuro, una campana que tañía furiosa en silencio, sin badajo? ¿Quizá el volteo de la campana había generado una brisa que me hizo buscar mis braguitas en el suelo y cubrirme con ellas? ¿Alguna advertencia sutil movió a Roy darse la vuelta y echarme el pesado brazo por encima? Él, en efecto, murmulló algo entre sueños, pero no se despertó.

¿Quería yo un niño? ¿Mentí en la cama aquella noche imaginando un puñado de células dividiéndose vehementemente una y otra vez hasta que, de un día para el siguiente, me convirtiese en la madre de un ser humano y Roy el padre de un ser humano, y Roy Padre, Olive y mis padres en abuelos? Me preguntaba qué estaría ocurriendo en el interior de mi cuerpo, pero no sabía con exactitud cuáles eran mis esperanzas. ¿Es la maternidad realmente opcional cuando eres una mujer perfectamente normal, casada con un hombre perfectamente normal? Cuando estudiaba en la universidad, trabajé como voluntaria dando clase a madres adolescentes. Era un trabajo muy duro, descorazonador la mayor parte de las veces, porque aquellas chicas raramente llegaban a sacarse ningún título. Recuerdo que, una vez, desayunando cruasanes y café solo, mi supervisora me dijo: «¡Ten un niño y salva a la raza!». Sonreía, pero no hablaba en broma. «¿Qué le ocurrirá a la comunidad negra si las únicas que tienen hijos son estas chicas, y todas las mujeres como tú dejan de ser madres y solo se preocupan de vivir sin ataduras?» Sin reflexionar sobre ello realmente, prometí cumplir con mi parte. Eso no quiere decir que no quisiera ser madre, pero tampoco que lo deseara vivamente. Pero en ese instante supe que en algún momento del futuro tendría que plantearme si saldar esa deuda o no.

Roy dormía plácidamente. Yo cerré los ojos, agitada. Seguía despierta cuando, sin previo aviso, la puerta se abrió bruscamente. Alguien la echó abajo de una patada, estoy casi segura, aunque el informe policial diga que un empleado del motel entregó la llave y que un agente abrió la puerta de forma civilizada. Pero lo único cierto es que yo recuerdo a mi marido dormido en nuestra habitación mientras que una señora seis años mayor que mi suegra, la huésped de la habitación 206, dice que no podía conciliar el sueño porque la puerta de su habitación no le parecía muy segura. Pensó que estaba perdiendo los nervios, pero no conseguía siquiera cerrar los ojos. Antes de que diese la medianoche, un hombre giró el pomo sabiendo, aparentemente, que la puerta estaba abierta. Todo estaba oscuro, pero la mujer creyó reconocer a Roy, a quien había conocido en la máquina de hielo. Sí, ese hombre que al parecer había discutido con su mujer. La señora, a su vez, le había contado a Roy que antaño estuvo a la merced de un hombre, pero que eso no volvería a ocurrirle. Roy, declaró, podía ser un tipo listo y haber aprendido a cubrir sus propias huellas en cualquier serie de televisión. Pero no se borraría jamás de su recuerdo.

Esa señora no podrá jamás borrar mi recuerdo, no obstante: Roy estuvo conmigo toda la noche. Esa señora no sabía realmente quién abusó de ella, pero yo sabía perfectamente con quién me había casado.

*

Me casé con Roy Othaniel Hamilton. Lo conocí en la universidad, aunque no conectamos de inmediato. En ese tiempo él se tenía por un ligón, pero yo no me dejaba engatusar por nadie, ni siquiera a los diecinueve años. Yo había llegado a Spelman College, en Atlanta, tras un año desastroso en la

Universidad Howard, en Washington. Se acabó estudiar lejos de casa. Mi madre, que había estudiado también en esa universidad, insistía en que allí haría nuevos amigos para toda la vida, pero a mí me bastaba y me sobraba con Andre, que era, literalmente, el chico de la casa de al lado. Éramos uña y carne desde los tres meses, edad a la que ya nos bañaban juntos en el fregadero de la cocina.

Fue Andre quien me presentó a Roy, aunque no fue algo en absoluto deliberado. Ellos habían sido vecinos de habitación en Thurman Hall, una de las residencias que había al otro lado del campus. Yo muchas veces dormía en la habitación de Andre, pero jamás ocurrió nada entre nosotros: nuestra relación siempre fue estrictamente platónica. Nadie nos creyó nunca, pero él dormía siempre encima del edredón. Todo aquello no tiene ningún sentido ahora, pero así éramos Dre y yo.

Antes de que Andre me presentara a Roy, una noche oímos en la habitación de este cómo una chica pronunciaba, entre eróticos jadeos, su nombre completo. Roy. Othaniel. Hamilton.

—¿Crees que es él quien le ha pedido a ella que lo llame así? —preguntó Andre.

Yo chasqueé la lengua.

—¿Othaniel?

—No parece que lo haya dicho espontáneamente.

Tratamos de aguantar la risa mientras se oían los golpes del somier contra el otro lado de la pared.

—Yo creo que ella está fingiendo.

—Si está fingiendo, entonces fingen todas —repuso Andre.

No conocí a Roy en persona hasta un mes después.

Todo ocurrió, de nuevo, en la habitación de Andre. Roy se pasó sobre las diez de la mañana buscando cambio para la lavadora. Entró sin siquiera llamar a la puerta.

—Oh, perdone, señorita —dijo con tono a la vez sorprendido e inquisitivo.

—Es mi hermana —dijo Andre.

—¿Hermana, seguro? —quiso saber Roy, buscando dar interés al asunto.

—Si quieres saber quién soy realmente, no tienes más que preguntarme.

Yo debía de llevar una pinta horrible: camiseta burdeos y blanca de Andre, y el pelo recogido bajo un gorro de ducha de satén. No me importó: tenía que hablar por mí misma.

—De acuerdo. ¿Quién eres?

—Celestial Davenport.

—Yo soy Roy Hamilton.

—Roy Othaniel Hamilton, según hemos oído alguna vez desde el otro lado de esta pared.

Después de aquello, él y yo nos miramos, esperando algún indicio que nos diera a entender qué tipo de historia podríamos tener por delante. Al final, él apartó la mirada y pidió a Andre una moneda de veinticinco centavos. Yo me tumbé bocabajo y flexioné las rodillas, cruzándolas a la altura del tobillo.

—Menuda eres tú… —dijo Roy.

Cuando se hubo marchado, Andre dijo:

—Ese rollo que lleva de chico bueno es como el de Michael Jackson al principio de *Thriller*. Todo pose.

—Se nota a leguas —respondí. Había algo en ese chico, en efecto, que se intuía arriesgado. Y tras mi experiencia en Howard no quería tener cerca nada que oliese a peligro.

Supongo que aquel no fue nuestro momento, porque no hablé con Roy Othaniel Hamilton ni pensé en él hasta pasados cuatro años, cuando la universidad era ya un recuerdo de álbum de fotos. Cuando volví a verlo, en Nueva York, me pareció que no había cambiado demasiado, pero lo que en otro tiempo había intuido como peligroso se había transformado en otra cosa que solo podría describir como real, «de verdad». Algo por lo que yo había desarrollado en ese tiempo un apetito incontenible.

*

Pero ¿qué es «lo de verdad»? ¿Lo fue nuestro anodino primer encuentro? ¿O aquel día en la Gran Manzana, cuando volvimos a vernos? ¿O empezaron las cosas a ser de verdad cuando nos casamos, o cuando el fiscal de un pequeño juzgado de provincias alegó que existía riesgo de fuga? En su opinión, aunque tenía sus raíces en Luisiana, Roy vivía en Atlanta, y finalmente lo retuvieron sin fianza. Roy reaccionó con una risa sarcástica: «Así que ahora las raíces no importan, ¿verdad?».

Nuestro abogado era el tío Banks, pero igualmente se le pagó un buen precio. Me prometió que no perdería a mi marido. Tiró de hilos y presentó recursos y alegaciones. Aun así, Roy durmió entre rejas cien noches antes siquiera de que se celebrase el juicio. Yo me quedé todo un mes en Luisiana, viviendo con mis suegros, durmiendo en el dormitorio que nos habría ahorrado todo aquel disparate. Esperé y cosí. Llamaba a Andre. Llamaba a mis padres. Recuerdo que, cuando iba a enviar al alcalde su muñeco, no fui capaz de cerrar con cinta la sólida caja de cartón. Me ayudó Roy Padre. El recuerdo de la cinta rasgándose perturbó mis sueños esa noche y muchas noches más.

—Si las cosas no salen como nosotros deseamos que salgan, quiero que no me esperes —dijo Roy la víspera del juicio—. Sigue trabajando con tus muñecas y haciendo lo que debas hacer.

—Las cosas van a salir bien —prometí—. Tú no lo hiciste.

—Me pueden caer muchos años. No puedo pedirte que tires tu vida a la basura por mí.

Su boca y sus ojos hablaban dos idiomas distintos, como cuando alguien dice que no pero asiente con la cabeza.

—Nadie va a tirar nada a la basura —dije yo.

En aquellos días tenía fe. Creía en las cosas.

*

Vino a vernos Andre. Había sido nuestro testigo de boda y ahora lo sería de conducta, en el juicio. Dre me dejó que lo pelase: él mismo me entregó las tijeras para que le cortase las rastas que llevaba cuatro años dejándose crecer. En nuestra boda eran todavía pequeñas protuberancias de pelo; cuando las corté ya respondían a la gravedad y le caían por detrás de las orejas. Cuando terminé, se pasó los dedos por los irregulares rizos resultantes.

Al día siguiente se celebraba el juicio. Nos sentamos en la sala, vestidos para parecer tan inocentes como fuese posible. Acudieron mis padres y también los de Roy. Olive se había vestido como para ir a la iglesia; Roy Padre se sentó junto a ella, con aspecto de hombre pobre pero honesto. Como Andre, mi padre se acicaló y, por una vez, él y mi madre, muy elegante, parecían «aparejados en yunta». Roy se conjuntaba perfectamente con nosotros. No solo por el corte de su chaqueta o el dobladillo del pantalón sobre el fino cuero de sus zapatos; también por el rostro bien afeitado y sus ojos, inocentes y temerosos, poco acostumbrados a encontrarse frente a frente con la justicia.

El tiempo pasado ya entre rejas lo había encogido. Había perdido las infantiles mejillas redondeadas, que habían dado paso a una mandíbula cuadrada que yo no le conocía. Era extraño, pero esa delgadez lo hacía parecer más poderoso que débil. Lo que hacía ver que se había arreglado para presentarse ante un juez y no para ir a trabajar eran sus pobres dedos. Lo delataban las uñas comidas hasta la carne y los padrastros arrancados. Pobre Roy. La única cosa a la que mi marido había hecho daño alguna vez eran sus propias manos.

*

Solo sé que nadie me creía. Doce personas distintas y ni una de ellas tomó mi palabra por cierta. Aquellos hombres y mujeres estaban sentados frente a nosotros. Expliqué que Roy no podía haber violado a la mujer de la habitación 206 porque había estado conmigo toda la noche. Hablé del colchón masajeador que no funcionaba y de la película que estaban poniendo en la televisión, aunque la señal no se recibía muy bien. El fiscal me preguntó sobre qué habíamos discutido. Desconcertada, miré a Roy y luego a nuestras madres. Banks protestó y la protesta hubo lugar, así que no tuve que responder, pero mi titubeo dio a entender quizá que algo ocultábamos en las mazmorras más profundas de nuestro breve matrimonio. Antes incluso de bajar del estrado de los testigos, supe que le había fallado. Quizá no resulté lo suficientemente convincente o no puse bastante emoción. Quizá quedó demasiado patente que yo no era de Eloe. Quién sabe. El tío Banks me había dado algunas instrucciones: «Ahora no es el momento de ser elocuente. Es el momento de dejar todo salir. Sin filtros. Necesitamos tus sentimientos. No importa lo que te pregunten. Lo que queremos es que el jurado sepa por qué te casaste con él».

Lo intenté, pero no tenía ni idea de cómo dirigirme a unos extraños, salvo tratando de expresarme correctamente. Desearía haber podido mostrarles una selección de mis obras de arte, la serie *Hombre en movimiento*. Todos esos trabajos son imágenes de Roy: el mármol, las muñecas y unas pocas acuarelas. Les diría: «Este es él para mí. ¿No es hermoso? ¿No es encantador?». Pero lo único que tenía en esa situación eran las palabras, frágiles y leves como el aire. Cuando regresé a mi sitio, junto a Andre, no me miraba ya ni la mujer negra del jurado.

Veo demasiadas series de televisión. Sí: esperaba que apareciese un científico para testificar y hablar sobre alguna prueba de ADN. Quería que dos detectives guapos entrasen atropelladamente en la sala en el último momento para susurrar algo importante al oído del fiscal. Todo el mundo se daría cuenta de que aquello había sido un gran error, un colosal malentendido. Todos sentirían turbación y a la vez alivio. Yo creía a pies juntillas que me marcharía de aquel juzgado del brazo de mi marido. En la seguridad de nuestro hogar, contaríamos a todo el mundo que ningún hombre negro vive seguro en los Estados Unidos.

Pero lo condenaron a doce años de cárcel. Cuando saliera de la cárcel tendríamos ambos cuarenta y tres. Yo ni siquiera me imaginaba a mí misma con esa edad. Roy entendió que doce años eran una eternidad, pues no pudo contener el llanto. Sollozó ahí mismo, de pie, ante la mesa de los acusados. Le flojearon las rodillas y se desplomó sobre la silla. El juez guardó silencio y exigió que Roy escuchara su sentencia en pie. Se volvió a poner en pie y lloró. No como un niño pequeño, sino como solo puede hacerlo un adulto, desde las plantas de los pies, a través de su torso y, por fin, por la boca. Cuando un hombre gimotea de esa forma, queda claro que está vertiendo todas las lágrimas que jamás se ha permitido verter: desde aquella decepción deportiva de la infancia hasta el corazón roto en la adolescencia, pasando por todo lo que le había hecho mella a lo largo de los últimos meses.

Roy lloraba y yo me hurgaba incesantemente la piel endurecida de la cicatriz que tengo bajo la barbilla. Entraron dando una patada a la puerta, lo recuerdo perfectamente, pero todo el mundo afirma que usaron llave. El caso es que entraron y nos sacaron de la cama. Llevaron a Roy a rastras hasta el aparcamiento y yo fui detrás, arremetiendo contra los tipos que se lo llevaban, sin más ropa que las braguitas. Alguien me empujó y me tiró al suelo, y yo di con la barbilla en la acera. Se me bajaron las bragas y mis partes quedaron a la vista de todo el mundo, y yo me clavé las paletas en el labio inferior. Roy estaba en el asfalto, junto a mí, casi al alcance de mi brazo, diciendo cosas que no llegaba a oír bien. No sé cuánto tiempo estuvimos ahí tirados, en paralelo uno con el otro, como dos muertos que fueran a enterrar. Marido. Mujer. Lo que Dios ha unido que no lo separe el hombre.

Querido Roy:

Estoy escribiendo esta carta sentada en la mesa de la cocina. Estoy sola, y no solo por ser la única habitante de esta casa. Hasta ahora, me creía capaz de distinguir entre lo posible y lo imposible. Quizá eso sea la inocencia, no saber predecir el dolor que sufriremos en el futuro. A veces ocurren cosas que eclipsan todo lo imaginable y que nos cambian de pies a cabeza. Es como la diferencia entre un huevo crudo y un huevo revuelto. Son lo mismo, pero no tienen nada que ver. No sé expresarlo de otra manera. Me miro en el espejo y sé que soy yo, pero no me reconozco.

A veces me resulta agotador el simple hecho de entrar en casa. Trato de estar tranquila y de recordar que he vivido sola otras veces. Dormir sin compañía no me mató entonces y tampoco lo hará ahora. Pero esto es lo que la pérdida me ha enseñado sobre el amor: nuestra casa no está vacía, simplemente. Nos la han vaciado. El amor abre un espacio en nuestra vida. Se abre un espacio para sí mismo en nuestras camas. Invisiblemente, se abre un espacio en el cuerpo, reconduciendo los vasos sanguíneos, latiendo al ritmo del corazón. Cuando desaparece, desaparecen con él muchas otras cosas.

Antes de conocerte no me sentía sola. Pero ahora siento tal soledad que le hablo a las paredes y le canto al techo.

Dicen que no podrás recibir correo durante al menos un mes. Aun así, te escribiré todas las noches.

Te quiero,
Celestial

Roy O. Hamilton
PRA 4856932
Centro Correccional Parson
3751 Lauderdale Woodyard Rd.
Jemison, Luisiana 70648

Querida Celestial, alias Georgia:

Creo que no he escrito a nadie una carta desde que estaba en el instituto y me asignaron un amigo por correspondencia francés. (Aquello duró unos diez minutos.) Sé con toda seguridad que esta es la primera vez que escribo una carta de amor. Porque esta carta va a ser una carta de amor.

Celestial, te quiero. Te echo de menos. Quiero volver a casa contigo. Mírame: estoy diciéndote cosas que ya sabes. Quiero escribir cosas en este papel que te hagan recordar al Roy real, no al hombre venido abajo que viste en aquel destartalado juzgado de provincias. Me daba tanta vergüenza que no quería ni volverme hacia ti. Ahora, sin embargo, desearía haberlo hecho. Ahora mismo daría cualquier cosa por tener otra mirada tuya.

Esto de escribir una carta de amor se me está haciendo muy cuesta arriba. No he leído una carta de amor en mi vida, a no ser que cuentes las de la escuela primaria: ¿Te gusto? ☐ Sí ☐ No. (¡No respondas a esto, ja!) Una carta de amor tiene que ser como música, o como Shakespeare. Pero yo de Shakespeare no tengo ni idea. En fin, en realidad lo que quiero decirte es lo importante que eres para mí, pero eso es como intentar contar los segundos de todo un día con los dedos de las manos y los pies, o algo así.

¿Por qué no te habré escrito cartas de amor durante este tiempo? Así tendría más práctica ahora y sabría qué decir. Así me siento cada día aquí dentro: como si no supiera qué hacer ni cómo hacerlo.

Siempre te he hecho saber lo mucho que me preocupo por ti, ¿verdad? Nunca dudaste sobre ello. No soy un hombre de palabras. Mi padre me enseñó que con las mujeres hay que hacer, no decir. ¿Recuerdas aquella vez que estuviste a punto de tener una crisis nerviosa porque parecía que la Vieja Pacana del jardín de casa había decidido morirse? En mi pueblo no creemos en eso de gastar dinero en animales de compañía, así que imagínate en árboles. Pero no soportaba verte así de preocupada, así que contratamos a un médico de árboles. A eso me refiero. Para mí, eso fue una carta de amor.

Lo primero que hice cuando me convertí en tu marido fue «darte una estabilidad», como recomiendan siempre los mayores. Estabas desperdiciando tu tiempo y tu talento en trabajos temporales. Querías coser y yo conseguí que cosieras. Sin condiciones. Aquella fue una carta de amor que decía: «He conseguido esto. Dedícate a tu arte. Descansa. Haz lo que necesites hacer».

Pero ahora lo único que tengo es un papel y un boli, y ni siquiera entero, porque le quitan el plástico exterior, así que estoy escribiendo solo con la punta y el tubito de la tinta. Lo estoy mirando ahora mismo y pienso: «¿De verdad esta es la única herramienta que tengo para ejercer de marido?».

Pero bueno. Aquí estoy, intentándolo.

Te quiero,
Roy

Querida Georgia:

¡Saludos desde Marte! No es un chiste. Aquí los módulos tienen nombres de planetas. (Es cierto. Es imposible inventarse algo así.) Tus cartas me llegaron ayer. Me hizo muy feliz recibirlas, todas y cada una de ellas. Estoy contentísimo. Ni siquiera sé por dónde empezar.

No llevo aquí ni tres meses y ya he tenido tres compañeros de celda. El de ahora repite una y otra vez que no saldrá de aquí jamás, pero lo dice con cierto sarcasmo, como si tuviera escondido el mapa de un túnel secreto para escapar. Se llama Walter. Ha estado entre rejas la mayor parte de su vida adulta, así que sabe perfectamente cómo van las cosas aquí dentro. Le escribo las cartas que quiere enviar, pero no gratis. Ya sabes que soy una persona empática, pero cuando haces las cosas sin cobrar te pierden el respeto. (Esto lo aprendí trabajando y aquí es diez veces más cierto.) Walter no tiene dinero, me paga con cigarros. (No pongas esa cara, que te conozco. No me los fumo, los cambio por otras cosas. Fideos chinos, por ejemplo. No es broma.) Las cartas que le escribo a Walter son para mujeres que conoce a través de anuncios clasificados. Te sorprendería la cantidad de mujeres que quieren mantener una relación por correspondencia con tíos que están en la cárcel. (No te pongas celosa, jaja.) A veces se me acaba la paciencia, porque me tiene hasta las tantas respondiendo preguntas. Antes vivía en Eloe, así que todo el rato me pide que le cuente cosas del pueblo. Cuando le conté que me fui de Eloe para estudiar en la universidad, me dijo que él no había pisado una universidad en su vida y me pidió que le explicase cómo son. Hasta le llamaba la atención mi nombre. Es raro. Si me llamase Patrice Lumumba, por ejemplo, lo entendería. Mi nombre no necesita mucha explicación, creo. Pero Walter es lo que Olive llamaría «un personaje». Aquí dentro lo apodamos «el Yoda del Gueto», porque cada dos por tres se pone filosófico. Una vez lo llamé «el Yoda del Pueblo» y se enfadó conmigo. Te juro que fue un error que no volveré a cometer. Pero, bueno, con él está todo bien. De hecho, busca todo el tiempo mi compañía y dice que «los tipos patizambos tienen que hacer piña». (Deberías verle las piernas, son como las mías o peor.)

Así que esto es lo que te puedo contar en lo que se refiere al ambiente. O, bueno, es todo lo que te quiero contar, al menos. No me pidas detalles. Basta decir que aquí dentro todo es muy chungo. Aunque hayas matado a un tipo, nadie se merece estar metido aquí ni dos años. Por favor, dile a tu tío que le dé caña al asunto...

Aquí pasan tantas cosas que da mucho que pensar. Somos mil quinientos hombres en este correccional (la mayoría, negros), la misma cantidad de estudiantes que hay en Morehouse College. No quiero parecer un conspiranoico, pero a veces lo veo clarísimo. Por un lado, la cárcel está llena de gente inteligente y comprometida y, por otro, aquí las cosas son tan jodidas que por fuerza alguien debe de estar jodiéndolas aposta. Mi madre me escribió una carta y me dijo eso de que cuando el diablo está aburrido mata moscas con el rabo. Ya la conoces. Mi padre cree que es el Ku Klux Klan. Bueno, no se refiere al Klan literalmente, el de las capuchas y las cruces, sino a Ameri-KKKa. Ya sabes. Yo no sé qué pensar. Lo único que sé es que te echo de menos.

Por fin he conseguido entregar mi lista de visitantes y el primer nombre que aparece es el tuyo: Celestial *Gloriana* Davenport. (Siempre piden el nombre tal y como aparece en la identificación.) También añadiré a

Dre, ¿sabes si tiene segundo nombre? Si lo tiene, será algún nombre bíblico tipo Elijah, seguro. Ya sabes que es mi mejor amigo, pero, cuando vengas, por favor, ven sola. Mientras tanto, no dejes de escribirme, mi amor. ¿Cómo he podido olvidar lo bonita que es tu letra? Si decides no hacerte famosa como artista, con esa caligrafía que tienes deberías hacerte profesora. Te imagino echándote literalmente encima del boli, porque dejas marca en el papel. Por la noche apagan las luces (aunque siempre dejan algo encendido, en realidad), pero yo paseo los dedos por tu carta e intento leer como si fuera braille. (¿No es romántico?)

Gracias por meter dinero en los libros. Aquí dentro hay que comprarlo absolutamente todo. Ropa interior, calcetines... Cualquier cosa que haga falta para vivir una vida un poco mejor. No es una indirecta, pero no estaría mal tener un reloj con radio y alarma. Aunque, por supuesto, lo que haría mi existencia un poco mejor sería verte.

Te quiero,
Roy

P. D.: Empecé a llamarte Georgia porque sabía que echabas de menos tu casa. Ahora te llamo así porque soy yo el que echa de menos su casa, y esa casa eres tú.

Querido Roy:
Para cuando leas esta carta ya te habré visto, porque ya estamos viajando hacia allá y la voy a echar al buzón de camino. Andre ha llenado el depósito y hemos atiborrado el coche de chucherías. Me he aprendido la

guía de visitantes casi de memoria. Hay muchas reglas concernientes a la ropa, son increíblemente específicos. Mi detalle favorito: «Están estrictamente prohibidas las faldas pantalón y los pantalones bombachos». Imagino que tú no sabes ni lo que son. Recuerdo que se pusieron muy de moda cuando yo estaba en cuarto de carrera y, por suerte, la moda se fue para no volver. Aparte de eso, no se puede enseñar ni un centímetro cuadrado de piel. Las mujeres no nos podemos poner suje con aros metálicos, porque si el detector de metales pita, te mandan de vuelta a casa. Imagino que es como pasar un control de aeropuerto... para viajar a un convento. Pero, en fin, estoy preparada.

Ni que decir tiene que conozco este país y conozco su historia. Recuerdo incluso a un tipo que vino a Spelman a contar que había pasado décadas en prisión siendo inocente. ¿Tú te acuerdas de eso? Lo acompañaba la mujer blanca que lo acusó. Al final los dos se redimieron o algo así. Aunque los tenía delante de mis narices, aquello parecía algo del pasado, un fantasma del Misisipi más reaccionario. ¿Qué tenía todo aquello que ver con nosotros, con todos aquellos estudiantes que se apiñaban en la capilla del campus solo porque la asistencia era obligatoria para conseguir créditos? Ojalá recordase lo que contaron. Me he acordado porque sé que este tipo de cosas le ocurren a mucha gente. Hasta ahora, no era consciente de hasta qué punto también nosotros estamos incluidos en esa idea de «mucha gente».

¿Piensas en la mujer que te acusó? Ojalá pudiera sentarme a charlar con ella. Alguien la atacó en su habitación. No creo que se lo inventase, se le notaba en la voz. Pero no fuiste tú. Ahora habrá vuelto a Chicago, o adonde sea, y deseará toda su vida no haber hecho noche en Eloe, Luisiana. Y no es la única. Pero no hace ninguna falta que yo te diga esto. Tú estás donde estás, y eres inocente.

El tío Banks está preparando el primer recurso. Me recuerda siempre que podría haber sido peor. Hay mucha gente que tiene encontronazos con la justicia y no vive para contarlo. No hay manera de apelar contra un tiro de un policía. Así que, aunque no sea mucho, deberíamos estar satisfechos con eso.

Rezo mucho por ti. ¿Eres capaz de percibir como, por las noches, me arrodillo junto a la cama como cuando era pequeña? Cierro los ojos y te recuerdo como cuando estuvimos juntos por última vez, desde la peca que tienes en la ceja hasta los pies. Tengo un cuaderno en el que escribo todas y cada una de las palabras que nos dijimos el uno al otro aquella noche, antes de quedarnos dormidos. Las he anotado todas, para que, cuando regreses a casa, sigamos por donde lo habíamos dejado.

He de confesarte algo importante: estoy supernerviosa por verte. Sé que no es lo mismo, pero me recuerda a la primera vez que salimos juntos, cuando intentábamos convertirnos en una pareja a larga distancia y tú me enviaste un billete de avión. Con tanta emoción acumulada tras conversaciones telefónicas y mensajes de correo electrónico, yo no estaba muy segura de qué esperar cuando por fin nos viéramos de nuevo. Obviamente, todo salió bien, pero me siento otra vez así mientras escribo esta carta. Así que quiero pedirte de antemano que, aunque nos encontremos incómodos cuando por fin nos miremos a los ojos de nuevo, no olvides, por favor, que hay una razón: todo es nuevo y yo estoy muy agitada. Nada ha cambiado.

Te quiero tanto como el día en que me casé contigo. Y siempre te querré.

Con amor,
Celestial

Querida Georgia:

Muchas gracias por venir a visitarme. Sé que no ha sido fácil llegar hasta aquí. Creo que jamás he sido tan feliz como cuando te vi sentada en la sala de visitantes, tan arreglada y tan fuera de lugar. Podría haberme puesto a llorar como una niña pequeña.

No te voy a mentir. Fue muy extraño que tuviéramos que vernos por primera vez delante de tanta gente. La verdad es que estuve bastante callado porque dijiste que no querías hablar sobre lo que me pasaba por la cabeza realmente. No quise forzar las cosas, no quería estropear ese momento juntos. Me ha hecho muy feliz verte. Al día siguiente, Walter estuvo todo el día metiéndose conmigo porque, según él, tenía luz en la cara. Me ha dicho que parecía un árbol de Navidad. Pero, Celestial, lo lamento: he de contarte lo que me ha estado atormentando últimamente.

Te dije que no quería que un hijo mío tuviese que contar a sus amigos que su padre está en la cárcel. Sabes que apenas tengo datos sobre mi padre biológico. Solo su nombre y que probablemente haya cometido algún delito. Roy Padre me crio como si fuera mi padre y no tuve que llevar el sambenito de la vergüenza colgado del cuello, como un reloj gigante. A veces, no obstante, sigo oyendo el tictac de ese reloj en la trastienda de la cabeza. También he pensado mucho en un niño que conocía cuando era pequeño. Se llamaba Myron y su padre estaba en la penitenciaría estatal de Luisiana. Myron era un niño muy pequeñito y toda la ropa que usaba era donada por la iglesia. Una vez vi que llevaba una chaqueta mía que mi madre había entregado a la iglesia hacía tiempo. Lo llamaban Pollito porque su padre era un «pájaro enjaulado». A día de hoy, sigue respondiendo a ese nombre.

Nuestro hijo tendría al señor Davenport y a Gloria, a Andre y también a mi familia. Toda una tribu para cuidar de él hasta que yo recuperase la libertad. Sería otra cosa más por la que tener esperanza.

Puedo entender que no quisieras hablar sobre ello. Lo hecho hecho está. Pero no puedo dejar de pensar en él. Claro está, no sabemos si era niño, pero las tripas me dicen que sí, que habría podido llevar mi nombre.

Te tengo que hacer una pregunta dolorosa: ¿crees que si hubiéramos tenido más fe las cosas habrían salido de otra manera? ¿Y si todo esto ha sido una prueba? ¿Y si nos hubiésemos quedado el niño? Podría haber llegado a casa a tiempo, quizá, para verle asomar esa cabeza calva e inocente al mundo. Todo este infierno no habría sido más que un cuento que podríamos contarle cuando fuese mayor, para que aprendiese lo cuidadosos que deben ser los hombres negros en estos Estados Unidos. Cuando decidimos que abortases, fue como si estuviéramos aceptando que las cosas no iban a salir bien en el juzgado. Cuando tiramos la toalla, Dios también tiró la toalla por nosotros. Bueno, Dios no tira nunca la toalla, pero ya sabes a qué me refiero.

No tienes por qué responderme a esto. Pero, dime, ¿quién está al tanto? No es realmente importante, es por curiosidad. He puesto a tus padres en la lista de visitantes y me pregunto si lo saben.

Georgia, no puedo obligarte a hablar de lo que no quieres hablar, pero tenía que explicarte por qué el día que nos vimos tenía un nudo en la garganta que apenas me dejaba respirar.

Aun así, fue maravilloso verte. Te amo más de lo que puedo expresar con palabras.

Tu marido,
Roy

Querido Roy:

Sí, cariño, sí, pienso en ello, aunque no constantemente. No se puede vivir con algo así en la cabeza un día tras otro. Cuando me acuerdo, es con más tristeza que arrepentimiento. Entiendo que te duela, pero, por favor, no me envíes más cartas como la de la semana pasada. ¿Has olvidado cuando nos vimos en el calabozo del condado? Olía a pis y a lejía. Y todas esas mujeres desesperadas con sus hijos alrededor de nosotros. Tenías la cara tan gris que parecía que te habían espolvoreado ceniza por encima. Las manos se te habían cuarteado, parecían garras de caimán, y no había manera de hacerte llegar crema para que te dejasen de sangrar, al menos. ¿Se te ha olvidado todo eso? El tío Banks tuvo que buscarte un traje nuevo, porque perdiste mucho peso esperando tu «juicio rápido».

Te dije que estaba embarazada y no nos lo tomamos como una buena noticia, no al menos como debería haberlo sido. Esperaba que aquello te removiese por dentro, que te devolviera un poco a la vida. Y así fue, pero solo para farfullar entre dientes. Recuerda lo que me dijiste: «No puedes tenerlo. Así no». Esas fueron tus palabras, agarrándome de la muñeca tan fuerte que me hormiguearon los dedos. No puedes pretender que crea que no lo decías en serio.

No hablaste entonces de ningún niño llamado Pollito ni tampoco de tu padre biológico, pero no dejé que los árboles no me dejasen ver el bosque. Esto es algo de lo que estaba segura en ese momento y de lo que sigo muy convencida: no quiero ser madre de un niño no deseado por su padre y tú dejaste tus deseos muy claros.

Roy, sabes que tenía que hacerlo. Por mucho que te doliese, recuerda que soy yo la que debe bregar con ello. Yo me quedé embarazada. Yo soy la que ya no lo está. Te sientas como te sientas, piensa en cómo debo de sentirme yo. Tú dices que yo no sé cómo es estar encerrado, pero tú no sabes cómo es ir a una clínica abortista y poner tu nombre en ese documento de consentimiento.

Estoy lidiando con ello como mejor sé, a través de mi obra. He estado cosiendo como una loca, hasta muy tarde. Las muñecas me hacen pensar en una que tuve cuando era pequeña, cuando íbamos al Babyland de Cleveland, aquí en Georgia, donde se podían «adoptar» muñecos. Aquello se salía un poco de nuestro presupuesto, pero a Gloria le gustaba llevarme y echar un vistazo. La primera vez, cuando vimos todas las muñecas expuestas, yo exclamé: «¡Esto parece un campamento de verano de muñecas!». Ella respondió que era más bien un orfanato. Yo había estado tan protegida que ni siquiera sabía lo que significaba ser huérfano. Cuando me lo explicó, hice un puchero y le pregunté si podíamos llevarnos a todos esos muñecos y muñecas a casa.

Yo no veo huérfanos en mis muñecos; son más bien bebés que viven por azar en mi cuarto de coser. He hecho veinticuatro hasta ahora. Estoy pensando en probar a venderlos en mercadillos de arte, a precio de coste, unos cincuenta dólares cada uno. La verdad es que necesito sacarlos de casa. No puedo tenerlos ahí, mirándome fijamente todo el día, pero tampoco puedo dejar de trabajar en ellos.

Me preguntas quién lo sabe. ¿Te refieres a quién sabe lo que he hecho o a quién sabe que tú me pediste que lo hiciera? ¿Crees que voy por ahí con una pancarta? Nadie entiende por qué no puedes tener un bebé si eres una persona adulta y tienes más de diez dólares en el banco. ¿Cómo podría plantearme siquiera ser madre con mi marido en la cárcel? Eres inocente, no albergo ninguna duda sobre eso, pero no estás aquí, conmigo. Tu condena no es un juego, un simulacro o una película. Lo único que sé es que llegó cuando ya llevaba un retraso de dos semanas y tenía que prepararme para hacer pis en un palito.

No le he contado nada a nadie, salvo a Andre. Lo único que me dijo fue: «No puedes hacerlo sola». Me llevó en coche y me tapó la cara con su chaqueta mientras nos abríamos paso entre los manifestantes antiabortistas y sus horribles cánticos y pancartas. Cuando todo terminó, Andre estaba ahí fuera, esperándome. Después, en el coche, me dijo algo que me gustaría compartir contigo: «No llores. Esta no es tu última oportunidad». Roy, tiene razón. Tú y yo tendremos hijos en el futuro. Seremos padres. Tendremos una parejita, si quieres. Cuando salgas, podremos tener diez hijos, si es eso lo que deseas. Te lo prometo.

Te quiero. Te echo de menos.

Con amor,
Celestial

Querida Georgia:

Dije que dejaría este asunto correr, es cierto. Pero tengo una cosa más que decir. Hemos arrancado de raíz el plantón de nuestra familia. Leyendo tu carta, parece que yo te hubiera obligado. Parece que hubieses entrado al calabozo del condado emocionada porque ibas a tener un bebé. Dijiste «Estoy embarazada» como si me estuvieras contando que tenías cáncer. ¿Qué se supone que debía decir yo? Puede ser cierto que yo te empujase en cierta dirección, pero no actúes como si fueras una mujercita obediente. No olvidaré nunca el día de nuestra boda, cuando, delante de todo el mundo, te enfrentaste con el pastor cuando te pidió que dijeras la palabra *obedeceré*. Si él no hubiera cedido, estaríamos todavía esperando a casarnos en el altar.

Aquel día, en el calabozo del condado, tú y yo tuvimos una charla adulta. No se trataba de que yo estuviese o no ordenándote qué hacer. En cuanto mencioné la idea de abortar, vi el alivio en tu rostro. Yo aflojé el discurso, y tú me robaste la pelota y huiste con ella. Todo lo que recuerdas es cierto. Dije lo que dije, pero tú no intentaste argumentar una postura contraria. No propusiste tenerlo. No te imaginaste que yo pudiera recuperar la libertad para cuando naciese. Bajaste la cabeza y dijiste: «Puedo hacer lo que hay que hacer».

Sí, lo entiendo todo. Es tu cuerpo y es tu elección. Todo eso que te enseñaron en Spelman. Muy bien.

Pero deberíamos haber sido conscientes de que habría consecuencias. Yo asumo mi parte de responsabilidad, pero no estoy solo en esto.

Besos,
Roy

Querido Roy:

Hagamos un poco de memoria.

En la universidad, mi compañera de habitación me dijo que los hombres querían «vírgenes con experiencia». O sea que no había que hablar de ningún modo de las relaciones pasadas, porque el hombre siempre fingiría que jamás ocurrieron. En fin, sé que no vas a querer leer esto, pero me siento obligada a contarte esta historia. Que es, por cierto, bastante triste.

Roy, tú sabes que antes de llegar a Spelman estudié un año en Howard, en Washington. Lo que no sabes es por qué me fui. Allí tomé una asignatura que se llamaba «Arte de la diáspora africana». El profesor, Raúl Gómez, era la diáspora personificada. Negro de Honduras, hablaba en español cuando se emocionaba, y el arte siempre le emocionaba. Decía que no terminó su tesis porque se negaba a escribir sobre la escultora Elizabeth Catlett en inglés. Tenía cuarenta años, estaba casado y era guapo. Yo tenía dieciocho y me sentía todo el tiempo halagada por él. Era más tonta que un saco de piedras.

Me quedé embarazada. Raúl y yo nos habíamos prometido, pero no oficialmente. No tenía anillo de pedida. Solo su palabra. Siempre hay un «pero», ¿verdad? Él tenía que divorciarse y pensaba que tras doce años de matrimonio su esposa no tenía por qué soportar que su marido tuviera un hijo fuera del matrimonio con una mujer de la que se había enamorado. (Y yo, como una boba, me emocioné porque usó la palabra *enamorado*.)

Supongo que imaginas cómo termina la historia. Yo lo sigo viendo claro cuando vuelvo atrás la mirada. Aún estaba convaleciente cuando, un día, vino a mi habitación de la residencia para decirme que habíamos terminado. Él vestía un traje azul oscuro y una corbata del color de la ceniza. Yo llevaba pantalón de chándal y una camiseta que me estaba grande. Se plantó en mi habitación vestido a lo Harlem, años veinte, y yo no tenía ni los zapatos puestos. Me dijo: «Eres una mujer hermosa. Me hiciste perder la cabeza y olvidé cómo distinguir lo que está bien de lo que está mal». Y acto seguido se marchó.

Yo estaba perdida y él también se perdió. Fue como si me hubiera resbalado sobre una placa de hielo, en una carretera oscura que serpenteaba por mi interior. Dejé de ir a su asignatura y después dejé de ir a todas las demás.

Tras un par de semanas, un amigo de mi padre que daba clase en Químicas llamó a mi casa para dar la voz de alarma. Las universidades negras se toman muy en serio su responsabilidad frente a los padres de los alumnos. Mi padre y mi madre llegaron a Washington antes de lo que se tarda en decir «demanda legal». (Sí, también me defendió el tío Banks. La demanda no estaba muy sustanciada, pero el objetivo era que echaran a Raúl.)

Aquella experiencia me rompió por dentro, Roy. Regresé a Atlanta y estuve encerrada en casa un mes. Andre venía a verme y no quería ni hablar con él. Mis padres se plantearon muy seriamente enviarme a algún sitio. Fue Sylvia la que me sacó de aquello. (Todas las chicas necesitan a una tía que las consuele.) Le conté el mismo tipo de cosas que te estoy contando a ti ahora: que estaba convencida de que había echado mi vida a perder. Que si hubiera sido lo suficientemente valiente como para quedarme con el bebé, habría recibido la recompensa deseada, que no era otra cosa que convertirme en la señora Gómez. Que la vida era como un examen que suspendía una y otra vez.

Sylvia me dijo: «No estoy dispuesta a juzgarte. Eso queda entre tú y Jesús. Cariño, dime toda la verdad: ¿querrías haber tenido un bebé ahora mismo?». Realmente no sabía qué responder. Lo principal era que no quería sentirme como me sentía. Entonces, Sylvia añadió: «Cuando miraste el test, ¿estabas esperando una rayita o dos?». Y respondí: «Una».

Ella repuso: «Cariño, agua pasada no mueve molino. ¿Qué vas a hacer? ¿Inventar una máquina del tiempo? ¿Volver al otoño pasado y no follar con él?».

Y entonces sacó una docena de calcetines, hilo de bordar y guata de algodón. Esta parte de la historia es la que todo el mundo conoce, tú también. Fue ella la que me enseñó a hacer los muñecos de algodón que luego donaría al hospital Grady para dar algo de consuelo a los hijos de madres enganchadas al crac. Fuimos varias veces. Los pobrecitos estaban tan enclenques por la adicción de sus madres que al cogerlos en brazos no dejaban de temblar.

Aquello no era caridad. Cosí esos primeros muñecos para sacarme la culpa del cuerpo. No pensaba entonces en las *poupées,* ni en concursos ni en exposiciones. Sentía que cada vez que hacía algo para que un bebé huérfano se sintiera mejor saldaba con el universo parte de una deuda. Después de un tiempo, dejé de asociar los muñecos con lo que había pasado en Washington. Tenía un peso en el alma y me libré de él gracias a mis muñecos.

En ningún momento olvidé lo que había ocurrido, sin embargo. Me prometí a mí misma que jamás volvería a verme en un aprieto así. Durante un tiempo, me daba miedo la idea siquiera de intentar ser madre, temerosa de que me hubiera echado a perder por dentro, no física, sino espiritualmente.

Roy, creímos que podíamos elegir, pero en realidad no era así. Yo pasé el duelo como si el aborto hubiera sido natural. Mi cuerpo era fértil, al parecer, pero mi vida no. Tú llevas una carga contigo. A mí me ocurre lo mismo.

Así que ya lo sabes. Cada uno lleva su cruz.

Y, por favor por favor por favor, dejemos de hablar de este asunto. Si de verdad te preocupas por mí, no volvamos a mencionarlo jamás.

Con amor,
Celestial

Querida Georgia:

¿Qué hora es allí? Aquí acaban de dar los doce menos dos años. (Así estoy de chistoso hoy.) Finalmente, Banks seguirá adelante con la apelación. Me siento muy culpable por la cantidad de dinero que están gastando tus padres en esto. Les ha hecho precio especial, pero aun así no puedo dejar de pensar en la cantidad, que sube sin parar como en un taxímetro. En cualquier caso, si las cosas van bien en el tribunal de apelaciones del Estado, podré salir de aquí, cogeré el primer empleo que encuentre y pagaré a tu padre. En serio. Da igual si es embolsando compras en un supermercado.

Por esto me gustan más las cartas que el correo electrónico, ¿ves? No escribo más que pagarés y recibos firmados, sellados y entregados, como si dijéramos.

Solo nos dejan leer el correo electrónico durante sesenta y cinco minutos semanales, en la biblioteca, y siempre hay alguien esperando o mirando por encima del hombro. Además, muchas veces empleo este tiempo para redactar mensajes a los compañeros. ¿Sabes con qué me pagaron la semana pasada? Con una cebolla. Vas a pensar que es una locura, pero las cebollas son difíciles de encontrar aquí dentro y a los menús de la cantina no les viene mal un poco de sabor extra. Para hacerme con ella, tuve que escribir un largo correo electrónico a un tipo; era parte peloteo parte discurso de recaudación de fondos. Si el tipo conseguía el dinero que pedía, prometió conseguirme una cebolla. Por supuesto, la compartí con Walter, porque él había hecho de intermediario en todo el negocio. Deberías haberlo visto. Si el jorobado de Notre Dame pudiera ser una verdura, sería esa cebollita tan rara. No creo que te resulte muy apetitosa la receta que preparamos en nuestra celda esa noche, pero seguramente te pique la curiosidad, así que te lo intentaré explicar. Es una especie de potaje que se hace con fideos chinos, Doritos triturados, cebolla y salchichas. Cada uno aporta lo que tiene y, cuando está preparado, se divide en raciones. El chef es Walter. Te prometo que sabe mejor de lo que parece.

Otra ventaja de las cartas en papel es que puedo escribir en la celda. Ojalá hubiera más gente que quisiera escribir cartas de las de toda la vida, podría montar un pequeño negocio aquí dentro. El problema es que la gente de fuera no contesta y si uno escribe cartas es para recibir respuesta. El correo electrónico es otra cosa. La mayoría responde, aunque sean dos líneas. Tú, en cualquier caso, siempre contestas mis cartas y sabes que te lo agradezco.

¿Puedes enviarme algunas fotos? ¿Algunas de antes de entrar y un par de ahora?

Besos,
Roy

Querido Roy:

Recibí tu carta ayer, ¿recibiste tú la mía? Te adjunto las fotos que me pedías. Reconocerás de inmediato las de hace años. No puedo creer lo delgada que estaba. También te envío algunas nuevas. Andre está estudiando fotografía, por eso parecen tan serias y tan artísticas. No es que vaya a dejar su trabajo para hacer fotos, pero cree que se le da bien. Me da la impresión de que todo tiene que ver con su novia, una chavala de veintiún años que cree que podrá ganarse la vida haciendo documentales. (¿Quién soy yo para hablar? ¡Soy ya treintañera y mi trabajo es hacer muñecos!) Si a Dre le gusta, yo encantada por él. La verdad es que está enamorado hasta las trancas. Pero ¿veintiún años? Me hace sentir de la tercera edad.

Hablando de vejeces, habrás visto por las fotos que he ganado algo de peso. Mis padres son los dos muy delgados, pero parece que algún gen recesivo se ha colado en mi vida y me ha pegado una patada en el culo. La culpa es mía. He estado cosiendo como una loca, así que me paso el día sentada. ¡Pero es que tengo muchos pedidos!

La cosa está alcanzando un nivel crítico y estoy moviendo hilos para conseguir un local. No es como te lo imaginas, se parece más a una tienda de ropa que de juguetes. Es como una juguetería sofisticada o una galería de arte sencillita, como prefieras. Es realmente maravilloso entregar una pequeña muñeca negra a una niñita negra y ver cómo la abraza y la besa. Cuando los coleccionistas se las llevan en una caja de madera es otra cosa.

Me pregunto si quizá estoy vendiéndome. Pero lo que yo hago es arte, no Arte.

Mírame, preocupada por haberme vendido antes incluso de haber subido la persiana del negocio.

Hablando de dinero, creo que ya sabes lo que voy a decir ahora. Tengo un inversor, sí, solo uno. Y es mi padre. Como está dedicando tanto dinero al negocio, lo estamos poniendo todo a su nombre. Se comprometió a no meterse en la gestión, pero al día siguiente mismo me propuso llamar a la tienda Pou-Pay* para que la gente supiera cómo pronunciarlo. (Ja. Ja. No.)

Sé que habíamos planeado poner en marcha el negocio entre tú y yo, sin ayuda externa, pero al final las cosas salen como salen. Además, es lo que mis padres quieren para mí. Toda esta independencia tan tozuda no me está ayudando a mí ni a nadie. Fui con mi padre al banco y hablamos luego con un agente inmobiliario. Dando por hecho que no habrá retrasos, Poupées abrirá en unos seis meses. No es nuestro sueño, pero se le acerca. Como dice papá, podría «ganar un buen dinero».

Bueno, volvamos a las fotografías. No dejo de cambiar de tema porque realmente no me gusta cómo han salido. Tengo la sensación de que muestran demasiado. Quizá sepas a qué me refiero. Eso es lo que me gusta

---

* Pou-Pay se pronunciaría en inglés de forma parecida a la palabra francesa *poupée* ('muñeca'). Y *pay* en inglés significa 'pagar' *(N. del T.)*.

del trabajo de Dre, y de las fotos de otras personas. Le hizo una foto a mi padre en la que podías ver los últimos cincuenta años de su vida en las líneas de la frente. Ahí estaba todo: Alabama, la paternidad y todo ese rollo suyo a lo Charles Dickens, pero en negro. (A él no le gusta su retrato, pero yo creo que es impresionante.)

Las fotos que he escogido son para todos los públicos, así que puedes enseñarlas por ahí, aunque realmente espero que te las guardes. Enséñales a tus amigos las antiguas.

Por favor, saluda a tu amigo Walter de mi parte y dile que espero conocerle algún día. Parece un buen tipo. ¿Tiene familia? Si quieres, puedo enviarte un poco de dinero para sus libros. No me gusta pensar que ahí dentro se vive sin ningún tipo de comodidad, por pequeña que sea. Puedo hacerlo a través de Andre si quieres que sea anónimo. Sé que ahí dentro la gente se pone muy orgullosa. Dime qué prefieres.

Con amor,
Celestial

Querida Georgia:
Eres el mejor regalo que me ha dado la vida. Lo echo de menos todo de ti, hasta el gorro de dormir del que tanto me quejaba. Echo de menos tu forma de cocinar. Echo de menos tu figura perfecta. Echo de menos tu pelo natural. Echo de menos, sobre todo, oírte cantar.

Lo que no echo de menos es lo mucho que discutíamos. No puedo creer que perdiéramos tanto tiempo peleándonos por cualquier tontería. Pienso en todas las veces que te he hecho daño. Pienso en las veces que po-

dría haberte hecho sentir segura pero dejé que te preo-
cupases, solo porque me gustaba verte preocupada por
mí. Pienso en eso y me siento imbécil. Un imbécil que
además se ha quedado solo. Por favor, perdóname y,
por favor, no dejes de quererme.

No sabes lo desmoralizante que es ser un hombre
sin nada que ofrecer a una mujer. Pienso en ti y en todos esos tíos en Atlanta con sus maletines de Atlanta y
sus trabajos de Atlanta y sus títulos universitarios de
Atlanta. Atrapado aquí dentro no puedo darte nada.
Lo único que puedo ofrecerte es mi alma.

Por la noche, si me concentro, puedo tocar tu cuerpo
con la mente. Me pregunto si lo sientes mientras duer-
mes. Es muy triste que me hayan tenido que encerrar y
despojarme de todo lo que siempre me importó para
darme cuenta de que es posible tocar a alguien sin to-
carlo. Soy capaz de sentirme más cerca de ti que cuando estábamos tumbados el uno junto al otro en la cama.
Me despierto por la mañana agotado porque me supone un esfuerzo brutal salir así de mi propio cuerpo.

Te parecerá una locura, pero te pido que lo intentes.
Trata de tocarme con tu alma. Quiero saber qué se siente.

Besos,
Roy

Querida Georgia:

Discúlpame, por favor, si en mi última carta pareció
que se me iba un poco la cabeza. No quería asustarte.
(Ja.) Por favor, respóndeme.

Roy

Querido Roy:

No me he asustado, es solo que he estado muy ocupada estas semanas. Las cosas pintan bien para mi carrera profesional. Odio esa palabra, *carrera*. Siempre me ha dado la impresión de que, para una mujer, tras esas letras se esconde otra palabra: *bruja*. Sé que es pura aprensión. La cosa es que todo se está acelerando. Hay posibilidades de que me propongan una exposición en solitario. No quería contarte todas estas cosas hasta que estuvieran negro sobre blanco... Por ahora están escritas con tizas de colores en una pizarra, ya me entiendes. La noticia es esta: ¿recuerdas la serie *Hombre en movimiento*? Ahora se llama *Yo SOY un hombre*. La exposición estará compuesta por todos los retratos que he ido haciéndote durante los años, empezando por el que hice en mármol. La exposición sería en Nueva York. El condicional es lo más importante de la frase, en realidad, pero yo estoy muy emocionada y le dedico mucho tiempo al asunto. Andre me va a preparar las diapositivas y todo el diseño gráfico. Está saliendo todo muy bien, aunque él no quiere que le pague. Somos como familia, pero tampoco quiero aprovecharme de él.

Ha sido un proceso muy exigente, pero trabajar todo el día con fotografías tuyas me hace sentir que te tengo cerca, y por eso me he olvidado de escribir. Por favor, perdóname. Que sepas que te llevo dentro.

Con amor,
C

Querida Georgia:

Mi madre dice que eres famosa. Confirma o desmiente.

Besos,
Roy

Querido Roy:

Debo de ser famosa, sí, si han oído hablar de mí hasta en Eloe, Luisiana. Supongo que toda la nación negra está suscrita a la revista *Ebony*. No sé si has visto el artículo, pero te lo voy a explicar, en cualquier caso. Si no lo has visto, quiero que entiendas exactamente cómo ha sido la cosa.

Te conté que un muñeco mío ganó un concurso en el Museo Nacional de Retratos, ¿verdad? Lo que no te he contado es que tenía tu cara. Tu madre me pidió un muñeco cuyo rostro estuviera inspirado en el tuyo de bebé, concretamente, en ese retrato en blanco y negro que hay en tu dormitorio. Se lo prometí y trabajé durante tres meses. Me costó especialmente sacar la barbilla. Tu madre hasta me dio ropa tuya, la que llevas en la foto. Fue surrealista vestir al muñeco con ropita que tu madre tenía guardada para su nieto. (Todo ha sido bastante intenso.) Prometo que iba a dárselo, pero me lo dejé en casa. Fue un error estúpido. Iba a enviárselo por San Valentín, pero no podía deshacerme de él. Ya sabes cómo soy, una perfeccionista con los encargos. Había algo demasiado evidente en el muñeco. Me lo pedía una y otra vez y yo siempre le contestaba lo mismo: que estaba a punto de terminarlo.

Lo que viene ahora es complicado, así que deja que tome aire.

Desde que entraste, mi madre y yo hemos pasado más tiempo juntas. Al principio era para que no estuviera tanto tiempo en casa sola, pero ahora me viene a ver como si fuera una amiga, y nos dedicamos a charlar y a beber vino. A veces se queda a dormir, incluso. Una noche, me contó la historia de cómo ella y su familia vinieron a vivir a Atlanta. Era una historia muy larga y yo estaba muy cansada, pero cada vez que me quedaba dormida ella me despertaba dándome golpecitos en el brazo.

La historia empieza con mi madre, de bebé, en un cochecito. Mi abuela se la había llevado a hacer la compra, y la compra era siempre un momento difícil, porque mis abuelos tenían muchas necesidades pero poco dinero. A veces les fiaban en los colmados, pero mi abuela siempre se ofendía. Ya sabes que las deudas pueden convertirse en una espiral de la que es difícil escapar. Mientras mi abuela se dedicaba a calcular la cantidad mínima de comida necesaria para dar de comer a toda la familia, entraron una mujer blanca y su hija. (Mi madre habla fatal de ese tipo de personas blancas, y con mucho detalle, como si los recordase vívidamente. Dice que iban muy desarregladas, que olían a alcanfor y que la niñita ni siquiera llevaba zapatos.) La niñita señaló a mi madre y dijo: «¡Mira, mamá, una sirvienta de bebés!». Aquello fue la gota que colmó el vaso. Para finales de aquel mes, mi familia había hecho las maletas y se había marchado a Atlanta. Se instalaron con un hermano de mi abuelo, hasta que este encontró trabajo. Pero el asunto es que, cuando la niña blanca la llamó sirvienta de bebés, mi abuela, en efecto, lo era. Eso fue lo que hizo a mis abuelos mudarse, esa realidad ciertamente inevitable.

No te olvides de este detalle, ¿de acuerdo? Es importante.

Nunca te he contado esto, pero hace un año más o menos sufrí un incidente. No fue nada grave. No te lo he contado porque tú ya tienes suficiente con lo tuyo. No te enfades. Estoy bien.

Andre y yo estábamos paseando por Peeples Street porque mi exposición se había instalado en Hammonds House. Esas muñecas están muy ornamentadas, son casi barrocas, con mucho tul y mucha seda en crudo. Fue todo muy agotador, porque las muñecas iban colocadas, un poco caóticamente, sobre unas plataformas móviles que yo misma había construido. Andre me ayudó, pero fue igualmente mucho trabajo. Terminamos rotos. Lo principal es que yo me encontraba exhausta.

Íbamos de camino a comprar una hamburguesa de pescado a los musulmanes del bulevar Abernathy, lo cual es otro factor. Estaba hambrienta.

En un cruce, pasamos junto a un niño que caminaba con su madre. Era chiquitito y encantador. Los niños de ese tamaño siempre me llaman la atención. Si las cosas hubieran sido de otro modo, nosotros tendríamos quizá un niño de esa edad. Su madre parecía joven, de poco más de veinte años, pero se la notaba entregada por la manera en que lo cogía de la mano y hablaba con él mientras paseaban. Me imaginaba, con tanta claridad como te recuerdo a ti ahora mismo, en el papel de esa chica, notando la dulce manita, respondiendo a las preguntas de ese niño asombrado. Cuando se cruzaron con nosotros, el niño nos dedicó una sonrisa llena de dientecitos rectos y yo, de repente, noté un latigazo por dentro: había en él algo muy familiar. Oí una voz por dentro, distinta a la mía, que decía: «Un bebé preso». Me llevé la mano a la boca y miré a Andre, que parecía confundido. «¿Lo has visto? —le pregunté—. ¿No era Roy?». Dre contestó: «¿Qué?». Me da vergüenza hasta escribirlo. Pero estoy intentando explicar lo que ocurrió. Lo siguiente que recuerdo es estar de rodillas en la acera, abrazando un hidrante de bomberos como quien abraza a un niño.

Andre se arrodilló junto a mí. Desde fuera parecería que éramos pareja y estábamos discutiendo o algo parecido. Él me soltó del hidrante, dedo a dedo y mano a mano. No sé cómo, llegamos al sitio del pescado. Él llamó por teléfono a Gloria y me cogió por los hombros. «No puedes dejar que esto te destruya», me dijo. Al final, Gloria se presentó allí y me dio una de esas pastillas para los nervios que todas las madres guardan en el bolso. En resumidas cuentas: me quedé frita y cuando desperté no quedaba rastro de aquello. Me sentí recuperada, así que acudí a la inauguración de la exposición en Hammonds House, que era al día siguiente. No sé cómo explicarlo, pero la idea del muñeco con tu cara se me metió dentro como un anzuelo con su carnada.

Así que actué en consecuencia. Le quité al muñeco el bodi de bebé y con tela de algodón encerado cosí unos pantalones carcelarios azules en miniatura. Vestir al muñeco con ropa de ese tipo resultaba igual de complicado, pero tenía sentido. Con ropa de bebé no sería más que un juguete. De la otra manera, era arte. Ese fue el muñeco que ganó el concurso. Ojalá te hubieras enterado por mí y no por tu madre...

Cuando me entrevistaron, sobre el escenario, no hablé de ti. Me preguntaron en qué me había inspirado y hablé de ese tiempo en que mi madre era considerada una sirvienta de bebés y también hablé sobre Angela Davis y el negocio de la industria penitenciaria. Lo que ocurre contigo es tan personal que no quería verlo en los periódicos. Sé que me entenderás.

Tuya,
Celestial

Querida Georgia:

Hace unos meses dijiste que estabas acercándote a tu sueño, pero ahora diría más bien que lo estás viviendo a mis espaldas. Lo de la tienda fue idea mía, te recuerdo. Tu fantasía eran las galerías, los museos y las instalaciones de guante blanco. No me trates como si no te conociera.

Entiendo todo lo que dices, pero también lo que no dices. ¿Te avergüenzas de mí? Sí, ¿verdad? No puedes ir al Museo Nacional de Retratos y contar que tu marido está en la cárcel. Podrías, pero no lo hiciste. Lo entiendo, es algo difícil de encajar. Antes vivíamos la vida de los Huxtable. Pero ¿dónde estamos ahora? Yo sé dónde estás tú, pero ¿dónde estamos NOSOTROS?

Envíame, por favor, una fotografía del muñeco. Quizá me guste más cuando lo vea, pero te digo ya que la idea no me hace mucha gracia. Y, aunque lo que decías en el artículo de *Ebony* sea cierto (eso de que «quieres concienciar a la gente sobre la encarcelación en masa», lo cual no sé si será un cuento), explícame, por favor, cómo va a ayudar un muñeco de un bebé a todos los que estamos aquí metidos. Ayer murió un tipo porque no le dieron su insulina. No quiero reprocharte nada, pero ni una muñeca ni mil van a devolverle a ese tío la vida.

Mira, sabes perfectamente que siempre te he apoyado en tu arte. Nadie cree en ti más que yo, pero ¿no crees que con esto te has pasado de la raya? Y, encima, sin mencionar mi nombre siquiera. Espero que ese premio del Museo Nacional de Retratos signifique mucho para ti. Es todo lo que tengo que decir.

¿Sabes? Si no te sientes cómoda diciendo a la gente que tu marido, que además es inocente, está en la cárcel, puedes contarles en su lugar cuál es mi trabajo. Me han ascendido: ahora llevo un carrito de la limpieza por Marte y recojo porquería con unas pinzas gigantescas. Es un buen trabajo, esta cárcel también tiene una explotación agrícola y antes me dedicaba a empaquetar soja. Prefiero el carrito, al menos trabajo bajo techo. No visto camisa blanca y corbata, pero me han dado un mono (blanco). Todo es relativo, Celestial. Sigues teniendo un marido y tu marido sigue ascendiendo en su jerarquía profesional. Aquí dentro soy un profesional cualificado. No tengo nada de que avergonzarme.

Tu marido (creo),
Roy

P. D.: ¿Te acompañó Andre? ¿Ibais los dos por ahí diciendo a todo el mundo que sois amigos desde que os bañaban juntos de bebés en el mismo fregadero? Probablemente todo el mundo os dice que qué monos. Celestial, quizá nací ayer. Pero no anoche.

Querido Roy:

Tu última carta me ha hecho sentir fatal. ¿Qué puedo decirte para que te des cuenta de que esto no tiene nada que ver con la vergüenza? Nuestra historia me conmueve demasiado como para contarla a un extraño. ¿No lo ves? Si digo que mi marido está en la cárcel, la gente ya no pensará en otra cosa, ni en mí ni en mis muñecas. Aunque explique que eres inocente, lo único que recordarán es que estás entre rejas. Aunque cuente toda la verdad, esa verdad no trascenderá. ¿Qué sentido tiene sacarlo a la luz? Era una ocasión especial para mí, Roy. Vino mi mentor desde California y estuvo hasta Johnnetta B. Cole. No habría sido capaz ni de broma de hablar sobre algo tan doloroso, durante el turno de preguntas y respuestas, ante un micrófono. Quizá haya sido egoísta, pero quería disfrutar de aquel momento como artista, no como la esposa de un preso. Por favor, contéstame.

Besos,
Celestial

P. D.: Con respecto a Andre, no voy a dignarme siquiera a contestar a esa estupidez. Sabes que acepto tus disculpas por adelantado.

Querida Georgia:

Según Walter, estoy siendo un idiota por no mirar las cosas desde tu lado de la cama. Dice que no estoy siendo razonable al esperar que estés todo el día dejando claro que tu marido está en la cárcel. «Esto no es *El fugitivo*. ¿Quieres que ella vaya todo el día corriendo detrás del cojo?» ¿Entiendes ahora por qué lo llamamos «el Yoda del Gueto»? Dice que el potencial de tu carrera podría verse gravemente mermado si asocias tu marca a la vida presidiaria, lo cual evoca estereotipos polémicos sobre la vida de los afroestadounidenses. Aunque él lo expresó así: «Es una mujer negra y todo el mundo cree ya que ha tenido tropecientos bebés con tropecientos papichulos, y que recibe cheques de ayuda social a tropecientos nombres distintos. Ya tiene suficiente con eso, y aun así ha conseguido convencer a unos cuantos tipos blancos de que es una especie de Houdini de los muñecos y de que la suya es una profesión de verdad. Está trabajándose el timo. ¿Crees que va a levantarse y a ponerse a largar sobre las movidas de su marido en la cárcel? En cuanto saliera el tema, todo el mundo la miraría y pensaría en los tropecientos papichulos y los tropecientos cheques, y alguien le diría que se volviera a su casa y se buscara un trabajo en un *call center*». (Cita literal.)

Por mi parte, debería decir «Lo siento». Literalmente. No quería echarte tanto en cara. Pero, Georgia, es muy duro. No sabes cómo son las cosas aquí dentro. Y mejor que no lo sepas, hazme caso.

He ido a la biblioteca y he buscado el ejemplar de *Ebony* para leer el artículo y ver la foto una vez más. Estabas tan sonriente... Y llevabas la alianza puesta. No sé cómo no lo vi la primera vez.

Te quiero,
Roy

Querida Celestial:

¿Recibiste mi carta del mes pasado? Te pedía disculpas y te decía que lo siento. Quizá no lo dejé muy claro. Lo siento. ¿Me contestas? Aunque sea por correo electrónico.

Roy

Roy O. Hamilton Jr.
PRA 4856932
Centro Correccional Parson
3751 Lauderdale Woodyard Rd.
Jemison, Luisiana 70648

Estimado señor Davenport:

Supongo que esto no es lo que usted se imaginaba cuando fui a verlo y le pedí la mano de Celestial. Quise hacer las cosas como es debido. Me planté ante usted, muy serio, y usted contestó: «La mano de mi hija es de mi hija, no soy yo quién para darla». Al principio creí que estaba bromeando, pero, cuando dejó claro que hablaba en serio, traté de recoger cable y hacerle creer que era broma. Por dentro, sin embargo, me sentía avergonzado y furioso. Fue como si te pones a comer con los dedos y el resto de comensales está usando cuchillo y tenedor. «La mano de mi hija es de mi hija, no soy yo quién para darla», contestó usted. Pero yo lo estaba abordando de hombre a hombre. Le estaba preguntando si podía ser su yerno.

Yo me siento muy unido a mi padre. Quizá Celestial le haya contado que en realidad no es mi padre biológico, pero es el único que he conocido y ha sido una influencia masculina muy positiva para mí. Yo soy su hijo en todos los sentidos. Sin embargo, él no conoce muy bien el mundo en que yo vivía, el de Atlanta, si bien yo podía disfrutar de ese mundo gracias a sus sacrificios. Roy Padre siempre ha vivido en pueblos pequeños del sur. No terminó la escuela secundaria, pero fue capaz de garantizar la seguridad de un hogar a su familia. Respeto a mi padre más que a nadie en el mundo.

Acudo a usted porque tenemos muchas cosas en común. Ambos hemos sido inmigrantes en Atlanta. Usted lleva más tiempo y yo acabo de aterrizar, pero nuestras trayectorias son parecidas. Usted había salido de pobre para hacerse rico y yo estaba en ello. O, al menos, esa era la impresión que tenía en aquel momento. Cualquiera sabe qué será de mí, dada mi situación actual. Cuando pedí la mano de Celestial, buscaba su bendición como padre suyo, pero también como mentor. Pedir la mano de su hija era jugar en una liga superior a la mía. Creo que esperaba una palmada en la espalda, pero terminé sintiéndome como el recogepelotas.

Quizá esté haciendo el tonto de nuevo escribiendo esta carta.

Señor Davenport, Celestial lleva dos meses sin venir a Luisiana a verme. No hemos tenido desacuerdos o discusiones particularmente graves. Esperaba verla en septiembre, pero no apareció. Tampoco he recibido correspondencia. Señor Davenport, espero que usted pueda hablar con ella en mi nombre. Quizá crea que debería tratar de contactar con ella por mis medios. Créame, lo he intentado.

Cuando me despidió usted aquel día, me preguntó si conocía verdaderamente a su hija, tanto como para casarme con ella. Por eso recurro a usted ahora. Obviamente, no la conozco tan bien como creía. Usted, sin embargo, es su padre. Quizá sepa usted qué decirle para que no me dé de lado.

Por favor, dígale que entiendo muy bien que estar casada con un preso es un sacrificio enorme. Yo no suelo pedir cosas. Todo lo que tengo me lo he ganado trabajando. Y no habría sido nunca capaz de presentarme en su casa si no hubiera hecho antes el esfuerzo de reunir el coraje necesario. En mi situación actual, no hay muchos esfuerzos que pueda hacer por ganarme su amor. No sé cómo convencerlo a usted de que soy digno de ella. Antes tenía un buen trabajo y gemelos de oro. ¿Qué tengo ahora? Solo carácter y temperamento. Obviamente, ella no puede vestir mi temperamento en el anular izquierdo y tampoco sirve para pagar facturas y tener hijos. Pero es lo que tengo y creo que debería contar para algo.

Gracias, señor, por leer esta carta. Espero que reflexione sobre mi petición. Por favor, no hable de esto con Celestial o su madre. Que quede entre nosotros, de hombre a hombre.

Un cordial saludo,
Roy O. Hamilton Jr.

Franklin Delano Davenport
9548 Cascade Rd.
Atlanta, Georgia 30331

Querido Roy:

Me alegra recibir noticias tuyas, pues pienso en ti a menudo. Mi esposa se tiene por una «guerrera de la oración» y pide por ti regularmente. Por aquí no te olvida nadie. Ni yo, ni Gloria ni Celestial.

Yerno (y uso esta palabra muy deliberadamente), creo que te falla la memoria al respecto de lo que ocurrió cuando viniste a pedir la mano de Celestial. Yo no te rechacé. Te expliqué simplemente que mi hija no es propiedad mía. No puedo evitar reír cuando lo recuerdo. Te plantaste aquí, orgulloso como un pavo real, con aquella cajita forrada de terciopelo metida en el bolsillo de la chaqueta. ¡Durante un segundo de desconcierto, creí que venías a pedirme matrimonio a mí! (Es broma, eh.) Me alegró comprobar que tus intenciones eran serias, pero pensé que no debía ver el anillo de pedida antes que Celestial. Me di cuenta de que te marchaste con la sensibilidad algo magullada, y, francamente, fue algo positivo. Decías en tu carta que no sueles pedir cosas, y aquel día me quedó claro, no por tus gemelos de oro —¡oro auténtico, quién lo habría dicho!—, sino por tus andares. No estabas pidiéndome la mano de Celestial (e insisto en que no era yo quién para darla). En realidad, venías a decirme que ibas a casarte con ella, aunque ella ni siquiera te había dado el sí. Di por hecho que tu estrategia sería arrodillarte, sacar el anillo (imaginé todo un pedrusco) y anunciar que ella se había llevado el premio gordo. Fui sincero cuando te dije que no la conocías muy bien si pensabas que así ibas a llevarte el gato al agua.

Te cuento una anécdota personal: yo le pedí matrimonio a Gloria tres veces. No aceptó hasta la tercera, claro. La primera vez que me declaré resultó bastante incómodo, porque yo todavía andaba bregando con mi esposa anterior. Gloria es una mujer muy educada, pero sus palabras exactas fueron: «¡Pues claro que no, joder!». El segundo rechazo fue más amable: «No, todavía no». La tercera vez no me arrodillé, ni literal ni metafóricamente. Le entregué la modesta alianza y le pedí que compartiese su vida conmigo. Yo le pedí disculpas por mis faltas y reconocí todos mis errores. No quise involucrar a su padre ni pedí a su mejor amiga que me ayudase a preparar el momento de la pedida. La tomé de la mano y le abrí mi corazón. Ella respondió asintiendo con la cabeza. Nada que ver con los saltos y los chillidos que se ven en las películas. Nada de declararme con una pancarta o en el descanso de un partido en el Rose Bowl. El matrimonio es entre dos personas. No es necesario hacerlo público.

Dicho esto, hablaré con Celestial y le preguntaré por qué ha pospuesto la visita. Ya que estamos sincerándonos, te diré que no estaba al tanto. Debo dejarte claro, eso sí, que no puedo hablar «en tu nombre». Solo puedo hablar en el mío propio, como su padre que soy.

Espero que no interpretes esto como un rechazo, porque no es mi intención rechazarte. Formas parte de nuestra familia y todos te tenemos en muy alta estima.

Me siento obligado a decirte también que tendré que mostrarle tu carta a Celestial. Soy su padre y no puedo ocultarle nada. Ella es la alegría de mi vida y mi única pariente de sangre viva. Pero te diré una cosa: sé perfectamente el tipo de mujer que su madre y yo criamos. Gloria me era leal, incluso cuando yo no lo merecía, y estoy convencido de que mi hija no será menos.

Por favor, yerno, no dejes de escribirme de nuevo. Siempre me alegrará saber de ti.

Un abrazo,
Franklin Delano Davenport
Cc: C. G. Davenport

Querida Celestial:

Para cuando te llegue esta carta, tu padre te habrá contado que le escribí. Espero que no te moleste. Me siento muy cercano a él desde la primera vez que me invitó a esa gran casa vuestra (siempre me pareció la nave nodriza, ya sabes), cuando tú y yo andábamos todavía tomándonos la medida del amor. No lo olvidaré nunca. Hacía frío fuera, pero el señor Davenport quería que nos sentáramos en el porche que rodea toda la casa. Yo estaba congelado, pero no quería ser el típico aguafiestas. Estaba listo para decirle que mis intenciones eran serias y todo eso, pero él no quiso siquiera hablar de ti. Llegó, se sentó y, de repente, estaba liándose un porro. Fue una locura, yo creía que había una cámara oculta en algún sitio. Luego tu padre dijo: «No hagas como que no fumas. ¡Te lo veo en los ojos!». Entonces, sacó un alargado encendedor de los de hornilla con el que me deslumbró y casi me quemó las cejas. Él encendió un porro y me lo pasó, y yo le di una calada. Esa fue mi bienvenida a la familia.

Celestial, ya sabes que tengo una especial predilección hacia los padres.

Esa es la verdadera razón por la que estoy escribiendo. Había planeado enviarte otra carta pidiéndote por favor que vinieras a visitarme. Pero ya estoy harto de rogar. Vendrás a verme cuando te dé la gana, punto. Eso es lo que me dio a entender la carta de tu padre. Eres una mujer adulta y nadie puede obligarte a hacer nada que no quieras hacer (como si alguien tuviera que venir a contarme eso).

Estoy escribiéndote porque ha ocurrido algo que me ha revuelto las ideas. Aunque vayas a posponer la visita, como dice tu padre, te tengo que contar algo que no puedo ya guardarme más tiempo. Lo tengo que compartir con alguien, Georgia, y la única persona en quien confío eres tú.

¿Recuerdas el último día que estuvimos juntos y yo te llevé a ver el río y a escuchar la música del puente? Mi plan era decirte en ese momento que Roy Padre no es realmente mi padre. Al final no me atreví, pero era consciente de que tenía que sobreponerme y hacerlo porque no creía conveniente que estuviéramos planeando crear una familia y no supieras que en la baraja había algún que otro comodín. Quería hacer lo correcto, aunque era muy consciente de que tendría que habértelo dicho antes incluso de casarnos. Saqué el tema un par de veces, pero no fui capaz de dar el paso. Discutimos mucho aquel día a cuenta de ese asunto y ese desencuentro en concreto fue el paso previo al aprieto en que me encuentro ahora mismo. Tengo que confesar que, aunque te pedí disculpas por no habértelo dicho antes, hasta ahora no sabía lo que era darte cuenta de que no conoces a alguien que creías conocer.

Perdona el cliché: ¿estás sentada? Quizá quieras ponerte una copa de vino antes de leer esto, porque te va a explotar la cabeza. Mi padre biológico está aquí, en esta cárcel, preso. Y no solo eso: es Walter, el Yoda del Gueto.

Lo averigüé de la siguiente manera: como sabes, los negros con dotes lingüísticas estamos muy demandados aquí dentro. Yo sé escribir cartas, interpretar documentos e incluso mediar en conflictos entre compañeros, algunas veces. Solo un poco, en realidad. Pero, bueno, se me da mejor que a la mayoría (ahí está lo que me enseñaron en Morehouse: el doctor Benjamin Mays estaría orgulloso). El caso es que estaba haciendo uno de estos trabajos para Walter y por no sé qué razón me topé con su historial médico, y en él figuraba su nombre completo: Othaniel Walter Jenkins. Hoy día probablemente solo haya una persona en el planeta con ese nombre. Pero hubo un tiempo en el que había dos: antes de que Roy Padre me cambiase el nombre a Roy Jr., yo era Othaniel Walter Jenkins II. Mi madre conservó Othaniel como segundo nombre como tributo histórico, supongo.

Cuando lo leí, supe que ese hombre era mi padre. ¿Recuerdas lo que me dijo cuando me trasladaron a su celda? «Los tipos patizambos tienen que hacer piña.» Me soltó eso y se me quedó mirando para ver cómo reaccionaba. Me acuerdo perfectamente. No le di mucha importancia en el momento, supuse que le sorprendía esa característica en común. En la cárcel todo el mundo decía que era mi papi, pero, obviamente, siempre creí que era una coña. Aquí dentro la gente se organiza en familias y Walter me cuidaba, en efecto, como si fuera mi padre.

Déjame que haga retrospectiva. Esta es la historia que me contó Olive: cuando tenía dieciséis años, al terminar la secundaria en Oklahoma City, se subió a un autobús Greyhound para viajar a Nueva Orleans, donde tenía intención de instalarse. Había recibido clases de mecanografía y podía optar a un trabajo como secretaria. A su llegada, conoció a Walter y, siguiendo sus pasos, se mudó a un pueblo cercano a Nueva Orleans llamado Nueva Iberia. Estaba por cumplir diecisiete años y él tenía unos treinta. No estaba casado, pero había sido padre varias veces, por eso Olive siempre me ha insistido en que tenga cuidado con las mujeres de Luisiana, Misisipi o el este de Texas. (Cuando me lo dijo, me imaginé a Walter repartiendo su semilla por los campos como el famoso pionero Johnny Appleseed.) En resumidas cuentas: se marchó y la dejó embarazada y sin un centavo. Pero tú sabes cómo es Olive: no iba a quedarse tirada en la cama, lamentándose. Se quedó en Nueva Iberia hasta que el bollo estuvo listo para salir del horno y luego marchó en busca del padre. Preguntó por todo el pueblo, barrigón por delante, interrogando a las ancianitas. Por fin, una señora que estaba haciendo cola en una carnicería le dijo que sabía dónde estaba el tipo al que buscaba: trabajaba en la fábrica de papel de Eloe. (Mamá debería haberse dado cuenta de que esa información no era veraz, por el mero hecho de tener que ver con un «trabajo».) Cuando fue a Eloe, hacía mucho que Walter ya se había marchado, pero allí encontró las tres cosas que según ella toda mujer necesita: a Jesús, un trabajo y un marido.

Esto es todo lo que Olive pensó que yo necesitaba saber en su día. También yo creí que esos datos me bastaban. Tenía a Roy Padre y en Eloe todo el mundo me conocía como Roy Hijo. ¿Qué necesidad tenía de perseguir a esa bala perdida de quien había heredado los genes?

El caso es que cuando leí el historial de Walter tuve la sensación de que aquella bala me pasaba silbando junto a la oreja. Cuando terminó el tiempo de biblioteca regresé a mi celda. ¿Adónde si no? No podía ir a sentarme bajo un puente a pensar, precisamente. Cuando llegué, Walter estaba sentado en el váter. La vida no es justa, Georgia. Descubro que ese hombre es mi verdadero padre y cuando vuelvo a la celda me lo encuentro sentado en el váter con la polla en la mano. (Perdón por la palabrota, pero tengo que contar la historia con todos sus detalles.)

Terminó su asunto, se volvió hacia mí y me leyó el gesto como si fuera un libro abierto. «¿Qué, ya te has enterado?», me preguntó. Le conté lo de su historial y me dijo: «Me declaro culpable», e incluso esbozó media sonrisa, como si llevase toda la vida esperando aquella charla.

No estaba muy seguro de qué quería decir exactamente con aquello de «Me declaro culpable». ¿Se refería a que se sentía culpable por ser mi padre o por no habérmelo dicho? El tipo siguió allí sentado, sonriendo como si aquello fuera una excelente noticia, pero yo me sentía gilipollas.

Me pidió que le dejase contar su parte de la historia, y así lo hice. En la cárcel no hay ninguna intimidad y, te voy a decir una cosa, la gente de la cárcel es más cotilla que cualquier señora de barrio. Walter hablaba a voz en grito, como si estuviera dando un discurso. Su versión no difería demasiado de la de mi madre. Se conocieron en una huida: Olive escapaba de su padre y él de una mujer (o, más bien, del marido de una mujer). El escenario fue una de las filas de asientos del autobús Greyhound asignadas a la gente de color. Quince horas codo con codo son muchas horas codo con codo, así que, cuando dejaron atrás el límite con Luisiana, mi madre estaba ya prendada. Walter la engatusó con cuatro palabras bonitas y la convenció para que se fuera a vivir con él una temporada en Nueva Iberia. (En ese momento, Walter interrumpió el relato para puntualizar: «Yo en mis tiempos era un negro guapísimo». Te juro que usó esas palabras.) Olive y Walter se fueron a vivir juntos en plan concubinato. Se instalaron en una cabaña sin luz eléctrica. Ella tardó dos meses en quedarse embarazada. Como cualquier muchacha en estado, quiso casarse y como cualquier cabronazo de tres al cuarto, el tipo salió por patas. Mientras me contaba esto último, cambió al modo Yoda del Gueto: «Cuando una mujer te dice que quiere tener un hijo tuyo, tu primer impulso es salir corriendo. Es como si se hubiera prendido fuego a la casa. No te planteas escapar: escapas y punto. Es un instinto humano. Esa persona está reclamando que le entregues tu vida entera. Y los hombres vida no tenemos más que una».

Todo aquello era un paripé estúpido y yo lo sabía, pero hubo algo de aquel soliloquio que se me quedó atravesado en la garganta como una raspa de pescado.

Celestial, creo que es porque no estuve ahí para apoyarte cuando me contaste que te habías hecho la prueba de embarazo y había salido positivo. Te pregunté qué querías hacer. Lo que yo hice fue muy parecido a marcharme de la ciudad.

En cualquier caso, Walter me vio ahí sentado, tragándome las lágrimas como un tipo duro. Trató de defenderse, jurando y perjurando que jamás había pegado a mi madre, que no le robó aunque «su monedero estaba ahí mismo, en un cajón del chifonier». Dijo que tampoco era algo personal, que ya había dejado a otras mujeres con el bombo puesto. Así eran las cosas entonces. Pero, Celestial, yo ya no pensaba en él, sino en ti y en la mierda de tío que soy. Esa es la verdad.

Estaba sentado en el camastro, rompiéndome por dentro, y Walter se mostraba cada vez más agitado: «¿Crees que es coincidencia que nos hayan puesto juntos en esta celda?», me preguntó. Al parecer, su colega Prejean, que es de Eloe, le contó quién era yo, y él hizo indagaciones a mis espaldas. «Dice el dicho que no importa de qué árbol haya caído la fruta, pero yo quería saber de qué árbol te caíste tú, si del mío o del de tu madre.» Cuando me vio, según cuenta, llegó a la conclusión de que todo lo que tenía de él eran «las piernas zambas y los caracolillos del pelo». Luego sobornó con una cuantiosa suma de dinero a los funcionarios para que me trasladaran a su celda, antes de que yo estuviera más hecho polvo de lo que ya estaba. Me dijo: «Reconócelo. Las cosas empezaron a irte mejor cuando te viniste a vivir conmigo. ¡Algún mérito tendrás que reconocerme!».

Celestial, quiero estar enfadado con él. Engañó a mi madre como a una niña pequeña y la abandonó, pero ¿te imaginas qué tipo de padre habría sido si se hubiera quedado con nosotros? De ninguna manera se habría sacrificado para que yo pudiera estudiar en Morehouse, por ejemplo. Aun así, tengo que reconocerle el mérito, como me pedía. Si no fuera por él, a estas alturas yo estaría muerto o mucho peor de lo que estoy. Walter no es el capo de la cárcel, pero lleva aquí dentro más que la inmensa mayoría y nadie se mete con él. No tenía por qué acogerme bajo su ala, pero lo hizo.

Es complicado. Anoche, cuando apagaron las luces, me dijo: «No puedo creer que tu madre dejase a ese negro cambiarte el nombre. Es una falta de respeto».

Fingí no oírlo. Decir una palabra sobre el asunto habría sido muy injusto para con Roy Padre. Me acogió y me crio como a su hijo, y no solo por el cambio de nombre. Era mi padre y lo será siempre. Pero no aquí dentro. Aquí dentro mi padre es Walter.

Este mundo me sobrepasa, Celestial. Dije que no iba a hacer más peticiones en esta carta, pero me desdigo. Por favor, ven a visitarme. Necesito verte la cara.

Con amor,
Roy

Querido Roy:

Escribo esta carta para pedirte perdón. Por favor, sé paciente. Sé que ha pasado mucho tiempo. Al principio, retrasé la visita por todas las cosas que me estaban ocurriendo. Ahora tengo otras razones, pero son aburridas y bastante simplonas: llega la Navidad y en la tienda no damos abasto. Mi empleada, Tamar, va a cubrirme el fin de semana que viene. (Es una chica que estudia en Emory, a la que le sale el talento por los poros. Tiene un don muy especial para las colchas artesanales. Las hace preciosas.)

Quedándose Tamar al cargo de la tienda podré salir de aquí, así que iremos Gloria y yo a Luisiana, en coche. Ella quiere llevarle a tu madre una de sus famosas tartas de moras y a mí me vendrá muy bien la compañía.

Sé que estás enfadado conmigo. Tienes todo el derecho. Espero que no desaprovechemos la visita echándonos cosas en cara. Cuando nos sentemos frente a frente, cada segundo será valiosísimo. Si puedes perdonarme, por favor, perdóname. Si te doy explicaciones, ¿las escucharás? Dime lo que tengo que hacer para que las cosas estén bien.

Y, por cierto, ¿qué tiene Walter que decir sobre todo esto? Espero que no le hayas contado cosas muy horribles sobre mí. No quiero conocer a mi suegro biológico y darle una impresión desfavorable. (Podré conocerlo, ¿no?) ¿Cómo estáis llevando el asunto? Porque la historia conmocionaría a cualquiera. Aunque supongo que el más afectado eres tú. En cualquier caso, estoy convencida de que la noticia habrá cambiado las cosas entre vosotros. ¿Se lo has contado a Olive? Es que tiene miga la cosa. Por favor, dame sus datos para que pueda dejarle un regalo de Navidad en el economato.

Por favor, no te pongas orgulloso y déjame haceros un regalo, a ti y a él. Es familia.

Nos vemos pronto.

Besos,
Celestial

Querida Celestial:
Gracias por venir a verme; sé que el viaje ha sido largo y sé que eres una mujer ocupada. Te he visto muy cambiada. Has perdido peso, ¿puede ser? Se te nota en la cara, la tienes más angulosa. Pero creo que el cambio en realidad no es físico. ¿Te encuentras bien? ¿Ha pasado algo que deba saber? No es una pregunta trampa para intentar enterarme de si estás viendo a alguien... Eso es lo último que se me ocurre. Solo quiero saber

qué te pasa. Cuando te tenía delante, te miraba a la cara, pero la Celestial que conozco no estaba ahí.

Creo que me faltan palabras para explicarlo.

Roy

Querido Roy:

¿Cómo se supone que debo contestar a tu última carta? Sí, he perdido unos kilos. Algunos aposta, porque estoy viajando mucho a Nueva York últimamente y ya sabes que allí la gente se cuida un poco más. No quiero que me vean como la típica chica ramplona del sur profundo que hace arte popular. Si quiero que la gente se tome mis muñecos en serio, tengo que hacer el paripé. Pero creo que no te refieres solo a mi figura, como decías.

¿Me ves distinta? Han pasado tres años, así que imagino que he cambiado. Ayer me senté bajo la Vieja Pacana del jardín delantero. Es el único lugar donde encuentro paz y me siento bien, sin más. Sé que «sentirse bien» no es gran cosa, pero últimamente es cada vez más raro en mí. Incluso cuando me cuentan algo que debería hacerme feliz, hay algo que se interpone entre la buena noticia y yo misma. Como si te comieras un caramelo con el envoltorio. Ese viejo árbol no se ve afectado por las preocupaciones que inquietan a los humanos. Pienso en que ya estaba antes de que yo naciera y seguirá estando cuando me haya muerto. Puede parecer triste, pero a mí no me lo resulta.

Roy, cumplimos años. Cada semana me quito una o dos canas. Es un poco pronto para teñirme, pero aun así. Desde luego, no somos viejos, pero tampoco adolescentes. Quizá eso es lo que viste en mí: el tiempo escapando.

¿Que si estoy viendo a alguien? Dices que no lo preguntas, pero lo has hecho, aunque indirectamente. Llevo tu alianza en el dedo. No tengo que decir más.

Celestial

Querida Celestial:

Olive está enferma. El domingo, Roy Padre vino a verme solo. En cuanto lo vi sentarse en una de esas sillitas desvencijadas (parecía un oso sentado en un champiñón), me di cuenta de que había malas noticias. Tiene cáncer de pulmón, aunque no ha tocado un cigarrillo en veintitrés años.

Quiero que vayas a verla. Sé que ha pasado mucho tiempo desde la última vez que te pude devolver un favor. Me da la impresión de estar acumulando deudas, como con el préstamo que pedí para estudiar en Morehouse. En cierto momento calculé lo que me costaba cada día que pasaba estudiando allí y luego, por curiosidad, calculé a cuánto me salían las horas y los minutos. Sé que tú no estarás llevándome la cuenta de lo que te debo, pero yo sí. Necesito que vengas a verme. Necesito que me metas dinero entre las páginas de los libros. Necesito que le digas al tío Banks que espabile. Necesito que me recuerdes el hombre que fui en el pasado, para evitar olvidarlo y convertirme en otro negro encarcelado más. Siento que necesito cosas, cosas y más cosas, y que esa necesidad me está rompiendo por dentro. No estoy loco, de eso estoy seguro. No vienes a verme como antes, eso es real. Distingo muy bien los sentimientos verdaderos cuando los veo, pero también sé percibir cuando alguien hace algo por obligación. En tu cara no se veía más que eso: la obligación de cumplir con un deber.

Sé que te estoy pidiendo mucho. Sé que tendrás que conducir muchas horas y que tú y mi madre nunca habéis sido amigas. Pero, por favor, ve a verla y cuéntame ese tipo de cosas que mi padre no me va a contar jamás.

Roy

Querido Roy:

Esta es la carta que prometí no enviar nunca. Antes de seguir adelante, quiero decirte que lo siento. Quiero decirte que me mata tener que teclear estas palabras. No voy a decir que esto me hace más daño que a ti, porque sé lo mucho que sufres todos los días y no puede compararse, me ocurra a mí lo que me ocurra. Soy muy consciente de que no estoy viviendo la misma agonía que tú, pero sufro mucho y no puedo seguir viviendo así.

No puedo continuar siendo tu esposa. En cierto modo, siento que jamás tuve la oportunidad de ejercer ese papel, realmente. Estuvimos casados apenas un año y medio antes de que cayera la bomba y empezáramos a contar el tiempo que llevabas ahí dentro en meses, como durante un embarazo. He hecho todo lo que he podido para ser esposa sin ejercer como tal a lo largo de los últimos tres años.

Vas a pensar que he conocido a otro hombre, pero esto tiene que ver exclusivamente contigo y conmigo. Tiene que ver con el frágil hilo que nos unía y que tu encarcelamiento ha desgastado. En el funeral de tu madre, tu padre hizo gala de lo que es un auténtico vínculo entre marido y mujer. Aunque, claro está, ellos habían vivido treinta años bajo el mismo techo. Crecieron y maduraron juntos, y, si tu madre hubiese sobrevivido, habrían envejecido juntos. Eso es el matrimonio. Lo que nosotros hemos tenido no es un matrimonio. El matrimonio va más allá del corazón. Es la vida. Y nosotros no tenemos una vida en común.

Culpa al tiempo. No te culpes a ti ni me culpes a mí. Si hubiéramos puesto un centavo en un frasco por cada día que estuvimos casados y hubiéramos luego retirado un centavo por cada día de separación, el frasco llevaría mucho tiempo vacío. He buscado la manera de añadir más centavos al frasco, pero las visitas en esa sala tan ruidosa, ante esa mesa tan triste, me devuelven a casa con las manos vacías. Yo lo sé y tú lo sabes también. En las últimas tres visitas apenas nos dijimos nada el uno al otro. Tú no soportas oír hablar sobre cómo es mi vida fuera y yo no soporto oír hablar sobre cómo es tu vida en la cárcel.

No te estoy abandonando. Eso jamás ocurrirá. Mi tío seguirá presentando recursos. Seguiré manteniendo tu cuenta del economato al día y te visitaré cada mes. Acudiré como tu amiga, como tu aliada, como tu hermana. Eres parte de mi familia, Roy, y siempre lo serás. Pero no puedo ser tu esposa.

Te quiero (créelo, por favor).
Celestial

Querida Georgia:

¿Qué quieres que te responda? ¿Quieres que te diga que me parece bien que seamos solo amigos? Quizá sea cosa mía, pero lo de «hasta que la muerte os separe» yo lo entiendo de otra manera. Acabo de comprobarlo: sigo vivo. Pero haz lo que tengas que hacer. Sé una mujer empoderada, esas cosas que te enseñaron en la universidad. Deja de lado a un negro cuando está en el hoyo. Nunca me imaginé que serías ese tipo de persona. Hay negros aquí dentro cuyas mujeres llevan décadas viniendo, décadas cogiendo autobuses en Baton Rouge a las cinco de la mañana. Walter tiene amigas a las que conoció por correo estando en la cárcel y que vienen a visitarlo, y cuando se ven no se limitan a charlar precisamente. Las hay que duermen en el coche, en el aparcamiento, para estar en la sala de visita en cuanto abre. Antes de morir, mi madre venía todas las semanas. ¿Qué te hace pensar que tú eres mejor que todas ellas, eh?

No vengas a decirme que quieres ser mi amiga. Yo no necesito amigas.

ROH

Querido Roy:

No esperaba que recibieras mi carta, en la que te abrí mi corazón, con fuegos artificiales. Sí esperaba que te tomases un momento para reflexionar sobre mi situación. ¿Estás comparándome de verdad con las mujeres que llenan esos autobuses de primera hora de la mañana? Yo también las conozco. Las he conocido en persona, allí. Toda su vida gira en torno a las visitas a Parson. No hacen otra cosa, aparte de trabajar. Las cachean todas las semanas. Más de una vez he tenido que dejar que una funcionaria me metiera la mano en las bragas solo para poder sentarme contigo con una mesa de por medio. ¿Eso es lo que quieres? ¿Que me tire la vida entera así? ¿Esa es tu forma de quererme?

Siempre dices que comprendes muy bien lo duro que es esto. Te acomodas en tu silla y reconoces una y otra vez que no puedes darme lo que necesito. Pero ahora te haces el confundido. Llevo más de tres años entregada a ti en cuerpo y alma. Pero tengo que cambiar la manera de hacer las cosas o no me quedarán ni cuerpo ni alma de aquí a poco. Te lo dije en mi última carta y te lo vuelvo a repetir. Te apoyaré. Te visitaré. Pero no puedo hacerlo en calidad de esposa.

C

Querida Celestial:
   Soy inocente.

Querido Roy:
   Yo también soy inocente.

Querida Celestial:
   Supongo que ahora me toca a mí escribir la carta que dije que jamás escribiría. Quiero que sepas que le pongo fin formalmente a nuestra relación. Tienes razón. Este matrimonio parece que solo funcionaba de un

lado. ¿Cómo voy a discutir algo así? Y, por tu lado, hay algo que no podrás discutir tampoco: solo te quiero en mi vida como esposa, porque en mi mente y en mi corazón yo soy tu marido.

Por favor, no vengas a verme. Y más te vale que me hagas caso, porque no te dejarán entrar. Te he retirado de mi lista de visitantes.

No es rencor. Solo intento averiguar cómo vivir esta nueva realidad.

ROH

> Roy O. Hamilton Jr.
> PRA 4856932
> Centro Correccional Parson
> 3751 Lauderdale Woodyard Rd.
> Jemison, LA 70648

Querido señor Banks:

Le escribo para hacerle el que será su último encargo como mi abogado defensor. Por favor, retire a la siguiente persona de mi lista de visitantes:

Davenport, Celestial Gloriana

Un cordial saludo,
Roy O. Hamilton Jr.

Robert A. Banks, Sr.
1238 Peachtree Rd., Ste. 470
Atlanta, Georgia 30031

Querido Roy:

Respondo por la presente a tu carta de la semana pasada. Sin incumplir los acuerdos de confidencialidad entre abogado y cliente, me he tomado la libertad de hablar con la familia Davenport, quienes seguirán contando con mis servicios como abogado defensor tuyo. Si no recibo instrucciones opuestas de tu parte, seguiré cumpliendo con mi deber profesional. Con respecto a tu solicitud, he redactado el documento necesario para modificar tu lista de visitantes, aunque te animo a que reconsideres esa decisión.

Roy, a lo largo de mis muchos años como abogado defensor he ganado casos y los he perdido, pero ninguno me enfada y me turba más que el tuyo, no solo porque ha dejado desconsolada a mi sobrina, sino por el daño que te está causando a ti. Me recuerdas, de hecho, al padre de Celestial. Él y yo somos amigos desde que aprendimos a montar en bicicleta. Trabajamos luego juntos en una fábrica de cajas, en el turno de noche. Salíamos justo a tiempo para ir a la escuela. Franklin llegó adonde ha llegado a base de fuerza de voluntad y determinación. Tú eres igual. Y yo también.

Sé que debió de resultar muy desalentador que el tribunal de apelaciones del Estado rechazase el recurso que presentamos. Fue decepcionante, pero no una sorpresa. Sé que Misisipi es quien encabeza el *ranking* de «lo peor de lo peor del sur», pero Luisiana no le va a la zaga. Los tribunales federales se muestran mucho más halagüeños, porque siempre existe la posibilidad de dar con un juez que no sea un borracho, un corrupto o un racista, o cualquier combinación de las anteriores.

Hay esperanza. No tires la toalla.

No dejes que el orgullo te aleje de los Davenport. La cárcel, como ya sabes, aísla enormemente. Tienes por delante todavía la mayor parte de la condena y obviamente eso pesa. Entretanto, yo trabajo por encontrar una solución, pero te apremio a que no te desvincules de las personas que te anclan a la vida que una vez llevaste y quieres recuperar. Dicho esto, te indico que he adjuntado un formulario, presentando el cual podrás eliminar a mi sobrina de tu lista de visitantes. Puedes enviarlo tú mismo por correo. Como abogado tuyo, nuestra correspondencia es, claro está, confidencial, pero he creído conveniente darte mi consejo.

Un cordial saludo,
Robert Banks

Roy O. Hamilton Jr.
PRA 4856932
Centro Correccional Parson
3751 Lauderdale Woodyard Rd.
Jemison, LA 70648

Querido señor Banks:

Tiene usted toda la razón. Con esta carta anulo el despido de la anterior. Dejaré a Celestial en mi lista de visitantes, pero le pido, en calidad de cliente suyo, que no hable de esto con ella. Si quiere venir a visitarme, su nombre estará en la lista. Pero si se lo digo creerá que estoy pidiéndole que venga, y no es así. No quiero pedirle nada.

Estos años han sido difíciles para ella, soy muy consciente. Pero para mí lo han sido más. Trato de ver las cosas desde su punto de vista, pero cuesta mucho apenarse por alguien que tiene el mundo a sus pies y, además, está viviendo su sueño. Lo único que le pedía era que mantuviese la promesa que nos hicimos ante el altar. Se lo pedí en su momento, pero no suplicaré (más).

Por favor, no deje de trabajar en mi caso, señor Banks. No me deje aquí dentro olvidado ni piense que soy una causa perdida. Me advirtió de que no me sorprendiera si el recurso no llegaba a buen puerto, pero ¿cómo puedo mantener viva la esperanza si no me permito ser optimista? Siento que la gente no hace más que pedirme cosas que me son imposibles.

Y, señor Banks, sé que sus servicios no son gratuitos. Yo devolveré a los Davenport cualquier suma que dediquen a sus honorarios. Y después le pagaré a usted ese mismo importe, tan pronto como me sea posible. Es usted mi única esperanza. Jamás pensé que le dedicaría estas palabras a usted, a quien no conozco muy bien. Mi madre murió y ¿qué puede hacer mi padre? Es un tipo muy trabajador, con valores, pero sin dinero. Celestial parece haber pasado página. Solo lo tengo a usted y me duele que su trabajo esté pagándose con el dinero del padre de Celestial. Está usted en lo cierto, de todas formas: es estúpido colocar el orgullo por delante de la sensatez.

Así que aprovecho esta carta para darle las gracias.

Un cordial saludo,
Roy O. Hamilton Jr.

Querido Roy:

Hoy es 17 de noviembre y estoy pensando en ti. Es el aniversario de nuestra primera cita. Quizá con esta excusa quieras contestar a esta carta. ¿Recuerdas que era nuestra palabra de seguridad? Lo decíamos en alto para poner freno a las discusiones. Ahora espero que pueda ayudar a restablecer nuestro vínculo, aunque sea poco a poco. Yo no quiero que las cosas sean así entre nosotros. Deja que te cuide a mi manera, como un ser humano a otro.

Con amor,
Celestial

Querido Roy:

Feliz Navidad. Hace mucho que no sé de ti, pero espero que estés bien.

Celestial

Querido Roy:

Si no quieres verme, no puedo obligarte. Es bastante cruel por tu parte echarme de tu vida de improviso porque no puedo ser exactamente como quieres que sea. Te lo diré una vez más: no te estoy abandonando. Jamás haría algo así.

C

Querida Celestial:

Por favor, respeta mi voluntad. Hasta ahora, he vivido con miedo a que esto ocurriera. Por favor, déjame estar. No puedo vivir pendiendo de un hilo. De tu hilo, más específicamente.

Roy

Querido Roy:

Feliz cumpleaños. El tío Banks me dice que todo va bien, pero no da más detalles. ¿Le vas a dar autorización para que me cuente más cosas?

C

Querido Roy:

Esta carta llegará en torno a la fecha de aniversario de la muerte de Olive. Sé que te sientes muy solo, pero tienes que saber que no lo estás. Hace muchísimo tiempo que no recibo noticias tuyas, pero quiero que sepas que pienso en ti.

Celestial

Querida Celestial:

¿Puedo seguir llamándote Georgia? Ese será siempre tu nombre en mi corazón. Georgia, esta es la carta que llevo cinco años esperando poder escribirte. He practicado una y otra vez las palabras con que dar esta noticia. Hasta las he grabado en la pared, junto a mi cama.

Georgia, vuelvo a casa.

Tu tío lo consiguió. Puenteó a la panda de paletos de los juzgados estatales y recurrió directamente al nivel federal. «Prevaricación grave del ministerio fiscal.» Traducción: el fiscal hizo trampa. El juez ha anulado la sentencia y el fiscal del distrito no ha mostrado interés ninguno en reiniciar el proceso. Así que, como suele decirse, «en interés de la justicia» pronto seré libre y estaré de vuelta en casa.

Banks te lo explicará todo en detalle. Le he dado mi autorización, pero quería contártelo yo, que lo leyeras de mi propia letra manuscrita. Seré un hombre libre de aquí a un mes, justo a tiempo para Navidad.

Sé que las cosas entre nosotros llevan torcidas un tiempo. Cometí un error al quitarte de la lista de visitantes y tú cometiste el error de no discutírmelo. Sin embargo, no es el momento de echarnos la culpa el uno al otro por cosas que no podemos cambiar ya. Lamento ahora no haber contestado a tus cartas. Ha pasado un año desde que llegó la última, pero no podía esperar seguir recibiendo noticias tuyas si yo hacía caso omiso. ¿Crees que te he olvidado? Espero que mi silencio no te resultase doloroso. Para mí lo ha sido. Me duele ahora y me avergüenza.

¿Me creerás si te digo que estos cinco últimos años quedan en el pasado, en nuestro pasado? Agua pasada no mueve molino. (¿Recuerdas el arroyo de Eloe, la música del puente?)

Sé que el amor no puede empezar de cero, así como así. Pero esto es lo que sí sé: no te has divorciado de mí. Lo único que quiero es que me expliques por qué has elegido seguir siendo mi esposa con todas las de la ley. Aun cuando haya alguien en tu vida ahora mismo, has decidido que siga siendo tu marido todos estos años. Soy capaz de imaginarnos sentados a una misma mesa de cocina, en una casa cómoda y bonita, nuestra, diciéndonos en voz baja cosas llenas de verdad.

Georgia, esto es una carta de amor. Todo lo que hago es una carta de amor dirigida a ti.

Te quiero,
Roy

DOS
Prepara una mesa para mí

Andre

Esto debe ser lo más parecido a estar casado con una viuda. Le vendas las heridas; la consuelas cuando el recuerdo hace acto de presencia y ella se echa a llorar sin razón aparente. Cuando habla del pasado, evitas recordarle las cosas que ha elegido no traer de vuelta. A la vez, te dices a ti mismo que no tiene sentido tener celos de un muerto.

Sin embargo, ¿qué podría haber hecho en lugar de lo que hice? Conozco a Celestial Davenport de toda la vida y la he querido durante todo ese tiempo. Esta verdad es tan natural y tan desnuda como la Vieja Pacana, el árbol centenario que crece entre su casa y la mía. Llevo mi afecto por ella grabado en el cuerpo como la marca de nacimiento que, igual que la Vía Láctea, cruza mi espalda de un omóplato al otro.

El día que nos llegó la noticia, supe que ella no era para mí. No me refiero a que se hubiese convertido en la mujer de otro, al menos sobre el papel. Cualquiera que la conozca sabrá que a él tampoco le perteneció jamás. Ni siquiera sé si ella misma era consciente entonces, pero, del modo que sea, siempre ha sido el tipo de mujer que jamás tendrá dueño. Para darse cuenta de esto hay que mirar muy de cerca. Como un billete de veinte dólares. A primera vista parece verde, pero si te acercas te das cuenta de que se trata de un papel beis impreso en tinta de color verde muy oscuro. Celestial llevaba puesta la alianza de Roy, pero no era su esposa. Era, simplemente, una mujer casada.

No estoy tratando de buscar excusas. Sé que hay en este mundo hombres mejores que yo que, en mi lugar, habrían cortado de raíz estos sentimientos (y luego les habrían prendido fuego) el mismo día que Roy entró en prisión, máxime sabiendo que había sido injustamente condenado. Yo jamás he dudado de su inocencia. Nadie ha dudado de ella. Al señor Davenport lo decepcioné. Según él, debería haberme comportado «como un caballero» y haber dejado a Celestial tranquila con su labor: ejercer de monumento viviente a la lucha de su yerno. Sin embargo, quien no lo haya vivido no sabe lo que significa amar a alguien desde que aprendiste a mover los labios para hablar o a colocar un pie detrás del otro para caminar.

Yo fui el testigo de su boda, sí. El día que Celestial se casó con Roy yo firmé con mi nombre, Andre Maurice Tucker, si bien la mano derecha me temblaba tanto que tuve que sujetármela con la izquierda. En la iglesia, cuando el pastor dijo aquello de «Si alguien tiene alguna objeción para que se celebre este matrimonio, que hable ahora o calle para siempre», yo bajé la mirada, de pie ante el altar, con el fajín bien apretado en torno a la cintura y sintiendo como si un puño blando me golpeara el pecho por dentro. Aquel día de primavera, Celestial hablaba muy en serio cuando dijo «Sí», pero hay que pensar también en todos los días que llegaron después de aquel, y en todos los que venían apilándose, uno sobre otro, desde tiempo atrás.

Voy a empezar de nuevo. Celestial y yo crecimos en la misma calle del suroeste de Atlanta. Se llamaba Lynn Valley y era una bocacalle de Lynn Drive, que a su vez desembocaba en Lynhurst Drive. Era fantástico vivir en una calle sin salida, porque podíamos jugar en la calzada sin peligro de que nos atropellase un coche. A veces envidio a los niños de hoy día, con su taekwondo, su psicoterapia y sus inmersiones lingüísticas, pero al mismo tiempo añoro aquellos tiempos en que ser pequeño significaba no tener nada que hacer más que estar vivo y pasarlo bien.

Vivimos despreocupadamente durante la década de los setenta, pero esa forma de vida se paró en seco porque apareció un asesino en serie que tuvo aterrorizada a toda la ciudad durante una época. Nosotros atamos un lazo amarillo en torno a la Vieja Pacana en recuerdo de cada una de las veintinueve personas desaparecidas o asesinadas. Fueron un par de años muy duros, pero la amenaza pasó; los lazos amarillos se terminaron estropeando y cayeron como hojas de árbol chamuscadas. Celestial y yo seguimos viviendo, amando, aprendiendo y creciendo.

Cuando tenía siete años, mis padres decidieron divorciarse. En esa época, la gente no se separaba con tanta facilidad como ahora. Fue un proceso complicado y feo. Cuando Carlos se marchó de casa —fue todo un número, en el que tuvieron un papel protagonista sus tres hermanos, un policía fuera de servicio y un camión de mudanzas—, la pequeña Celestial me dijo que su papá podía ser también mi papá. Jamás olvidaré cómo, de la mano, me hizo bajar al sótano de su casa. Allí estaba el señor Davenport, ataviado con una bata blanca de científico y unas gafas que apenas se distinguían bajo su afro asimétrico. «Papá, el papá de Andre se ha ido de su casa, así que le he dicho que tú podrías ser su papá algunas veces», le dijo Celestial. El señor Davenport encendió un mechero Bunsen, se colocó las gafas y dijo: «No me parece mal la propuesta». A día de hoy, sigue siendo uno de los mejores regalos que me han hecho nunca. El señor Davenport y yo nunca fuimos como un padre y un hijo: no había la química necesaria. Aun así, con aquel gesto de generosidad me abrió las puertas de su casa y yo accedí encantado. A partir de entonces, fuimos familia.

Por dejar las cosas claras del todo, tampoco es que ella y yo fuéramos como hermanos. Éramos más bien como primos de los que se dan besos. Nuestro último año en secundaria fuimos pareja en el baile de San Valentín, pero realmente se debió a que no nos quedaban muchas otras opciones. A ella le gustaba un chico que tocaba el bajo y a mí una chica del grupo de animadoras. Tuvimos la mala fortuna de que ambos se fijaran en otras personas. Para mí no fue una sorpresa no tener cita. En aquel mundo los altos y guapos de pelo oscuro se llevaban el gato al agua y yo era más bien bajito, de pelo castaño y mono, sin más. Tras el baile, nos besamos en la parte de atrás de la limusina alquilada en Witherspoon's. Luego, en su casa, bajamos a hurtadillas al sótano y estuvimos enrollándonos en el pequeño sofá en que se tumbaba su padre cuando hacía descansos en el trabajo. El sótano olía a alcohol de quemar y los cojines apestaban a marihuana. Sin levantarse del sofá, Celestial alargó el brazo hacia un resplandeciente armarito metálico y sacó una botellita de cristal tallado que llevaba, creo recordar, ginebra. Le dimos unos cuantos tragos alternativamente hasta que nos envalentonamos.

A la mañana siguiente, me comporté como un niño de mamá y lo confesé todo a mi madre, Evie. Ella me dijo dos cosas: a) que aquello era inevitable y b) que mi deber era ir a la casa de Celestial, tocar el timbre y pedirle que fuese mi novia. Repetí lo que el padre de ella había dicho tiempo atrás: «No me parece mal la propuesta». Pero Celestial no estaba por la labor. «Dre, ¿podríamos hacer como si lo de anoche no hubiera ocurrido? ¿Podemos ver la tele juntos y ya está?» Me lo estaba proponiendo realmente: quería saber si era posible viajar hacia atrás en el tiempo. Que dejásemos atrás el recuerdo de la noche anterior y siguiéramos adelante, que aquello quedase en el pasado. Al final dije que sí, que podríamos intentarlo. Esa tarde me rompió el corazón, del mismo modo en que Ella Fitzgerald hacía estallar copas con la voz.

Con ello no quiero decir que tirase la toalla hace tantos años, en el instituto. Lo que quiero hacer ver es que entre nosotros existió una historia auténtica, no un mero idilio circunstancial.

Después del instituto, cada uno emprendió su camino y buscó fortuna, como en el cuento de los tres cerditos. La mía me llevó a recorrer apenas diez kilómetros, hasta Morehouse College. Yo era el tercer Tucker que se matriculaba en Morehouse, así que Carlos estuvo dispuesto a pagar mis estudios, si bien a Evie no le pagaba ni la mitad de la pensión que esta le había pedido para nosotros. Mi primera opción era la Universidad Xavier, en Nueva Orleans, pero tuve que conformarme con estudiar donde a Carlos le pareciese bien. No me quejo. Morehouse es una buena universidad. En ella aprendí que hay decenas de maneras de ser un hombre negro en Estados Unidos. Solo tenía que escoger la que fuese más apropiada para mí.

Celestial escogió la Universidad Howard, aunque su madre prefería Smith, en Massachusetts, y su padre, Spelman. En cualquier caso, Celestial siempre conseguía lo que quería, así que sus padres le compraron un Toyota Corolla gris, al que puso de nombre Lucille, y en él se marchó rumbo a la capital del país. Resulta que el partido inaugural de Howard aquel curso era precisamente contra Morehouse. Yo intenté verla aprovechando la ocasión, aunque sin demasiado entusiasmo. A mi novia de aquella época no le hacía mucha gracia conocerla. Creo que dedujo por mi forma de pronunciar su nombre, Celestial, que mis sentimientos por ella iban más allá de la amistad.

Unas tres semanas después de aquel viaje a Washington en que no llegué a verla, ella regresó desde la capital. Estaba rota. Su familia la tuvo virtualmente secuestrada durante casi seis meses. La visité en dos ocasiones. Debería haberlo hecho todas las semanas, pero su tía Sylvia no me dejaba verla. Había algo oscuro y muy femenino entre las dos, misterioso y primigenio, como una poción de bruja.

Llegó septiembre y Celestial estuvo de nuevo lista para lanzarse a la vida. Sin embargo, no volvió a Washington. Alguien movió algún hilo y terminó matriculándose finalmente en Spelman. Mi madre me pidió que le echase un ojo, y le obedecí. Celestial era la misma chica de siempre, pero se había convertido en una persona algo más peligrosa. Te interrumpía al hablar. Su sentido del humor se había aguzado. Parecía más alta que antes.

Todo eso fue hace mucho tiempo, cuando las cosas eran diferentes. Sé que la nostalgia es una droga dura, pero no puedo evitar recordar aquellos días. Éramos menores de edad y no teníamos dinero. A veces venía a dormir a mi habitación de la residencia y nos dábamos un festín de sándwiches de pollo por dos dólares y poco. Después de comer, bromeaba con ella y le preguntaba por qué no traía nunca a alguna amiga suya para presentármela.

—Me he dado cuenta de que solo me pides que traiga a amigas cuando ya no queda nada de comer.

—Pero lo digo en serio —replicaba yo.

—La próxima vez traeré a alguien —dijo ella—. Lo prometo.

Pero jamás lo hizo y nunca me explicó por qué. Aquellas noches, sobre la una de la mañana, me ofrecía a acompañarla hasta su residencia y ella siempre contestaba lo mismo: «Quiero quedarme aquí». Dormíamos en mi cama doble: ella bajo las sábanas y yo encima, para guardar el decoro. Mentiría si dijese que no me desquiciaba compartir la cama con ella y que solo una tela de algodón separase nuestros cuerpos.

Mirando atrás, lo atribuyo a mi juventud. Una vez, Celestial se despertó antes de que amaneciese y me susurró: «Andre, a veces siento que no estoy bien del todo». Aquella vez yo me había metido bajo la sábana, pero solo para abrazarla, porque estaba tiritando. «No pasa nada», le decía yo. «No pasa nada.»

Por ofrecer algún detalle más que dé color a la historia, tenéis que saber que se conocieron a través de mí. Ella se había quedado a dormir y Roy apareció sobre las ocho de la mañana pidiendo monedas para la lavadora. Entró sin tocar, como si yo nunca jamás hubiese necesitado intimidad de ningún tipo. En la universidad, a la gente le costaba clasificarme. No era tan militante como para escribir «Áfrika» en vez de «África»; era un poco raro, pero no un *nerd*, y no hace falta decir que no tenía las cadencias y la apostura de un papichulo. No me perseguían las fans, pero no me iba mal. Él, en cambio, era más bien alto, de piel y pelo oscuros, y guapo. A sus modales les faltaba un pulido, pero eso le daba un aire llanote. Nuestras habitaciones compartían pared y yo sabía muy bien que ese rollo suyo, como torpón, no era más que una pose. No es que fuera un cateto de pueblo, pero no era ni estúpido ni inofensivo.

—Me llamo Roy Hamilton —dijo mirando a Celestial con cara como de hambre.

—Roy Othaniel Hamilton, según he oído desde este lado de la pared.

Roy me dirigió una mirada inquisitiva, como si yo hubiera desclasificado información confidencial. Levanté las manos en el aire, echando balones fuera. Luego, volvió a mirar a Celestial y la observó fijamente. Al principio, pensé que lo hacía por el mero desafío. Roy no podía creer que ella no mostrase ningún interés. Hasta yo me sentía un poco desconcertado.

Fue entonces cuando me di cuenta de que ella había cambiado para siempre. Esa era la nueva Celestial: directa, transparente. Consecuencia de todo el tiempo que había pasado recuperándose junto a su tía. Seis meses al cuidado de Sylvia le habían enseñado dos cosas: a vender muñecas hechas con calcetines y a saber de inmediato cuándo un hombre se acercaba a ella por el lado equivocado de la calle.

*

Roy vino a mi habitación tres o cuatro veces más preguntando por ella.

—Entre vosotros no hay nada, ¿no? ¿O sí?

—Nada de nada —respondí yo—. La conozco desde que era pequeña.

—Vale —contestó—. Entonces, a ver, cuéntame cosas.

—¿Como qué?

—Si lo supiera, no estaría preguntándote.

Podía contarle cosas, claro. Pero no le iba a dibujar a Roy un mapa que lo llevase directamente el núcleo interno de Celestial. Era un tío guay; me caía bien en ese tiempo. Éramos como colegas de fraternidad. El artículo 1 del acuerdo que mi padre me hizo firmar cuando empecé la universidad me obligaba a prestar juramento con una fraternidad (a su modo de ver, yo, como primogénito, era quien debía mantener las tradiciones universitarias). A Roy lo vi por primera vez en la reunión informativa de una de ellas. Él era el primero de su familia en estudiar en esa universidad, así que tuvo que rellenar un montón de formularios, mientras que el resto apenas debíamos completar y firmar un par de documentos. Yo estaba sentado justo a su derecha y, en un momento dado, me pareció ver que su rostro se ruborizaba levemente por algo parecido a la aprensión. Los hermanos de la fraternidad se acercaron para pedirle los formularios y él los entregó completamente en blanco. «Creo que esas preguntas no os ayudarán a saber cómo soy de verdad.» No puso esa voz de barítono que pone a veces, pero hubo cierto tono bravucón. El Gran Hermano gruñó y le dijo: «No seas tonto, rellénalos». En cualquier caso, fue capaz de ganar algo de terreno con esa maniobra. Roy se quedó mirando mi papel, en el que yo había plasmado con letra mayúscula todo el árbol genealógico de mi padre.

—Lo llevas en la sangre, ¿eh? —comentó.

Agité el papel y contesté:

—Pregúntame cuántas veces he visto a estas personas en los últimos diez años.

Roy se encogió de hombros.

—Pero son tu familia.

Entregué mi documento y me senté junto a él de nuevo. Aquellos trámites dieron paso a una ceremonia bastante boba. No daré detalles, porque los secretos son secretos. Diré que hubo gente disfrazada de cosas, aunque no se sacrificaron pollos ni terneros.

—¿Por qué no nos largamos de aquí? —me propuso Roy dándome un codazo, como queriendo ponerme a prueba.

Ojalá le hubiera hecho caso, nos hubiéramos levantado y hubiésemos salido por la puerta. Nuestra dignidad nos lo habría agradecido. Haré un *flash forward*. Versión corta: a ninguno de los dos nos permitieron jurar. Versión algo más detallada: nos estuvieron pateando el trasero tres semanas y aun así no nos permitieron jurar. Versión supersecreta: yo me alegré para mis adentros de que no nos aceptaran en la fraternidad, pero Roy hasta lloró.

Él y yo nos llevábamos bien, aunque no éramos amigos. No le iba a entregar a Celestial en bandeja de plata. Evie me crio bien. Les llevó otros tres o cuatro años reencontrarse por sí mismos. Fue entonces cuando llegó su momento. ¿Era Roy el tipo de hombre que uno querría ver casado con su hermana? La verdad es que uno no quiere que su hermana se case, básicamente. Pero, bueno, Celestial y Roy estaban bien juntos. Él cuidaba de ella y, hasta donde sé, fue sincero cuando le prometió quererla toda la vida. Incluso Evie veía con buenos ojos la relación, hasta el punto de que tocó el piano en la boda. Fue una historia inspiradora: chico persigue a chica hasta que por fin se hace con ella, etcétera. Durante el convite me sentaron en la mesa que había justo frente a la de los novios, y les deseé lo mejor. Pedí un brindis por ellos, que sentí en el corazón. Quien diga lo contrario miente.

Todo lo que he contado hasta aquí ocurrió tal que así. Pero luego está la vida. La vida trae problemas y también cosas buenas. No quiero caer en el tópico de la canción *Qué será, será*, pero ¿cómo voy a pedir disculpas por los casi tres años en que Celestial y yo hemos sido compañeros de vida? Y, además, si decidiese pedir perdón, ¿a quién le tendría que reparar el daño? ¿Tendría que ir a ver a Roy, confeso y arrepentido? Quizá a él le parecería apropiado, pero Celestial no es una propiedad que pueda robarse, como una cartera o una buena idea. Es un bellísimo ser humano que vive y respira. Obviamente, esta historia puede tener otras versiones más allá de la mía y la de Celestial, pero hay algo que no puede cuestionarse: yo la quiero y ella me quiere. Ella es lo primero en lo que pienso por las mañanas; lo es cuando me despierto junto a ella y también cuando despierto en mi triste cama de soltero, en mi casa.

Cuando era pequeño, mi abuela solía decirme: «Los caminos del Señor son inescrutables». O «Quizá Jesús no esté ahí cuando tú lo desees, pero siempre estará a tiempo». Evie me decía: «Dios hará contigo lo que Él juzgue necesario para ti». La abuela chistaba a Evie y le recordaba que el que un hombre te abandonase no era el fin del mundo, ni mucho menos. Evie le replicaba: «Para mí casi lo fue. Es lo peor que me ha pasado en la vida». Lo repitió tantas veces que le terminó saliendo un lupus. «Dios quería que probase a qué sabe la infelicidad verdadera», decía Evie. A mí no me gustaban todas esas referencias a Dios, como si estuviera ahí arriba tratándonos a todos como juguetes o muñecos. Me gustaban más la ternura y la resignación que prometían los himnos que mi abuela cantaba. Cuando era niño se lo dije a Evie y ella me contestó: «Tendrás que apañártelas con el dios que te hemos dado».

Uno también tiene que apañárselas con el amor que le dan y con todas las complicaciones que este arrastra con estruendo, como las latas que se atan al coche de los novios. Nadie olvidó a Roy. Celestial y yo le ingresábamos dinero en la cuenta del economato cada mes, pero aquello era como enviar treinta y cinco centavos al día para dar de comer a un niño huérfano en Etiopía: algo y nada a la vez. Aun así, él no desapareció nunca: fue siempre un espectro que resplandecía en un rincón del dormitorio.

El cuarto miércoles de noviembre, la víspera de Acción de Gracias, regresé del trabajo y encontré a Celestial en la cocina de su casa, con su mandil de coser y bebiendo vino tinto de su vaso favorito, uno con burbujitas dentro del cristal. Sabía que estaba nerviosa por el repiqueteo de sus uñas sobre la encimera.

—Cariño, ¿qué ocurre? —pregunté quitándome el abrigo.

Ella agitó la cabeza y suspiró de un modo que no supe interpretar.

Me senté junto a ella y le di un sorbo a su vaso. Aquello era muy nuestro, lo de compartir una copa de esa forma.

Celestial se pasó las manos por el pelo, que llevaba corto por primera vez desde que estábamos juntos. Ese corte la hacía parecer mayor, pero no para mal. Dejaba traslucir la diferencia entre una chica joven y una mujer adulta.

—¿Estás bien? —pregunté.

Con una mano se llevó el vaso de vino a los labios y con otra se sacó una carta del bolsillo. Antes de desdoblar la hoja pautada, supe perfectamente quién la firmaba y también, con toda exactitud, qué decía. Como si el mensaje hubiera trascendido las palabras y se hubiese abierto paso en mi sangre con toda su pureza.

—El tío Banks ha obrado el milagro —dijo Celestial, acariciándose el cráneo con las palmas de las manos—. Roy va a salir.

Yo me levanté de la mesa y fui al armario de la cocina a coger mi propio vaso de cristal con burbujas y lo llené hasta la mitad de cabernet, deseando que hubiera alguna bebida más fuerte en la casa. Ella me acompañó. Levanté mi vaso:

—Por Banks. Dijo que no se rendiría.

—Sí —repuso Celestial—. Por fin. Han sido cinco años.

—Me alegro por Roy. Era amigo mío.

—Lo sé —dijo ella—. Sé que no le deseas nada malo.

Nos quedamos ante el fregadero de la cocina, mirando por la ventana hacia la hierba parda del jardín, cubierta de hojas caídas. Contra el muro que dividía su parcela de la de mi familia crecía una higuera que Carlos plantó para celebrar mi nacimiento. Para no quedarse atrás, el señor Davenport sembró, en el primer cumpleaños de Celestial, una pequeña selva de rosales. A día de hoy, siguen encaramándose cada verano por una decena de enrejados, fragantes e indisciplinados.

—¿Crees que querrá volver a Atlanta? —preguntó Celestial—. En su carta no habla de planes.

—¿Cómo va a tener planes? —pregunté yo a modo de respuesta—. Tiene que empezar desde cero.

—Quizá podríamos decirle que viniera —dijo ella—. Tú y yo podríamos instalarnos en mi casa y que él se quedara en tu casa temporalmente...

—Ningún hombre aceptaría algo así.

—Quizá él sí.

—No —contesté yo, negando con la cabeza.

—Pero te alegras de que salga, ¿no? —preguntó—. No te harás mala sangre, ¿no?

—Celestial, ¿qué tipo de persona crees que soy?

Desde luego, me alegraba sinceramente de oír que volvería a ser libre. Nada cambiaría la gratitud que me henchía el pecho por la libertad de Roy Hamilton, mi amigo, mi hermano de Morehouse. Pero era cierto que había cosas de las que Celestial y yo teníamos que hablar. El mes anterior, ella había aceptado por fin hablar con Banks para poner en marcha el proceso de divorcio, y justamente la víspera yo había ido a una joyería a buscar un anillo de pedida. Lo que mi madre venía vaticinando desde que Celestial y yo teníamos tres años. Mi idea era despertarla con la sorpresa al día siguiente, Acción de Gracias. No es que la piedra fuera descomunal; Celestial ya había recorrido ese camino de baldosas amarillas. Ni siquiera era un diamante: elegí en su lugar un rubí oscuro de forma ovalada, en cuyo interior ardía una especie de llama, montado sobre un sencillo anillo de oro. Era como si la voz de su canto se hubiese solidificado en forma de joya.

Comprarlo fue un salto de fe, porque Celestial dice que ya no cree en el matrimonio. Lo de «Hasta que la muerte os separe» es irracional, una receta para el fracaso seguro, según ella. «¿En qué crees tú?», le pregunté, y me respondió: «Creo en la complicidad». Yo soy moderno y tradicional al mismo tiempo. También creo en la intimidad, ¿quién no? Pero también en el compromiso. El matrimonio es, según ella, «una institución muy particular». El divorcio de mis padres dejó claro que ante el altar se negocian a veces acuerdos muy injustos. Sin embargo, a día de hoy, en un país como los Estados Unidos, el matrimonio es lo que más se parece a lo que yo deseo.

—Mírame —dije a Celestial. Ella se removió, y su rostro dejó ver esos mínimos gestos que la delatan. Se mordió la esquina izquierda del labio inferior. Yo la besé en el cuello y noté su pulso golpeando bajo la piel.

—Dre, ¿qué vamos a hacer? —preguntó volviendo la mirada hacia el jardín alfombrado de hojas.

Por toda respuesta me coloqué tras ella y rodeé su cintura con mis brazos, agachándome un poco para apoyar la barbilla sobre su huesudo hombro.

—¿Qué vamos a hacer? —volvió a preguntar. Me gustó que hablase de «nosotros». No era gran cosa, pero he de decir que me agarré a ello como a un clavo ardiendo.

—Tenemos que hablar con él. Lo primero es lo primero. Después vendrá el asunto de la casa. Eso es secundario.

Ella asintió, pero no dijo nada.

—¿En un mes, entonces? —quise confirmar.

Ella volvió a asentir.

—Para el veintitrés de diciembre, supuestamente. Feliz Navidad.

—Creo que debería hablar yo con él.

Al decir esto, me volví hacia ella, esperando que lo considerase una oferta razonable. No una jugada desesperada de última hora, sino un gesto caballeroso. Me estaba postrando a sus pies, como una chaqueta tirada sobre un charco para que la señorita no se moje los zapatos.

—En la carta, él dice que quiere hablar conmigo. Se lo debo, ¿no crees? —dijo ella.

—Sí, y así lo harás —respondí—. Pero no inmediatamente. Déjame que le explique a grandes rasgos qué ha ocurrido. Si quiere verte cara a cara, yo iré a buscarlo y lo traeré a Atlanta. Aunque quizá no quiera venir después de saber cómo están las cosas.

—Dre... —me dijo, tocándome la mejilla con tal suavidad que pareció un beso o una excusa—. ¿Y si soy yo la que quiere hablar con él? No puedo mandarte a Luisiana para que te ocupes de Roy como si fuera un coche averiado o una multa de tráfico. Seguimos casados, ¿sabes? No es culpa suya que las cosas no salieran bien.

—No es cuestión de culpas —repliqué. Por supuesto, oía, cómo no, esa molesta vocecita que insistía en que estar con Celestial era delito, como la profanación de una tumba o una usurpación de identidad. «Búscate una mujer para ti», me regañaba esa voz, que no era sino la voz de Roy. Otras veces, esa voz se parecía más a la de mi padre y me recordaba que lo único que tenía era «mi buen nombre», lo cual sonaba a chiste, viniendo de él. Sin embargo, más allá de mi alboroto interior, resonaba el consejo de mi abuela: «Lo que es para ti es para ti. Extiende la mano y pide tu bendición». Nunca conté a Celestial lo de las voces, pero estoy seguro de que ella tenía también su propio coro.

—Ya sé que la culpa no es de nadie —dijo ella—. Pero esta relación es muy frágil. No ejercimos como marido y mujer durante mucho tiempo, pero lo somos.

—Escucha —repetí, dispuesto a no arrodillarme. Habíamos dejado atrás hace mucho ese tipo de formalidades—. No quiero que hablemos sobre él sin que hayamos hablado antes sobre nosotros. No es así como tenía planeado hacer esto, pero mira...

Clavó la mirada en el anillo que yo sostenía en el centro de la palma de mi mano. Agitó la cabeza, confusa. Cuando compré el rubí, me pareció una piedra preciosa perfecta. Muy personal y diferente a cualquiera que ella hubiese tenido antes. Pero me pregunté entonces si era lo suficientemente buena.

—¿Es esto una propuesta de matrimonio?

—Es una promesa.

—No puedes hacer esto así —dijo—. Es demasiado de una sola vez.

Celestial se dio entonces la vuelta, se dirigió a mi dormitorio, cerró la puerta y echó el pestillo. Podría haber ido tras ella. Habría bastado un imperdible para abrir, pero, cuando una mujer te cierra la puerta, no podrás abrirla por tus propios medios ni con una ganzúa.

Me quedé en el salón y me serví un culo de *whisky* de aroma ahumado de la botella que Carlos me regaló por mi graduación. Durante casi quince años, la guardé sin abrir en el mueble bar, esperando una ocasión propicia. Un año antes, Celestial preguntó por ella, y su mera presencia me pareció ocasión suficiente. Abrimos la botella como homenaje del uno hacia el otro. Ahora estaba casi vacía. Cuando se terminase, vendría el duelo. Salí de la casa con el vaso de *whisky* y me senté bajo la Vieja Pacana. El fresco se metía bajo la ropa, pero el *whisky* me calentó la garganta y el pecho. En la casa de Celestial, todas las luces estaban encendidas y las cortinas descorridas. Los muñecos atestaban el cuarto de coser, listos para la temporada de Navidad. A mis ojos, todos se parecían un poco a Roy, si bien eran de muchos tipos y la mayoría eran muñecas, en realidad. Todos y cada uno de ellos, en cualquier caso, eran Roy. Yo había hecho las paces con ese asunto hacía tiempo. Ella era una viuda y las viudas tienen derecho al duelo.

Me llamó cuando la luna salía. Yo vacilé, esperando que me llamase una segunda vez. La vi andar inquieta de un lado a otro de la casa. Si se hubiera detenido un instante a pensar, habría caído en la cuenta de dónde encontrarme. Mi nombre reverberó en las habitaciones vacías unos momentos más. Por fin, apareció en el porche delantero, con una bata estampada de flores y aspecto de llevar doscientos años casada conmigo.

—Dre —me llamó mientras atravesaba descalza el césped frío y húmedo—. Entra en casa. Ven a la cama.

Sin decir palabra, pasé por su lado y me dirigí al dormitorio. Las sábanas estaban hechas un gurruño, como si Celestial se hubiera quedado dormida y la hubiese despertado una pesadilla. Como cualquier otra noche, me preparé para acostarme. Me aseé y me puse camiseta y pantalones de pijama. Luego estiré las sábanas y alisé el edredón. Apagué la luz y regresé hacia donde Celestial se encontraba, junto al armario, con los brazos cruzados ante el pecho. «Ven aquí», le dije, abrazándola como quien abraza a un hermano.

—Dre, ¿qué quieres que haga?

—Yo quiero casarme, hacerlo bien, poner las cosas sobre la mesa. Tienes que decirme que sí, Celestial. No puedes dejar la respuesta en el aire.

—No es el momento, Dre.

—Dime qué es lo que tú quieres. O quieres casarte o no quieres. ¿Llevamos tres años construyendo algo real o hemos estado jugando a las casitas?

—¿Es esto un ultimátum?

—Ya sabes que yo no soy así. Pero, Celestial, necesito saberlo y necesito saberlo ahora.

La solté y cada uno se fue a su lado de la cama, como boxeadores en el *ring*.

*

Nos tumbamos. Ninguno de los dos habló y ninguno de los dos durmió. Me pregunté si se estaba aproximando nuestro final. Pensé en girarme para ir a su encuentro en su territorio, el lado de la cama que olía a lavanda. Muchas veces dormíamos pegados, otras veces compartíamos una única almohada. Pero esa noche tenía la impresión de que hacía falta invitación para pasar al otro lado, y no tenía pinta de que me la fueran a cursar. Una cosa sí he aprendido: es imposible saber qué piensa exactamente otra persona. Al final, antes de que llegase el amanecer, ella terminó estirándose hacia mi lado, en absoluto consciente de que dentro de mi pecho resonaba el tictac de un reloj, a la espera de una respuesta. Me buscó con las manos, las piernas, los labios, todo. Y yo estaba justo ahí, preparado, como un resorte.

Ante la ley no cabía discusión: Celestial era la mujer de otro hombre. Pero si los acontecimientos de los últimos cinco años nos habían enseñado algo era que la ley desconoce la realidad de la vida. Nada podría decir que no había comunión en el ovillo exhausto y sudoroso que formábamos sobre mi cama.

—Escucha —susurré con la boca muy pegada a su fragante piel—. Nosotros no decidimos estar juntos porque Roy estuviera entre rejas, ¿me oyes?

—Ya lo sé —dijo ella, suspirando—. Ya lo sé, ya lo sé, ya lo sé.

—Celestial. Por favor. Casémonos.

Habló en la oscuridad con los labios casi pegados a los míos, tanto que casi pude paladear sus palabras, sabrosas y enérgicamente femeninas.

Celestial

En ese momento yo era una mujer recién casada. Tenía todavía granos de arroz en el pelo. Dieciocho meses después, caminaba en la cuerda floja entre el matrimonio y el noviazgo.

El matrimonio es como injertar un árbol. Por un lado, tienes el esqueje, recién cortado, goteando savia y oliendo a primavera; y, por el otro, el tronco del árbol receptor, despojado de su corteza protectora, con un surco labrado en el que se hará el injerto. Hace unos años, mi padre realizó esta intervención casi quirúrgica en el cerezo silvestre que crecía en uno de los laterales de nuestro jardín. Ató un esqueje casi florecido, que había cortado en un bosquecillo cercano, al árbol de flores blancas, el cual mi madre había comprado en un vivero. Hicieron falta dos años y metros de arpillera e hilo de bramante para que ambas plantas se hicieran una. Incluso hoy, años después, ese árbol tiene un aspecto como antinatural, pese a la espectacular belleza de sus flores bicolor.

Yo nunca supe, en mi matrimonio, quién de los dos era el injerto y quién el tronco. Quizá el bebé que quisimos concebir hizo irrelevante esa cuestión. El número tres convierte la pareja en familia, lo que hace más grave que la relación termine, pero también multiplica el placer de la vida hogareña. En aquel tiempo no era algo sobre lo que reflexionásemos con tanto detalle. La perspectiva que da el tiempo permite aplicar la razón fríamente y eso, a su vez, arroja luz sobre los cómos y los porqués que antes parecían sobrenaturales. Es el manual del mago, que explica cómo se hacen los trucos: no es brujería, sino maniobras cuidadosas y misteriosos artefactos.

No es una excusa. Es una explicación.

*

Me desperté la mañana de Acción de Gracias junto a Andre, con su anillo en la mano. Jamás me imaginé que sería el tipo de mujer que tiene a la vez marido y prometido. Las cosas no tenían por qué ocurrir de esa manera. Podría haber pedido al tío Banks que me preparara los papeles del divorcio en cuanto supe que no podía ser la esposa de un preso. En el funeral de Olive me di cuenta de que quería a Andre, a mi dulce Dre, quien no había dejado de estar junto a mí nunca. ¿Por qué no lo puse negro sobre blanco? ¿Hibernaba dentro de mí el amor por Roy? Durante dos años, Andre me hizo esa misma pregunta con la mirada, siempre antes de dormir. Y esa pregunta habita también veladamente en las cartas de Roy; como si él la hubiese puesto por escrito, la hubiese borrado y hubiera escrito otra cosa encima.

Son muchos los motivos, pero la culpa se filtra por las grietas de cualquier razonamiento. Empezar a tramitar el divorcio habría sido otro revés más para Roy. Me pareció innecesario hacer oficial algo que con toda seguridad ya sabía. ¿Estaba siendo compasiva o solamente débil? Un año atrás pedí a mi madre su opinión. Ella por toda respuesta me ofreció un vaso de agua fría y me aseguró que todas las cosas son para bien.

Posé la mano sobre el hombro de Andre mientras este dormía, acariciando su marca de nacimiento con la palma. Él tomó aire profundamente, confiando en que el mundo seguiría girando mientras él desaparecía un rato para descansar. La vida era menos abrumadora a las cinco de la mañana, cuando solo uno de los dos estaba despierto. Andre se había convertido en un hombre guapo. Su delgadez y su altura desgarbada habían cristalizado en una esbeltez fibrosa. Seguía teniendo el pelo de un tono castaño, casi arenoso, y un tono de piel pardo: había dejado de ser un cachorro adorable para convertirse en un león adulto. La gente por la calle nos decía de vez en cuando: «Vuestros hijos serán muy guapos». Nosotros contestábamos con una sonrisa. Era un halago, pero solo con pensar en tener un bebé se me hacía un nudo en la garganta que no me dejaba respirar.

Estremecido por un mal sueño, Andre me cogió de la mano, así que me quedé tumbada junto a él un poco más. Era el día de Acción de Gracias. Una de las grandes dificultades de la edad adulta se da cuando los días de fiesta se convierten en varas de medir con las que parece que nunca damos la talla. Para los niños, Acción de Gracias es sinónimo de pavo, de Navidad y de regalos. Cuando eres adulto, te das cuenta de que las fiestas son fundamentalmente familia, y ahí pocos pueden ganar.

¿Cómo entendería mi madre, esa romántica empedernida, el anillo que llevo en mi dedo, rojo oscuro como una hoja de árbol en otoño? Esta piedra dice que Andre es mi prometido, pero el diamante de Roy, tan blanco que parece azul, insiste en que eso es imposible. De todos modos, ¿a quién le interesa la sabiduría de las piedras preciosas? Solo nuestros cuerpos conocen la verdad. Los huesos no mienten. ¿Qué otras cosas esconde mi joyero? Un diente, un brocado antiguo del color marfileño de los brocados antiguos, con el borde aserrado como un cuchillo de cortar carne.

En la zona suroeste de Atlanta, todo el mundo conoce la casa a la que se mudaron mis padres tras dejar la calle Lynn Valley. Es una especie de lugar histórico, aunque no hay ninguna placa que lo marque. Está cerca, en el cruce entre Lynhurst Drive y Cascade Road, justo antes de la bocacalle con Childress Street. Se trata de una gran casa victoriana que estuvo abandonada casi medio siglo, hasta que mi padre la reconquistó a las ardillas. Apartada de la calzada y parcialmente oculta tras un muro de arbustos asilvestrados, llamaba la atención en aquel barrio de sencillas casitas de ladrillo, como salida de un cuento decimonónico. Cuando yo era pequeña, pasábamos por delante de ella cuando íbamos al centro comercial de Greenbriar y papá decía: «Nosotros viviremos ahí algún día. Esa mansión se construyó tras la guerra. Fue un premio de consolación por haber perdido la plantación de Tara, la de *Lo que el viento se llevó*». Cuando yo era muy pequeña, me lo tomaba en serio y protestaba: «¡Pero estará encantada!». «Tiene usted razón, señorita», me contestaba papá. «¡En ella vive el fantasma de la historia!» En ese momento intervenía mi madre: «Tu padre está haciendo una metáfora». Y este añadía: «No, ¡estoy haciendo un augurio!». «¿Un augurio? Yo creo que es más bien ilusión sin fundamento. O exceso de optimismo. En cualquier caso, déjalo. Estás asustando a Celestial.»

Papá dejó de hablar de la casa, hasta que empezó a ganar dinero. Volvió entonces su fascinación por la decrépita mansión de la colina, con sus cúpulas y sus vidrieras. El tío Banks averiguó que era propiedad de una adinerada familia desde la guerra de Secesión. No querían vivir allí porque en esa zona de Atlanta solo vivían negros ya. Pero tampoco querían venderla. O no quisieron, al menos, hasta que Franklin Delano

Davenport se presentó, tres generaciones después, con un maletín lleno de dinero esposado a la muñeca. Papá dice que sabía perfectamente lo innecesario de aquello, que un cheque habría servido, pero en ocasiones merece la pena hacer ese tipo de gestos.

Gloria pensaba que esa familia blanca no cedería, pero también sabía, mejor que nadie, que su marido era muy capaz de conseguir lo que se proponía, por pocas opciones que tuviese. Quién habría pensado que él, profesor de química de secundaria, haría un descubrimiento que le permitiría vivir «cómodamente», como a ella le gusta decir. Papá volvió sin el maletín y mi madre, acto seguido, tiró todos los folletos que había recogido de casas de estuco de estilo parroquial fuera del barrio y empezó a buscar empresas de reformas especializadas en rehabilitaciones históricas. Ella dice que es más feliz aquí, en cualquier caso, en la vecindad del barrio donde vivían antes, hogar de maestros, médicos de familia y otros profesionales asalariados negros, de esos que de vez en cuando cobran algún bonus y que pueden ejercer sus oficios gracias al movimiento por los derechos civiles. Hay una parte del barrio, más al oeste, en la que quizá residan raperos, cirujanos plásticos o ejecutivos. Papá dice que se alegra de no formar parte de ninguna comunidad de vecinos que te imponga lo que puedes y no puedes hacer con tu casa.

Papá es un tipo tenaz y obstinado, cualidades que desempeñaron un papel fundamental en su inopinado éxito. Pasó veinte años prácticamente encerrado en el laboratorio del sótano de Lynn Valley, trasteando con compuestos de un tipo y otro tras las largas jornadas docentes en el instituto.

En casi todos mis recuerdos de infancia aparece con su bata de científico, decorada con una pléyade de chapas con eslóganes *vintage*: ¡LIBERTAD PARA ANGELA DAVIS!; SI CALLAS HOY, NO PODRÁS PROTESTAR MAÑANA; ¡YO SOY UN HOMBRE!

Papá se dejaba el pelo a lo afro, sin control de ningún tipo, incluso cuando la moda de «lo negro es bello» se convirtió en simplemente «lo negro está bien». Pocas mujeres se habrían enredado con un marido tan asilvestrado y soñador; eso sin hablar de los extraños aromas que emanaban continuamente del sótano. Gloria, sin embargo, animó siempre a papá a hacer sus experimentos. Ella también trabajaba todo el día, pero sacaba tiempo para rellenar las solicitudes de patente y enviarlas por correo. Cuando le preguntan cómo pasó de ser un niño que pasaba la mayor parte del día descalzo, oriundo de Sunflower, Alabama, a convertirse en un científico loco millonario, mi padre contesta que sus objetivos fueron siempre tan disparatados que era imposible que no se cumplieran.

Yo jamás imaginé que él terminaría dándonos la espalda a mí y a Dre, con toda la obstinación que le caracteriza. Después de todo, Dre había sido, desde nuestra adolescencia, la apuesta de mi padre para mí. Roy, un hombre para él de aspiraciones tan relucientes como la piel que nace bajo la costra de una herida, le gustaba como persona, pero no como marido para su hija. «Me apuesto algo a que se ducha con chaqueta y corbata», decía. «Respeto que sea ambicioso. Yo también lo era. Pero ¿seguro que quieres pasar el resto de tu vida junto a un hombre que siempre tiene algo que demostrar?» Papá por Dre no sentía más que cariño: «Dale a Andre una oportunidad. Lo conoces de toda la vida», me decía cada tanto, hasta el mismo día que se celebró la fiesta de mi pedida. Yo le repetía una y otra vez que éramos como hermanos, y papá me contestaba siempre: «Hermana no hay más que una, si es que la hay. La de sangre». Cuando se encontraba contra las cuerdas decía: «Tu madre y yo nos casamos por las bravas. Pero no hay por qué esperar a que las circunstancias dicten cómo debes vivir tu vida. Piensa en Andre. Lo conoces perfectamente. Ya forma parte de la familia. ¿Por qué no tomas el camino fácil por una vez?».

Sin embargo, ahora saludaba a Dre con apenas un escueto movimiento de cabeza.

La mañana de Acción de Gracias, Andre y yo llegamos a casa de mis padres con las manos vacías, pertrechados únicamente con la noticia de nuestro nuevo compromiso y la próxima liberación de Roy. Yo había prometido preparar dos postres —tarta alemana de chocolate para mi padre y pastel de queso para mi madre—, pero estaba demasiado agitada como para ponerme a cocinar. Los dulces son muy suyos y tienen un temperamento particular. Si un día como aquel hubiese intentado preparar algo en el horno, estoy convencida de que no habría subido.

Encontramos a mi padre en el jardín delantero, peleándose con las decoraciones de Navidad. Con tantos metros cuadrados, le sobraba espacio para expresar plenamente lo mucho que vivía por dentro las fechas que ya se acercaban. Llevaba la camiseta al revés, así que se leía el SOLO EN ATLANTA a lo largo de su estrecha espalda. Estaba acuclillado en el césped, tratando de abrir con un cúter tres cajas de cartón, en cada una de las cuales guardaba un trío de figuras enormes de Reyes Magos.

—¿Te acuerdas de esas camisetas? —preguntó Dre mientras subíamos por el camino de acceso a la casa.

Sí que las recordaba. Solo en Atlanta fue una de las muchas aventuras empresariales de Roy. Esperaba que se convirtiera en una versión sureña del famoso eslogan *I Love New York,* que probablemente habría hecho muy rico a alguien en la Gran Manzana. Roy solo llegó a pedir unas cuantas camisetas y llaveros, antes de dirigir su interés hacia otro proyecto. «Siempre tenía un plan en mente», dije.

—Sí, es cierto —repuso Dre, volviéndose hacia mí—. ¿Estás bien, Celestial?

—Estoy bien —contesté—. ¿Y tú?

—Yo estoy preparado. Pero no puedo mentirte. A veces me siento muy culpable por el mero hecho de poder vivir mi propia vida.

No tuve que decirle que lo entendía, porque él era consciente. Debería existir una palabra para eso, la sensación de estar robando algo que ya es tuyo.

Observamos a mi padre un par de minutos, preparándonos para mostrarnos lo más festivos que fuéramos capaces. De cada una de las cajas, papá sacó el Baltasar y metió a los otros de vuelta en las cajas. Ni idea de qué planeaba hacer con los seis reyes magos blancos desechados. Al lado había colocado ya el pesebre, dos muñecos de nieve regordetes y una familia de ciervos que pastaban, vestidos de luces de colores. En el porche, el tío Banks, subido a una escalera plegable, colocaba una especie de carámbanos de hielo que parecían gotear.

—¡Papá! ¡Tío! —dije yo extendiendo los brazos a cada lado como para demostrar lo feliz que me hacía aquella escena.

—¡Celestial! —saludó papá. No es que hiciera como si Dre no existiese, pero tampoco le dedicó ninguna atención—. ¿Me vas a hacer esa tarta?

—Hola, señor Davenport —saludó a su vez Dre, tratando de sentirse bienvenido—. ¡Feliz Acción de Gracias! ¿Cómo íbamos a presentarnos un día como este con las manos vacías? Le he traído una botella de Glenlivet.

Mi padre alzó la barbilla en mi dirección y yo me acerqué a él para besarlo en la mejilla. Olía a manteca de cacao y a cannabis. En el último momento le alargó la mano a Andre, que la aceptó con gesto optimista.

—Feliz Acción de Gracias, Andre.

—Papá —le susurré—, podrías ser un poco más cariñoso.

Luego tomé a Dre de la mano y caminamos hacia el porche, que rodeaba toda la casa. Antes de que llegásemos a la entrada, mi padre exclamó:

—Andre, gracias por el destilado. Después de cenar lo probamos.

—Sí, señor —respondió Andre, complacido.

Nos acercamos entonces al tío Banks, que seguía en el porche, subido a la escalera plegable, desenredando una guirnalda de luces.

—Hola, tío Banks —saludé, abrazándole las pantorrillas.

—Hola, sobrina querida —respondió—. Y ¿cómo está este muchacho? —preguntó, dirigiéndose a Andre.

Justo en ese momento, asomó la cabeza por la puerta la tía Sylvia. El primer recuerdo que conservo de mi tía fue cuando ella y el tío Banks empezaron a salir y un día me llevaron a patinar sobre hielo a la pista del hotel Omni, en Atlanta. Como recuerdo de aquella tarde juntos, me compró una botella de vino vacía con una vela amarilla dentro. Mi madre la confiscó inmediatamente: «¿Cómo se te ocurre comprarle esto? ¡Los niños no pueden jugar con fuego!». Pero Sylvia intercedió por mí: «Celestial no va a intentar encenderla, ¿a que no?». Yo negué con la cabeza y mi madre guardó silencio unos instantes. «Confía en ella», le dijo Sylvia a mi madre, aunque mirándome a mí. En mi boda, fue madrina de honor y me precedió en la entrada a la iglesia (aunque técnicamente no era una mujer casada).

—¡Celestial y Andre! ¡Qué alegría que hayáis llegado! Tu madre no quería meter la comida en el horno hasta que estuvierais aquí. Dame un cariñito, sobrino —añadió ofreciendo la mejilla a Andre.

Sylvia abrió la puerta de par en par y Dre entró en la casa tras sus pasos. Yo me quedé sujetándole la escalera al tío Banks.

—¿Tío? —pregunté para llamar su atención cuando Sylvia y Dre hubieron entrado.

—No —contestó, leyéndome la mente—. No se lo he dicho a nadie. Salvo a Sylvia. Tú decides si quieres contárselo a tus padres.

—Gracias por no rendirte, tío.

—No, no me rendí. Esos blanquitos no sabían con quién se la estaban viendo. —El tío Banks llevaba sus zapatos de domingo. Bajó con paso cuidadoso de la escalera—. Tu padre es la persona con quien más años de amistad me unen de este mundo. Llegamos a Atlanta en el año cincuenta y ocho y no juntábamos ni un centavo entre los dos. Le tengo más lealtad que a mis propios hermanos. Pero quiero que sepas que no estoy de acuerdo con él en todo. En mi trabajo de abogado he visto muchas cosas, así que tengo algo de perspectiva. Frank tiene, en algunos temas, las mismas ideas con las que lo criaron sus padres. Pero a ti te quiere muchísimo, Celestial. Tienes cerca a tanta gente que te quiere… Tu padre, Andre, Roy. Intenta planteártelo como el típico problema de mujer sin problemas.

*

Se sirvió la cena en la robusta mesa de roble, que se cubrió con un mantel de encaje para ocultar años de uso diario. En la meticulosamente rehabilitada casa de los sueños de mis padres, todo estaba cuidadísimo y elegido con gusto, pero esa mesa tenía además una historia que contar: había sido el regalo de boda de mi abuela, uno de los pocos que mis padres recibieron después de casarse por el juzgado. «Esta mesa deberéis legarla a vuestros hijos, y a los hijos de vuestros hijos», había dicho. Cuando los encargados de la empresa de mudanzas la llevaron a esa casa, Gloria les advirtió: «Tengan cuidado. Esta mesa es el regalo con que mi madre bendijo mi boda».

Solo en las fiestas hacía mi padre gala de lo que había aprendido, siendo niño, de su propio padre, mi abuelo, que era predicador. «Oh, Señor», exclamó ese día de Acción de Gracias con voz tonante, y todos inclinamos la cabeza. Yo tomé su mano con mi mano izquierda y la de Andre con la derecha. «Nos hemos reunido aquí hoy para darte gracias por todos los dones con que nos has bendecido. Gracias por estos alimentos y por la mesa sobre la que se han servido. Gracias por la libertad. Oramos esta noche por aquellos que viven encarcelados y no tienen la oportunidad de disfrutar del auxilio y el bálsamo de la familia.» Y, a continuación, recitó de memoria un extenso fragmento de las Escrituras.

Antes de que diese tiempo a decir «Amén», Andre habló: «Damos gracias también por las personas que están aquí presentes esta noche».

Mi madre levantó la cabeza y apostilló: «Amén a eso».

De inmediato, la estancia cobró vida con un agradable bullicio. Mi padre trinchó el pavo con su cuchillo eléctrico, que parecía una sierra mecánica en miniatura, mientras Gloria servía té frío de una resplandeciente jarra. El tío Banks y Sylvia se sentaron en sus sitios de siempre, tranquilos como un día de verano, pero yo estaba convencida de que, bajo la mesa, mi tío tenía la mano apoyada sobre el muslo de mi tía. Vi desplegarse ante mí un auténtico retablo: el salón estaba decorado con flores y las velas ardían en sus candelabros. Di un sorbo al té frío, que tenía un agradable aroma cítrico. El vaso era de un cristal grueso y pesaba mucho. Me hizo pensar en Olive, que adoraba el cristal y compraba vasos de uno en uno. Me pregunté qué habría ocurrido con todas sus pertenencias después de morir, pues no había tenido hijas a las que dar su bendición ni tampoco legar su cristalería. Incliné la cabeza y dije una oración por ella. «Que esté el cielo lleno de objetos elegantes.» Y luego susurré al aire: «Por favor, Olive, perdóname».

Dirigí una mirada a mi madre, esperando que me honrase con una sonrisa, al menos. Gloria es insultantemente guapa. Yo solía alertar a Roy de que no tomase a mi madre como referencia de mi aspecto futuro, aunque es cierto que compartimos muchos rasgos. Las dos somos altas, de pelo castaño muy oscuro, ojos grandes y labios gruesos. Ella se llama Gloria Celeste y yo, Celestial Gloriana. Cuando era niña, solía besarme en la frente y me llamaba «tesoro».

Llené mi plato hasta el borde, pero me di cuenta de que no tenía hambre. La noticia que no habíamos dado aún me cerraba la garganta como un tumor. Cada vez que de mi boca salía algo distinto a «Roy saldrá de la cárcel antes de Navidad y Andre y yo vamos a casarnos» me sentía una embustera, aunque lo que dijese fuera cierto. Al otro lado de la mesa, el tío Banks comía pausadamente, pero no mostraba tampoco demasiado apetito. Me embargó la ternura por el bueno de mi tío. Había hecho lo que había podido a lo largo de todos esos años, pero hasta ahora esos esfuerzos no habían dado ningún resultado. Se merecía compartir la noticia con su familia. Se merecía que le diésemos las gracias y le felicitásemos de corazón.

Noté que Gloria me estudiaba. Vi como dibujaba una pregunta con los labios, tras lo cual me hizo un sutil gesto de cabeza. Como si lo supiera todo, aunque fuese imposible.

De postre había tarta de mermelada de mora negra, la receta que mi madre heredó de mi abuela. Para que la tarta pueda comerse en Acción de Gracias, hay que hacer el bizcocho en el horno el último día de verano y dejarlo macerando en ron antes de que la brisa otoñal se lleve a las luciérnagas. Este postre desempeñó un papel muy importante en el cortejo entre mis padres. Gloria, que entonces impartía clases de sociología, ofreció una deliciosa porción al profesor de química recién llegado: «Me enamoré, literalmente», sigue afirmando aún hoy.

Gloria colocó la tarta sobre la mesa y la fragancia a ron, clavo y canela se extendió por toda la estancia. La miré por encima del hombro y ella dijo, en voz baja: «Te pase lo que te pase, por favor, no olvides que soy tu madre». Aparté la mirada y la clavé en el plato, mirando alternativamente la porción de tarta, la blonda sobre la que descansaba y la cucharilla que había dejado apoyada en el borde. Recordé de repente la cena con amigos y familia que celebramos la víspera de mi boda. Roy dijo a mi madre entonces que quería que el pastel nupcial fuese una de sus tartas de mermelada de mora. Mientras los invitados daban cuenta del pato y el cava, Gloria me invitó a salir un momento del restaurante donde celebrábamos la cena prenupcial. Fuera, junto a un fragante arbusto de gardenias, se acercó a mí y me dijo: «Estoy feliz porque tú lo estás. No porque te vayas a casar. No me interesan los detalles. Lo único que me preocupa eres tú». Y aquella fue la bendición de mi madre. Esperé que quisiera renovarla.

Me giré hacia Andre, al que se veía radiante, emocionado, seguro de sí. Acto seguido, miré al tío Banks, que estaba enfrascado en una charla por lo bajini con su mujer, y, a continuación, observé a mi padre. Durante muchos años he sido la niña de papá. La Pequeña Mariquita. En la boda con Roy me puse unas bailarinas. No para ser más baja que Roy, sino para no superar en altura a mi padre. Yo insistí en que el pastor omitiese lo de «Obedecerás a tu marido», pero sí mantuvimos la frase «Entregas a tu hija», para que mi padre pudiera responder que sí con su impresionante voz de barítono.

Entonces, alcé mi vaso. Apenas le quedaba un culo de té. «Quiero proponer un brindis.» Cinco vasos más se elevaron al unísono. «Por el tío Banks, cuyos incansables esfuerzos han dado fruto. Roy saldrá de la cárcel antes de Navidad.»

Sylvia dijo un discreto hurra y extendió el brazo en el aire, esperando que alguien chocara la copa con la suya. Se había hecho el silencio. El tío Banks dio las gracias. Mi madre añadió: «Gracias a Dios». Mi padre no dijo ni una palabra.

Andre se puso en pie. Parecía un faro, alto y delgado.

—Familia: he pedido a Celestial que se case conmigo.

Roy y yo habíamos anunciado nuestro compromiso ante aquella misma mesa y de un modo muy parecido. Pero nuestro anuncio fue recibido con aplausos y vino de Burdeos. En esta ocasión, mi padre se giró hacia mí y me preguntó con voz melosa:

—¿Y qué respuesta le has dado, Mariquitita?

Me acerqué a Andre.

—Papá, le he dicho que sí.

Intenté adoptar un tono tajante, pero hasta yo percibía la duda en mi voz. La necesidad.

—No os preocupéis. Podemos hablar de esto —dijo mi madre con los ojos fijos en mi padre—. Lo resolveremos juntos.

Andre me rodeó los hombros con el brazo y yo noté mi propia respiración profunda. Suspiré hondo y sentí alivio, aun cuando las lágrimas me ardían en los ojos. La verdad reconforta siempre, por dura que sea.

Mi padre colocó su vaso vacío junto al plato de tarta, que no había tocado.

—No, esto no está bien —dijo como restándole importancia—. Mariquita, este acuerdo no lo puedes firmar. No puedes casarte con Andre si ya tienes un marido. Yo estoy dispuesto a asumir mi responsabilidad en este asunto. Desde que eras pequeña te he mimado, y tú crees que todos los días de la semana son fin de semana. Pero esto es la realidad. No siempre podemos obtener lo que queremos.

—Papá, sabes mejor que nadie que el amor no siempre sigue las reglas. Cuando tú y mamá os casasteis...

—Celestial —interrumpió Gloria, con una expresión en el rostro que no fui capaz de descifrar. Como una advertencia en un idioma extranjero.

Papá tomó la palabra.

—Aquella situación era muy distinta. Cuando conocí a tu madre, se dieron varias circunstancias atenuantes. Yo estaba en una relación matrimonial en la que había entrado demasiado joven. Gloria es mi alma gemela, mi compañera. El agua siempre queda al nivel que le corresponde.

—Señor Davenport —dijo Andre—. Celestial es justamente eso para mí. Es la persona que quiero tener al lado el resto de mi vida.

—Hijo —dijo mi padre, agarrando la cucharilla de postre como si fuera un tridente—, a ti tengo una cosa que decirte, como hombres negros que somos: Roy es un rehén del sistema. Es una víctima más de los Estados Unidos. Lo menos que podrías hacer es dejar ir a su esposa cuando regrese a casa.

—Señor Davenport, con el debido respeto...

—Ni señor Davenport ni nada. No es tan difícil. Quieres que un tipo regrese a su hogar tras cinco años en la penitenciaría, habiendo sido injustamente condenado, y que vaya a ver a su esposa y esta lleve puesto en el dedo tu anillito, mientras tú sigues hablando de cuánto la quieres. Te diré lo que Roy pensará: pensará que su esposa no fue capaz de mantener las piernas cerradas y que su supuesto amigo no sabe lo que significa ser un hombre, y mucho menos un hombre negro.

Mi madre se puso en pie como un resorte.

—Franklin, pide disculpas.

Y Andre:

—Señor Davenport, ¿está oyendo lo que dice? Ódieme si quiere. Vine aquí esperando que me diese su bendición, pero en realidad no la necesito. Pero Celestial es su hija. No puede usted decir esas cosas sobre su hija.

—Papá, no me insultes de ese modo —pedí yo—. No me insultes.

El tío Banks no se puso en pie, pero aun así proyectaba una autoridad queda.

—Deberíais haberlo visto venir. Franklin, ¿qué esperabas que hiciera la chica? —dijo.

—Esperaba que se comportase como sus padres la enseñaron a comportarse.

—Yo la enseñé a conocerse a sí misma —intervino Gloria.

Mi padre se colocó las manos con los dedos entrelazados en la coronilla, como intentando que la cabeza no se le separase del cuerpo.

—¿Qué es toda esta historia sobre el amor y sobre conocerse a sí misma? No quiero parecer excesivamente severo, pero aquí no estamos hablando de un idilio. Celestial tuvo toda la vida para acostarse con Andre, si era eso lo que quería. Pero la oportunidad pasó. Roy no se merece nada de esto. Su único pecado fue ser un hombre negro en el lugar y el momento equivocados. No olvidéis nunca eso.

No había respuesta fácil a una acusación así. Andre y yo seguíamos de pie, náufragos en mitad del salón atestado. Mi padre hundió la cucharilla en su porción de tarta, satisfecho con su actuación, disfrutando del haber dicho la última palabra.

Al otro lado de la mesa, Sylvia murmuró algo al oído del tío Banks. Los espejuelos de sus pendientes reflejaban la luz de las lámparas. Haciendo acopio de coraje, tomó aire ruidosamente y se lanzó a hablar de forma atropellada.

—Técnicamente no formo parte de esta familia, pero llevo junto a vosotros el tiempo suficiente. Estáis todos metiendo la pata. Todos. Para empezar, hay que dedicar al menos un minuto de aplauso al tío Banks. Ha estado trabajando cinco años como un animal mientras los demás os dedicabais básicamente a rezar y a firmar cheques. Banks es quien lo ha conseguido. Es él quien se ha peleado con todo el mundo.

Todos murmuramos agradecimientos entre dientes, que el tío Banks aceptó con un empático gesto de cabeza. Luego alargó la mano para tomar la de su esposa, como pidiéndole que se sentara. Pero Sylvia no hizo caso.

—A ver, Franklin —continuó, alargando el cuello hacia el tío Banks, que permanecía sentado en la presidencia de la mesa—. No me has pedido mi opinión, pero voy a dártela igualmente. Celestial ya ha elegido entre Andre y Roy. No lo hagas más complicado. No obligues a Gloria a elegir entre su hija y el marido de esta, porque ahí no puedes ganar. No hagas que tu hija sienta que al final se tendrá que acostar con quien tú querías que se acostara, como si fueras un proxeneta o algo por el estilo. Eso es un golpe bajo, Franklin, y lo sabes.

Roy

Las semanas posteriores a la noticia de mi liberación se hicieron a la vez lentas y rápidas. Walter no dormía apenas. Por las noches se dedicaba a explicarme las mil y una lecciones necesarias para cualquier hombre que va a recuperar su libertad. «Recuerda que tu mujer ha vivido en el mundo todo este tiempo.»

—Tú no la conoces —repliqué yo—. ¿Cómo vas a saber lo que ha estado haciendo?

—No puedo hablar de lo que no sé, naturalmente. No tengo ni idea de a qué ha dedicado el tiempo, y tú tampoco. Lo único que sé a ciencia cierta es que el resto del planeta ha seguido adelante con su vida. Toda la gente que conoces, salvo tú.

Según Walter, la clave consiste en hacer *tabula rasa* mental. Insistía una y otra vez en que pensara solo en el futuro, pero no explicó nunca cómo esquivar el ansia por recuperar lo que me había pertenecido. Walter no lo entendía porque él no había dejado atrás nada salvo arrepentimientos y oportunidades perdidas. Para él, la posibilidad de empezar de nuevo sería todo un indulto, pero para mí era la madre de todos los reveses.

Hasta que me cayeron los doce años, yo había conseguido todo lo que me había propuesto en la vida: un trabajo que pagaba de sobra las facturas, una casa de cuatro dormitorios con un gran césped que cortaba yo mismo los domingos y una esposa que me hacía levitar como una oración. Mi puesto era bueno y en un par de años podría optar por otro aún mejor. La casa de Lynn Valley Road era de recién casados; el siguiente paso era tener hijos. Cuando te metes en la cama con un objetivo que trasciende tus propios sentimientos, es necesario estar en pareja de otra forma. Aun teniendo en cuenta lo que ocurriría más tarde, jamás olvidaré aquella noche sudorosa y todas las cosas que dijimos que queríamos hacer juntos.

—Walter, me estás diciendo que olvide todo lo que fue mío y me concentre en seguir adelante. Para mí, ambas cosas son lo mismo.

—Hum —contestó relajando repentinamente las facciones, a lo Yoda del Gueto—. Bueno, alguien en tu situación necesita mirar la vida como si fuera un niño recién nacido. Tienes que fingir que jamás has pisado este mundo y que es el mismo mundo el que te va a enseñar qué es cada cosa. Debes mantener la mente en el ahora.

Yo eché un vistazo alrededor y cobré conciencia de nuevo de mi lamentable situación.

—No me puedes decir que viva en el presente cuando mi pasado era muchísimo mejor.

Walter chascó la lengua.

—¿Sabes lo que tienes ahora mismo? Trabajo por hacer: te toca limpiar el lavabo.

Hasta en prisión, donde todo funciona al revés, se me hacían muy raras este tipo de cosas: que Walter me ordenara hacer tareas domésticas. Mi padre biológico me lanzó el diminuto estropajo y yo lo atrapé al vuelo.

—Te toca a ti —le dije, lanzándoselo de vuelta.

—Los padres no cuentan —me replicó, lanzándolo de nuevo hacia mí.

Froté un trozo de jabón contra la esponja amarilla y empecé a frotar el lavabo. En realidad no estaba tan sucio.

—Eres un Yoda de Pueblo —dije yo.

—Cuidado con lo que dices.

*

Lo que Walter no me contó fue que, inocente o culpable, no me dejarían salir de la cárcel por la puerta principal, una expectativa modesta para alguien que, en realidad, no tenía por qué esperar ningún privilegio. Banks me aseguró que no recibiría ningún tipo de disculpa formal ni un sobre con el sello del estado. Joder, ni siquiera sabía cómo se llamaban los funcionarios a los que debería haber exigido esa disculpa. No iba a recibir reparación alguna, salvo los veintitrés tristes dólares que todo el mundo recibe cuando sale de una penitenciaría estatal en Luisiana. Estaba convencido de que, como hombre inocente, y habiendo saldado con la sociedad una deuda que correspondía a otro, yo tenía derecho a salir de aquel correccional por la puerta grande. Me imaginé descendiendo aquellas grandes escaleras de mármol con el sol dándome en la cara y atravesando el pequeño césped donde toda mi familia estaría esperándome, si bien Olive llevaba dos años muerta y Celestial había estado ese mismo tiempo desaparecida. Roy Padre sí estaría allí. Eso no me lo quitaría nadie. Lo cierto es, sin embargo, que solo una mujer puede dar la bienvenida a un hombre a su hogar. Lavarle los pies, reparar su coraza.

*

Sabiendo que no iba a salir por la puerta principal, mi padre me esperó en el aparcamiento de la parte de atrás, apoyado en el capó de su Chrysler. Mientras me dirigía hacia él, Roy Padre se arregló el cuello de la camisa y se pasó la palma de la mano por el pelo. Yo me protegí con la mano del sol de última hora de la tarde y él esbozó una amplia sonrisa.

Ese día salimos una docena de hombres. A un chaval de no más de veinte lo esperaba toda su familia, con globos metalizados con forma de adornos navideños; había un niño pequeño con una nariz de payaso montado en una bicicleta. La bicicleta tenía una bocina y, como por arte de magia, al tocarla se iluminaba la nariz postiza. Había otro chico al que no lo esperaba nadie. Sin mirar a los lados, caminó directamente, como si le tirasen de una correa, hacia una furgoneta gris que lo llevaría, imaginé, a la estación de autobuses. Al resto lo recogieron sus mujeres: madres, esposas o novias. Estas habían llegado en sus coches, pero todas se aseguraban de que fuese el hombre quien condujese de vuelta al hogar. Yo fui el último en salir aquel luminoso día de invierno. Los zapatos, tipo *oxford,* me quedaban raros. Había perdido mis últimos calcetines, así que iba sin. Notaba el duro asfalto bajo las suelas de cuero mientras caminaba hacia mi padre. «Padre»; qué torpe sonaba esa palabra entonces, pensé mientras me acercaba a Roy Padre, temeroso de pedir nada. Aunque no es que quisiera gran cosa. Cuando estaba en secundaria, con edad suficiente para que me castigaran si hacía las habituales gamberradas de adolescente, Roy Padre me decía: «Escucha, muchacho. Que te detengan, pero a mí no me llames. Yo no soy padre de hijos pródigos ni celebro fiestas de bienvenida». Pero eso fue cuando creía que solo acababan en la cárcel los delincuentes y, quizá, algunos tipos estúpidos.

Si alguien merecía una fiesta, ese era yo, el otro hijo, el que no merecía el becerro cebado. O Job. O Esaú, o cualquiera de los muchos a los que en la Biblia dieron la patada. Cuando fui a llenar la hielera, aquella noche fatídica en el motel, todas las decisiones inteligentes que había tomado hasta entonces se hicieron de golpe irrelevantes.

Alguien violó a aquella mujer —quedaba claro por la forma en que se retorcía los dedos entrelazados en el regazo—, pero no fui yo. Recuerdo que la noche que la conocí, junto a la máquina de hielo, me pareció una señora tierna. Le dije que me recordaba a mi madre y ella me respondió que siempre había querido tener un hijo. Al acompañarla a su habitación le conté mi vida, incluida la estúpida pelea que había tenido con Celestial, y ella prometió encender una vela por mí.

En el juicio, sentí cierta lástima de ella mientras la escuchaba armar la espantosa historia que acabaría arruinándome la vida. Hablaba eligiendo bien las palabras, como si hubiera memorizado su declaración, empleando tecnicismos para describir su propio cuerpo y explicar qué habían hecho con él. Me miró fijamente todo el tiempo, con la boca temblando de miedo, pero también dolida e irritada. Para ella, yo era el culpable, aun cuando poco antes hubiese estado rezando por mi matrimonio y el bebé que Celestial y yo buscábamos. Cuando le preguntaron si estaba segura, respondió que me habría reconocido en cualquier lugar.

A veces me pregunto si me reconocería hoy. ¿Me recordarán las personas que me trataban entonces? Seas culpable o inocente, la cárcel te cambia. Te convierte en alguien con antecedentes. Mientras recorría el aparcamiento a grandes zancadas, empecé a sacudir la cabeza, como un perro mojado, para desembarazarme de todos esos pensamientos. Repetí para mis adentros que lo importante era haber salido de allí. Daba igual por qué puerta.

Así que aquel era el nuevo yo. Un hombre libre, como suelen decir. A quién le importaban los globos metalizados, el coñac o los becerros cebados.

162

*

Roy Padre no atravesó el aparcamiento a la carrera para venir a mi encuentro. Ni siquiera se incorporó. Me observó llegar y cuando estuve al alcance de sus brazos, los extendió y me atrajo hacia sí para estrecharme contra su pecho. Yo tenía treinta y seis años. Sabía que tenía mucha vida por delante, pero no podía dejar de pensar en el tiempo perdido. Me mordí el labio con fuerza y saboreé mi propia sangre mientras notaba el peso de los brazos de mi padre sobre mis hombros, la seguridad que me transmitían.

—Me alegro de verte, hijo mío —dijo a modo de saludo, y yo disfruté de la emoción que despertaban en él esas palabras y la verdad que dicha emoción traía aparejada.

—Yo también me alegro de verte —contesté.

—Has salido antes de tiempo.

No pude evitar sonreír ante el comentario. No supe en ese instante a qué se refería exactamente. ¿Quizá a que tres días antes habían anunciado erróneamente que la liberación se retrasaría cinco días más? ¿O quizá al hecho de que había cumplido finalmente menos de la mitad de la condena de doce años a la que había sido sentenciado?

—Tú me enseñaste que llegar con cinco minutos de antelación es llegar tarde —repliqué.

Él me devolvió la sonrisa.

—Me alegro de que prestases atención ese día.

—Te he prestado atención toda la vida.

*

Subimos al Chrysler, el mismo coche en el que me trajo cuando entré.

—¿Quieres que vayamos a ver a Olive? No he pasado hoy por allí.

—No —respondí. No me sentía preparado para contemplar el rectángulo de tierra con el nombre de mi madre labrado en frío mármol. La única mujer de la que quería oír hablar en ese momento era Celestial, pero estaba en Atlanta, a más de ochocientos kilómetros. Y ni siquiera sabía que ya era libre.

Roy Padre se encogió de hombros y acto seguido los relajó.

—No pasa nada, supongo. Olive no se va a mover de allí.

Sabía que lo había dicho por decir, pero esas palabras se me clavaron en el pecho.

—No, no se va a mover —respondí.

Durante unos minutos permanecimos en silencio. A la derecha, las luces de neón del casino competían con el crepúsculo, sobre el que acabarían imponiéndose. Varios coches daban vueltas por el aparcamiento como en un carrusel, buscando una plaza libre. Unos metros más adelante, vi el morro de un coche de policía asomar tras unos arbustos. Control de velocidad. Como siempre.

—¿Cuándo vas a ir a verla?

Ahora sí hablábamos de Celestial.

—En un par de días.

—¿Ella sabe que vas?

—Sí. Le envié una carta. Lo que no sabe es que al final he salido antes de tiempo.

—¿Cómo va a saberlo si tú no se lo has dicho...?

En realidad, ya no tenía muchas cosas que decir más allá de la verdad.

—Deja que me recupere un poco.

Roy Padre hizo un gesto con la cabeza.

—¿Estás seguro de que sigue siendo tu esposa?

—No se ha divorciado de mí —contesté—. Eso tiene que significar algo.

—Las cosas le están yendo bien.

Asentí en silencio.

—Supongo que sí, en cierto modo. —Estuve a punto a añadir que en los Estados Unidos los artistas tampoco llegan demasiado lejos, pero no quería parecer envidioso o superficial—. Estoy muy orgulloso de ella —añadí.

Mi padre no apartó la mirada de la carretera.

—No he vuelto a ver a Celestial desde el funeral de tu madre. Iba con tu amigo Andre. Me alegré de que viniera. —Volví a asentir con la cabeza—. Eso fue hace dos años. Bueno, un poco más. Desde entonces no he vuelto a saber de ella.

—Yo tampoco, aunque seguía metiendo dinero en mi cuenta del economato —dije—. Todos los meses.

—Algo es algo —comentó Roy Padre—. Eso hay que agradecerlo. Cuando lleguemos a casa, te enseñaré una revista con una foto suya.

—Ya la he visto —atajé. Aparecía con una pareja de muñecos que se parecían a sus padres, sonriendo como si no hubiese conocido el sufrimiento ni un día de su vida. Leí el artículo tres veces. Dos en silencio y otra en voz alta para Walter, quien observó que el texto no me mencionaba, pero tampoco a ninguna otra posible pareja. En cualquier caso, no sentía ninguna prisa por volver a ver esa revista.

—Hay una suscripción a *Ebony*. En la biblioteca de la cárcel, quiero decir. *Jet*, *Black Enterprise*. La troika de revistas para negros.

—Eso es un poco racista, ¿no?

—Un poco igual sí —dije yo, riendo—. A mi compañero de celda le gustaba leer *Essence*, la revista para chicas. Se abanicaba con ella y decía: «¡Ahí fuera hay un montón de negras que necesitan a un tipo como tú!». Es un viejo zorro. Se llama Walter. Cuidó de mí todo el tiempo que vivimos juntos.

Una emoción inesperada me entrecortó la voz.

—¿En serio? —Roy Padre soltó el volante como para ir a ajustar el retrovisor, pero se limitó a rascarse la barbilla, para luego volver a colocar la mano sobre el volante—. Eso es una bendición. Una pequeña bendición. —El semáforo se puso en verde, pero Roy Padre titubeó. Por detrás de nosotros, los coches tocaron el claxon, aunque tímidamente, como si no quisieran interrumpir—. Le tengo que estar agradecido a cualquier persona que te haya ayudado a regresar a casa vivo, hijo.

El viaje hasta Eloe solo nos llevó cuarenta y cinco minutos, tiempo de sobra para que cualquiera confiese las cosas que más le pesan dentro. Sin embargo, no compartí ninguna de las noticias que me carcomían el cerebro desde hacía tres años. Me dije que aquella historia no era como un cartón de leche abierto: no iba a echarse a perder por guardármela para mí un tiempo más. La verdad continuaría siendo la verdad una semana más, un mes, un año, diez años o el tiempo que transcurriese hasta que me sintiera preparado para hablar a Roy Padre sobre Walter. Quizá no ocurriese nunca.

Roy Padre metió el Chrysler por el camino de acceso hasta la misma puerta de la casa.

—En el barrio las cosas se están poniendo feas —dijo—. El otro día trataron de robarme el coche. Se metieron con un camión remolque cuando no estaba en casa y dijeron a los vecinos que los había llamado porque el coche tenía una avería. Tuve mucha suerte, porque Wickliffe llegó justo en ese momento a casa y los tipos salieron zumbando cuando lo vieron aparecer pistola en mano.

—¿Cuántos años tiene Wickliffe? ¿Ochenta?

—Uno es tan joven como el arma que lleva —declaró Roy Padre.

—Hay cosas en Eloe que no cambiarán nunca…

Se me hizo raro llegar a casa sin equipaje. Los brazos me colgaban inútiles a un lado y otro del cuerpo.

—¿Tienes hambre? —preguntó Roy Padre.

—¡Mucha!

Él abrió la puerta lateral y me invitó a pasar. Todo estaba como lo había dejado yo: en el salón seguían los sofás de siempre, colocados de manera que todo el mundo pudiera ver la televisión. El sillón reclinable era nuevo, pero estaba en el mismo lugar que el antiguo. Sobre el sofá, en la pared, colgaba un cuadro que Olive adoraba: representaba a una mujer de rostro sereno que llevaba un tocado africano y leía un libro. Olive se hizo con él en un mercadillo de trueque, aunque sí pagó dinero por el marco dorado. La estancia estaba como los chorros del oro, y de las franjas que había dejado la aspiradora en la moqueta se elevaba un leve aroma a limón.

—¿Quién te ha limpiado la casa? —pregunté.

—Las amigas de tu madre, las de la iglesia. Cuando se enteraron de que volvías, se presentaron aquí a modo de batallón de cocina y limpieza.

—Ya —comenté, haciendo un leve gesto de cabeza—. ¿Alguna amiga de mamá, más específicamente?

—No —contestó Roy Padre—. Es demasiado pronto para lo que estás pensando, hijo. Vamos. Ve a asearte.

Mientras me enjabonaba las manos, recordé cómo Walter se las lavaba obsesivamente en el pequeño lavabo de la celda. Me pregunté si tendría ya un nuevo compañero de celda. Yo había dejado a Walter todo lo que tenía: ropa, cepillo para el pelo, mis pocos libros y mi transistor. Hasta mi desodorante. Se quedaría con las cosas a las que pudiera dar uso y cambiaría o vendería las demás.

El agua caliente sentaba bien. Dejé las manos bajo el grifo hasta que no pude resistir la quemazón.

—En tu cama te he dejado algunas cosas básicas. Mañana puedes ir al Wal-Mart a comprar todo lo que necesites.

—Gracias, papi.

Ese apelativo, «papi», jamás lo utilicé con Walter, aunque creo que le habría gustado. Él mismo lo empleó un par de veces: «Escúchame. Soy tu papi». Pero nunca permití que saliera de mi boca.

Cuando me hube aseado, Roy Padre y yo nos servimos una buena cena. Era el mismo menú que ponían cuando moría alguien: pollo al horno, judías verdes cocidas a fuego lento con jamón, bollitos de pan y macarrones con queso. Roy Padre metió en el microondas su plato, apretó un par de botones y este empezó a girar a la luz del interior. Saltaron chispas azules desde el reborde metálico del plato, restallando como disparos de una pistola de pistones. Mi padre se puso entonces unos mitones de cocina, sacó el plato, lo cubrió con papel de aluminio y alargó la mano para que le acercase el mío.

Nos sentamos uno junto al otro en uno de los sofás del salón, con los platos en el regazo.

—¿Quieres bendecir la cena? —me preguntó.

—Padre celestial —empecé a orar, atragantándome de nuevo con la palabra *padre*—. Gracias por estos alimentos que van a sostener nuestros cuerpos. —Traté de encontrar otras cosas por las que dar gracias, pero solo podía pensar en que mi madre se había ido para siempre y mi mujer tampoco estaba a mi lado—. Gracias por haber cuidado de mi padre. Gracias por esta bienvenida a casa —y, tras un instante de pausa, añadí—: Amén. —Mantuve la vista clavada en el mantel, esperando el eco del «Amén» de Roy Padre. Pero este no reaccionó, así que levanté la cabeza y lo miré. Se balanceaba ligeramente adelante y atrás, tapándose la boca con una mano.

—No había otra cosa en el mundo que Olive quisiera más que llegar a ver este día. No pedía otra cosa, pero no vivió para estar aquí. Estás en casa y estás aquí sentado, comiendo comida cocinada por otras mujeres. Sé que el Señor siempre tiene un plan, pero esto no está bien.

Debería haberme levantado y haberme acercado a él, pero yo no tengo ni idea de cómo se consuela a un hombre adulto. Olive se habría sentado a su lado, le habría invitado a apoyar la cabeza sobre su hombro y le habría susurrado al oído, como saben hacer las mujeres. Yo estaba hambriento, pero no cogí el tenedor hasta que él estuvo preparado para hacer lo propio. El hechizo del microondas se había desvanecido y la comida se había quedado dura y seca.

Roy Padre se puso de pie.

—¿Estás cansado, hijo? Me gustaría acostarme temprano. Mañana será otro día.

Eran las siete de la tarde solamente, pero los días de invierno son cortos y fríos. Fui a mi dormitorio y me puse el pijama que me habían buscado Roy Padre o quizá las señoras de la iglesia.

*

Cinco años es un periodo de tiempo largo en la vida real. En la vida carcelaria, no tanto. Es un lapso de tiempo cuyo final puedes atisbar. Me pregunto si habría hecho algunas cosas de otra manera de saber que al final pasaría a la sombra solo cinco años. Fue muy duro pasar mi cumpleaños número treinta y cinco entre rejas, pero ¿habría cambiado la cosa si hubiese sabido que en cuestión de un año sería libre? El tiempo no siempre puede medirse con un reloj, un calendario o un puñado de arena.

—Celestial. —Todas las noches hacía lo mismo: entonaba un cántico con su nombre, como quien pronuncia en voz alta una oración. Lo leía en las cartas que me escribía en hojas de color blanco como las palmas de mis inútiles manos. Incluso cuando hacía cosas que me avergüenza recordar, pensaba en ella, preguntándome qué le contaría sobre lo que había hecho, lo que me habían dado, lo que me habían robado, a quién había tocado. A veces pensaba que lo entendería. O que, aunque no lo entendiera, sabría ponerse en mi lugar.

Celestial era una de esas personas a las que es difícil cogerle las vueltas: a punto estuvo de no casarse conmigo, aunque yo nunca dudé de su amor. Por ejemplo, cometí un par de errores de forma en mi declaración. Pero, más allá de eso, creo que ella jamás había hecho planes de casarse. Celestial tenía colgado en su despacho un tablón (el «corcho de los planes», como lo llamaba ella), en el que pegaba papeles con palabras como *prosperidad, creatividad, pasión,* en mayúsculas y entre signos de admiración. También colocaba fotografías sacadas de revistas que ilustraban lo que quería obtener de la vida. Su sueño era ver sus obras de arte en la colección del Smithsonian, aunque en el corcho también colgaba una fotografía de una cabaña de madera en isla Amelia, en Florida, y una imagen de la Tierra vista desde la Luna. En su pequeño *collage* no aparecía rastro alguno de vestidos de novia o de alianzas matrimoniales. A mí no me molestaba, pero un poco sí.

No es que yo tuviese mi boda planeada como una niña de doce años, ni tampoco me tenía por uno de esos bobos que fantasean con tener diez hijos para repartir puros entre sus amigos cada año y medio. Pero sí me imaginaba con dos hijos. Primero, Trey. Luego, una niña. La espontaneidad y la improvisación están bien para quienes se lo pueden permitir, pero un chico salido de Eloe, Luisiana, necesitaba un plan. Esto es algo que Celestial y yo teníamos en común: ninguno de los dos creía en apostar a números al azar.

Un año antes, cuando me encontraba totalmente hundido en la desesperanza, rompí todas las cartas que me había mandado Celestial desde que entré en la cárcel, salvo la que ponía fin a nuestra relación. Y, sí, Walter me había advertido que no era buena idea hacer una bola con todo ese papel perfumado y tirarla al inodoro metálico. No sé por qué, elegí conservar la carta que más daño me había hecho. Ahí estaba yo, sin embargo, dispuesto a leerla de nuevo aquella primera noche respirando en libertad.

Ojalá hubiera sido capaz de resistirme. Desplegué cuidadosamente la página para que no se rompiera por los pliegues, ya frágiles. Recorrí, una vez más, su letra manuscrita con la yema de los dedos, rebuscando la esperanza que a veces creía vislumbrar oculta tras las palabras.

Celestial

Nuestra historia de amor fue del tipo que no suelen vivir ya las chicas negras. El nuestro fue un romance *vintage,* de esos que empezaron a escasear después de Martin Luther King, como ocurrió con las *boutiques* de moda, los almacenes y las cafeterías regentadas por negros. Cuando yo nací, el barrio de Sweet Auburn, entonces el que más negocios regentados por negros concentraba en el país, quedó dividido en dos por una autopista y empezó a languidecer. La iglesia de Ebenezer seguía en pie, testaruda, recuerdo orgulloso de su famoso hijo espiritual, el doctor King, el sepulcro del cual, de mármol blanco, se elevaba vigilante en las inmediaciones, junto a la famosa llama eterna. Cuando yo tenía veinticuatro años y vivía en Nueva York, pensaba que quizá el amor entre hombres y mujeres de raza negra también era algo en vías de extinción.

Dice un verso de la poeta Nikki Giovanni: «El amor de los negros es la riqueza de los negros». Una noche de borrachera en el West Village, mi compañera de apartamento, Imani, se tatuó ese verso en la cadera derecha. Esperaba lo mejor de la vida. Las dos asistíamos a universidades que históricamente han atendido las necesidades de la comunidad estudiantil negra, pero cursamos estudios de tercer grado en una convencional. Fue todo un choque cultural, bastante distópico. En artes éramos solo dos personas negras, y el otro, un chico, parecía estar siempre cabreado conmigo, quizá porque había dejado de ser único. Imani estaba en la misma situación que yo, estudiando un posgrado en poesía. Las dos nos pusimos a servir mesas en Maroons, un restaurante de Manhattan especializado en platos tradicionales de culturas negras de todo el mundo: pollo a la pimienta de Jamaica, arroz *jollof,* berza y pan de maíz... Nos echamos de novios a los dos supervisores: hombres ardientes con acentos caribeños. Eran demasiado mayores y demasiado guapos, y tenían demasiado poco dinero. Eran unos cínicos rematados, pero como decía Imani: «Negro y vivo es siempre un buen punto de partida».

En esa época, yo trataba de hacerme un hueco en la escena artística neoyorquina. Estaba siempre a dieta e intentaba ocultar mi acento y evitar las palabras típicamente sureñas. Durante la mayor parte del tiempo lo conseguía, salvo que bebiese. Después de tres ginebras con soda, me salía el acento del suroeste de Atlanta a borbotones, como si no hubiera ido nunca a la escuela. Roy vivía en esa época en el área metropolitana de Atlanta, casi en el campo ya. Su apartamento de alquiler estaba tan lejos del centro que apenas llegaba la señal de su emisora de R&B favorita. Tenía un trabajo en una empresa que le compensaba bastante bien por participar en programas de integración del lugar de trabajo. Ni le gustaba ni le dejaba de gustar: para él, un empleo era un medio para llegar a un fin. Disfrutó mucho de los viajes profesionales, porque antes de trabajar para ellos no había ido más allá de Baltimore al norte o Dallas al oeste.

Por supuesto, yo no tenía ni idea de todo esto cuando Imani lo sentó a él y a otros seis comensales en la gran mesa redonda que había en mi sección de la sala. Solo sabía que en la mesa 6 se habían sentado ocho comensales, siete de los cuales eran blancos. Yo esperaba que él fuese el tipo de chico negro que yo esperaba, así que decidí darlo todo. Mientras recitaba las especialidades sentía la mirada de ese negro clavada en mí. A su izquierda se sentaba una chica pelirroja que parecía su novia, pues compartía con él la carta, apoyada contra su hombro. Ella pidió una caipiriña de acedera. «Y ¿qué tomará el señor?», le pregunté con la frialdad de un inspector de hacienda.

—Un Jack Daniel's con Coca-Cola —respondió—. De Georgia, ¿verdad?

Me estremecí como si alguien me hubiera echado un cubito de hielo por la espalda.

—¿Es por el acento?

Todos los que estaban sentados en la mesa sonrieron, especialmente la pelirroja.

—No tienes acento sureño —dijo la chica—. Nosotros somos todos de Georgia. ¡Tú tienes que ser yanqui!

Yanqui era la típica palabra de blanco, un equivalente verbal a la bandera confederada, un residuo de los rencores por la derrota en la guerra de Secesión. Me giré hacia el chico negro —ahora éramos un equipo— y le dediqué una sutilísima caída de ojos. Me respondió con un casi imperceptible encogimiento de hombros que quería decir: «Los blancos siempre tan blancos». A continuación, se apartó levemente de la chica. El mensaje era: «Esto es una cena de trabajo. No es mi pareja».

Y, a continuación, dijo en voz alta y clara:

—Creo que te conozco. Tienes el pelo distinto, pero tú estudiaste en Spelman, ¿verdad? Soy Roy Hamilton, hermano de Morehouse.

Yo nunca he tenido ese rollo tan Spelman y Morehouse, eso de considerarnos todos hermanos y hermanas. Quizá porque llegué desde otra universidad y me perdí los típicos rituales y ceremonias de la semana de los novatos. Sin embargo, en ese momento fue como reencontrarse con aquel primo con el que una jugaba de pequeña y lleva años sin ver.

—¡Roy Hamilton! —dije pronunciando su nombre muy lentamente, tratando de conjurar algún recuerdo. Pero no, se parecía demasiado al típico tío de Morehouse, esos que saben que van a estudiar negocios desde primaria.

—¿Me puedes repetir tu nombre? —preguntó él tratando de leer la chapita que llevaba prendida en el pecho y que decía IMANI. La verdadera Imani, sin embargo, estaba en la otra punta de la sala, con una chapa en la camisa que decía CELESTIAL.

—Se llama Imani —dijo la pelirroja, visiblemente molesta—. ¿No sabes leer o qué?

Roy hizo como que no la había oído.

—No, no te llamas Imani. Tú tenías un nombre como antiguo, tipo Ruthie Mae o algo por el estilo.

—Celestial —contesté yo—. Por mi madre.

—Me sorprende que no te lo hayas cambiado a Celeste, ahora que vives en Nueva York. Yo soy Roy. Roy Othaniel Hamilton, para ser exacto.

Al oír ese segundo nombre (¡quién fue a hablar de nombres antiguos!) lo recordé. En la universidad había sido un *gigolo,* el típico colega de sus colegas. El típico vivo. Mi supervisor, que el día anterior por la tarde me había repetido varias veces que él no era mi novio, carraspeó ruidosamente a mi espalda. Los casanovas se reconocen entre ellos al instante, ya se sabe.

¿Era aquello nostalgia? ¿Ocurrieron las cosas así realmente? Ojalá hubiéramos tomado una foto para poder recordar nuestro aspecto esa misma noche, más tarde, charlando en la puerta del restaurante. Aquel año el invierno se había dado prisa. Roy llevaba una chaqueta ligera de lana y una bufanda igualmente fina que probablemente compró combinadas. Yo me arrebujaba en un abrigo que Gloria me había enviado para impedir que muriese de hipotermia antes de dar por concluida mi fase de artista y regresar a Atlanta a estudiar un posgrado en Pedagogía. La nieve caía en copos húmedos, pero no me puse la capucha. Quería que Roy me viese la cara.

Gran parte de la vida depende del momento y de las circunstancias. Ahora me doy cuenta. Roy entró en mi vida en un momento en el que necesitaba justamente un hombre como él. ¿Me habría lanzado a una historia de amor como aquella si no hubiese salido nunca de Atlanta? No lo sé. Pero una cosa es sentir el amor y otra muy distinta comprenderlo. Ahora, después de tantos años, me doy cuenta de que yo me encontraba sola, a la deriva, y de que él estaba solo también, pero de esa manera en que están solos los tipos acostumbrados a andar con mujeres. Él me recordaba a Atlanta, y yo a él también. Todas estas eran buenas razones por las que sentirnos atraídos, pero estando ahí de pie, en la puerta de Maroons, las razones quedaban a un lado. Las emociones humanas trascienden la comprensión; son tersas y sin mácula, como una esfera de cristal artesanal.

Roy

Estábamos de pie en la acera, en la entrada del restaurante. Traté de memorizar sus rasgos: el perfil de su boca y el tono púrpura de su lápiz de labios, a juego con las mechas del pelo. Paladeé su acento, sureño pero no demasiado, y estudié su silueta, ancha en las caderas y fina en los hombros. Había dicho que su nombre sonaba a antiguo, pero era más bien clásico. Evoqué cómo resonaba su nombre en mi boca entonces, como el detalle que se recuerda de un sueño.

—¿Quieres conocer Brooklyn? —me preguntó ella—. Mi otra compañera de apartamento trabaja en un bar, el Two Steps Down. Si vamos, nos pondrá de beber gratis lo que queramos.

Quise decirle que no hacía falta que nos dejasen los cócteles gratis, pero tuve la impresión de que, más que quedar impresionada, se molestaría. Propuse coger un taxi.

—Esta noche no vas a encontrar ni uno libre.

—¿Por qué no? —Al hacer la pregunta me señaló el trozo de piel que asomaba entre la manga de mi abrigo de pelo de camello y mis guantes de cuero fino.

—Por tu color y porque está nevando. La tarifa es doble. Será mejor que vayamos en metro —recomendó ella, señalando la esfera verde luminosa que indicaba la boca. Bajamos por las escaleras y nos introdujimos en un mundo que me hizo pensar en aquella secuencia tan oscura de *El mago,* la película de Sidney Lumet.

—Tú primero —invitó ella dándome un empujoncito y acercando su abono al lector del torniquete.

Me sentí como un invidente que se hubiera dejado el bastón en casa.

—¿Sabes qué? Estoy aquí por trabajo y mañana por la mañana tengo una reunión de ventas.

Ella sonrió con amabilidad.

—Qué bien —respondió, aunque obviamente le importaban un bledo mis historias laborales. Joder, a mí tampoco me importaban demasiado, a decir verdad. Lo que pretendía era recordarle que tenía ocupaciones en mi vida.

Lo cierto es que no soy muy aficionado al transporte público. En Atlanta están el autobús y el tren MARTA, pero solo los usan quienes no pueden permitirse un coche. Cuando empecé a estudiar en Morehouse no tenía otra opción, pero, en cuanto junté cuatro centavos, me compré el último Ford Pinto que quedaba en el concesionario. Andre lo llamaba la Bomba Rodante, porque no le parecía muy seguro, pero eso no le impedía contar con mis servicios de chófer cada dos por tres.

El famoso tren A del metro de Nueva York no tenía nada que ver con lo que uno podría imaginar a partir de la canción homónima de Ella Fitzgerald. La estación estaba abarrotada de sintechos y olía a lo que fuera que guardasen en sus empapados sacos de dormir. El suelo está recubierto de ese tipo de linóleo que solo se usa en viviendas sociales y los asientos son de un pobretón tono naranja. Y eso por no hablar de los tipos despatarrados que ocupaban dos sitios, mientras algunas señoras se quedaban de pie.

Durante el traqueteante trayecto, nos quedamos de pie frente a una señora negra que, sentada, abrazaba una bolsa de la compra y parecía dormir como si estuviese en su cama. Junto a ella había un negro de piel más clara. Tenía tatuada por la cabeza toda una galería de retratos. En la mejilla llevaba grabado el rostro de una mujer que parecía llorar.

—Georgia —dije acercando mi boca a su pelo—, ¿cómo puedes vivir aquí?

Ella se giró para responderme y nuestros rostros quedaron tan cerca el uno del otro que ella tuvo que echarse hacia atrás para no juntar sus labios con los míos.

—En realidad no estoy lo que se dice viviendo aquí. Estoy estudiando un posgrado y tratando de saldar deudas.

—¿Lo de atender mesas es una tapadera?

Ella se agarró más fuerte a la barra y levantó el pie para enseñarme un zapato negro con una gruesa suela de goma.

—Alguien tiene que decirles a mis pies eso, que es todo una tapadera. Porque me están matando. Como si fuera un trabajo de verdad.

Dejé escapar una risita, pero sentí lástima. Pensé en mi madre cuando, en Luisiana, no hacía más que quejarse del dolor de pies. Ella afirmaba que se debía a los tacones altos de los domingos, pero en realidad era por trabajar de pie de sol a sol en la casa de comidas.

—¿Qué estás estudiando? —Esperé que no estuviera doctorándose o sacándose un máster o un título en Derecho. No es que me parezca mal que las mujeres avancen en la vida, pero no quería tener que explicar por qué yo me había conformado con un simple grado.

—Bellas Artes —respondió ella—. Me estoy especializando en tejidos y arte popular.

Esbozó una levísima sonrisa con los ojos y me di cuenta de que estaba tan orgullosa como lo estarían probablemente su madre o su abuela. Pero yo no tenía ni idea de qué estaba hablando.

—Ajá —repuse.

—Soy artesana —continuó, no a modo de explicación, sino como quien comparte una buena noticia—. Hago muñecos.

—¿Así te ganas la vida?

—¿Nunca has oído hablar de Faith Ringgold? —De nuevo, no sabía de qué estaba hablando, pero ella continuó con su perorata—. Quiero ser como ella. Pero, en lugar de edredones, haré muñecos. En breve me daré de alta como empresa y entraré en el mercado.

—¿Cómo se llamará tu corporación?

—Muñequitas.

—Suena a nombre de club de estriptis.

—No, no suena a eso —protestó ella levantando la voz lo suficiente como para despertar a la señora que dormitaba en el asiento de enfrente. El tipo con los tatuajes en la cara se removió un poco en su sitio.

—A ver, no te lo tomes así. Es que yo estudié Publicidad. Es mi trabajo pensar en cosas de ese tipo. —Ella mantuvo una expresión ofendida bastante elocuente—. Quizá otro nombre sería más eficaz. —Parecía estar pisando terreno sólido, así que seguí adelante por ese camino—. Podrías llamarla Poupées. Es «muñecas» en francés.

—¿Francés? —me preguntó mirándome a los ojos—. ¿Eres de origen haitiano?

—¿Yo? —Negué con la cabeza—. No. Yo soy negro estadounidense estándar.

—Pero ¿hablas francés? —me preguntó con cierto tono de esperanza, como si necesitara traducir algo para su proyecto. Por un segundo, me planteé presentarle mis credenciales de Luisiana, porque a las mujeres les mola lo del origen criollo, pero no quise mentirle.

—Estudié francés en secundaria y cursé una asignatura optativa en Morehouse.

—Mi supervisor se llama Didier —explicó—. Es haitiano. Bueno, más o menos. Nació en Brooklyn, pero ya sabes cómo son las cosas aquí. Él habla francés.

A lo mejor fue una deducción de gañán de campo, pero yo siempre he pensado que no es muy buena señal cuando una mujer saca a la palestra a otro negro sin venir a cuento.

Hicimos un trasbordo y ella anunció finalmente que habíamos llegado a nuestra parada. Me condujo por una escalera estrecha y mugrienta, de paredes alicatadas con azulejos blancos, como los de unos aseos públicos. Emergimos por fin a la noche de Brooklyn y me sorprendió ver árboles a ambos flancos de la calle. Observé las ramas desnudas mientras gruesos copos caían del cielo lentamente. Por nacimiento y crianza soy un chico del sur: una buena nevada nunca deja de sorprenderme. Me costó resistirme a sacar la lengua y dejar que un copo cayese en ella.

—Es como en la tele —dije yo.

—Mañana estará toda la nieve asquerosa y amontonada en los lados de la calle. Pero, sí, cuando está recién caída es bonito.

Giramos por la siguiente bocacalle. Yo quería cogerla de la mano. Los edificios que flanqueaban la calle eran de un color marrón claro, como el de las virutas de los lápices cuando se les saca punta. Eran edificios adosados, así que hacían pensar en la fachada de un castillo. Me explicó que cada uno de esos edificios de cuatro pisos había sido construido originalmente para alojar a una única familia, aunque más adelante se dividieron en varios apartamentos.

—Yo vivo ahí —indicó señalando hacia una planta baja al otro lado de la calle—. Al nivel del jardín, ¿lo ves? —Seguí el brazo con la mirada—. ¡Ay, no! ¡Otra vez no! —exclamó repentinamente.

Yo entorné los ojos tratando de evitar la luz de las farolas. Quise vislumbrar entre los copos que caían qué la había sobresaltado así. Antes de que me diese tiempo a ver nada, gritó y salió corriendo como una velocista en los Juegos Olímpicos. Me sacó cuatro o cinco segundos, solo por el factor sorpresa. Cuando salí tras ella, todavía no estaba seguro al cien por cien de qué ocurría. Apreté lo que pude, pero no fui capaz de alcanzarla. Como decía Spike Lee en el anuncio de las Nike Jordan: «Tienen que ser las zapatillas». Yo llevaba zapatos hechos para presumir y no para correr: unos Florsheim de cordobán que harían palidecer de envidia a cualquier predicador. Hasta las suelas eran de cuero. Celestial llevaba unos zapatos de trabajo con ínfulas, feos como un perrito recién parido, pero mucho más útiles para correr por la calle.

Cuando por fin vi al tipo que huía a la carrera, evalué la situación. Celestial seguía corriendo tras él a grandes zancadas, llamándolo de hijo de puta para arriba y ordenándole que soltara lo que se había llevado. Estábamos persiguiendo a un ladrón que sabía moverse muy bien. Ella no le iba a la zaga, pero el tipo empezó a sacarnos ventaja. Llevaba unas Jordan que probablemente había robado a alguien y, como dije antes, lo importante son las zapatillas.

Carlton Avenue es una calle muy larga. Hay edificios de viviendas de ladrillo a izquierda y derecha y árboles cuyas gruesas raíces deforman la acera, lo que convirtió la persecución en toda una carrera de obstáculos. Al parecer, yo era el único sin experiencia en el asunto. Celestial saltaba sobre las raíces sin fallar una. Al ladrón se le daba incluso mejor, tenía hasta estilo. Estaba claro que aquel no era el primer rodeo de ese vaquero.

El tipo sabía que Celestial no lo iba a atrapar. Yo también lo sabía. Intento siempre ser realista, pero no iba a dejar de correr mientras ella siguiera adelante. No quedaría muy bien que yo me quedase ahí parado mientras la chica con la que había quedado perseguía al ladrón que acababa de robar en su casa. Así que seguí corriendo, aunque empezaba a perder el aliento. Hay que estar a la altura.

La persecución fue interminable. Entre el aire helado que me quemaba los pulmones y los zapatos que me destrozaban los pies, supe que saldría de aquello bastante maltrecho. Por delante de mí, Celestial seguía concentrada en el chaval, dedicándole palabrotas dignas de un camionero. Sentí un pinchazo en el pecho. A ella insultar al ladrón apenas le hacía perder comba, pero a mí no me estaba yendo tan bien. Yo era más grande, había empezado a correr más tarde y, para rematar, iba vestido a lo Louis Farrakhan. La Nación del Islam no me hace mucha gracia, pero pensar en su líder me dio cierto impulso extra. El tipo puede ser muy controvertido en algunos asuntos, pero tiene razón en muchas cosas básicas. No importa lo que el ministro Farrakhan vistiera, de ningún modo se quedaría sentado de brazos cruzados y dejaría a una hermana correr sola detrás de un ladrón.

Justo entonces los dioses me sonrieron. Seguí corriendo, apurando mis reservas de fuerza y resistencia, cuando Celestial tropezó con una parte de la acera que estaba levantada y trastabilló hasta caer. En tres zancadas la alcancé y salté por encima de ella como Carl Lewis. Si por mí fuera, la carrera podría haber terminado ahí, antes incluso de que mis zapatos de vestir tocasen el suelo. Podría haber empezado una banda sonora en ese momento justo y habrían entrado los créditos conmigo suspendido en el aire.

Pero aquello no era una película. Aterricé, derrapé unos centímetros en diagonal, corregí el rumbo y seguí adelante. Tenía al chaval a apenas cuatro o cinco metros por delante. Miraba hacia atrás todo el tiempo. Tenía que conseguir el premio gordo. Tensé la musculatura de brazos y piernas, tratando de recordar lo que había aprendido en las clases de atletismo de secundaria. Y, entonces, el tipo tropezó y trastabilló, y a punto estuvo de caer. Lo tenía tan cerca que podía leer lo que decía su camiseta por detrás: Kani. Me arrojé hacia delante y mis dedos lograron cerrarse en torno a su delgado tobillo en el mismo instante en que mi cuerpo se estrellaba contra el pavimento, rodilla por delante. El tipo sacudió la pierna con fuerza dos veces, tratando de librarse, pero, obviamente, yo no tenía ninguna intención de soltarlo.

—¿Qué cojones haces, tío? —me gritó, alucinado—. ¿Y si tengo una pistola?

Me paré a pensar en lo que acababa de decir y, en ese instante, el tipo se liberó y me dio un puntapié en plena cara. Diré a favor suyo que no me dio todo lo fuerte que podría. No es que me pateara la cabeza. Fue una patadita casi amorosa. Aunque, eso sí, directamente en la boca. Me aflojó un diente.

Tras de mí, oí los zapatos de suela de goma de Celestial acercándose a pasos apresurados. Temí que fuese a saltarme ella a mí también, como en cien metros vallas, y que siguiera adelante con aquella loca persecución, pero se detuvo y se arrodilló a mi lado.

—No he podido recuperar tus cosas —dije resollando.

—Me da igual. Eres mi héroe —dijo. Pensé que bromeaba, pero cuando me tomó las mejillas entre las palmas de las manos me di cuenta de que no.

El dentista que me colocó la funda me dijo que podría haber salvado el diente si hubiese ido al hospital en ese momento. Celestial quiso llevarme, pero yo le quité importancia al asunto de camino a su pequeño apartamento, el cual compartía con tres compañeras y una docena de muñecos. Me puso en la boca una toallita empapada en agua con hielo y llamó a la policía. El agente no llegó hasta dos horas más tarde, cuando yo ya estaba encaprichado con ella como un chiquillo, mareado de amor como si hubiéramos bailado al son de los

Jackson Five. En el informe policial, Celestial firmó con su nombre completo. Me lo habría tatuado en la frente: Celestial Gloriana Davenport.

Andre

La verdad de las cosas no incumbía a nadie, salvo a Celestial y a mí.

El domingo anterior al funeral de Olive, en Eloe, fui a visitar la prisión mientras Celestial se quedaba con el padre de Roy. Digo «visitar» a falta de una palabra mejor. Quizá sería más exacto decir que fui a verle a él. Mientras nos comíamos tres bolsas de patatas fritas de la máquina, Roy me pidió que tomara su lugar en el entierro, la mañana del día siguiente, y cargase el féretro de su madre por él, desde el coche fúnebre hasta el altar. Acepté, aunque no me hizo mucha gracia. Un encargo así no es plato del gusto de nadie. Roy Padre había pedido a uno de los diáconos que se colocara en la parte posterior derecha. Ahora tendría que explicarle lo que Roy me había pedido y Roy Padre tendría que volver a hablar con el tipo. Cerramos el asunto con un apretón de manos, como si estuviéramos haciendo un negocio. Acto seguido, me levanté para marcharme, pero Roy no se movió de su sitio.

—Yo me quedo aquí hasta que termine la hora de visitas.

—¿Te vas a quedar ahí sentado sin más?

Roy frunció una de las comisuras de la boca.

—Se está mejor aquí que dentro. No me importa.

—Entonces, me quedo un poco más —dije yo, volviendo a sentarme en la silla de plástico.

—¿Ves a ese? —preguntó señalando con la barbilla hacia un tipo delgado con un peinado a lo Vanilla Ice y gafas tipo Malcolm X—. Es mi padre. Mi padre biológico. Lo he descubierto aquí.

Crucé una fugaz mirada con el hombre, que hablaba con una mujer morena y rellenita con un vestido estampado de flores.

—La ha conocido en los anuncios clasificados —explicó Roy.

—No estaba mirando a la mujer —aclaré—. Estoy flipando. ¿Es tu padre? ¿De verdad?

—Eso parece. —Se acercó entonces a mí, despacio, escudriñándome el rostro—. No lo sabías, entonces. No lo sabías.

—¿Cómo iba a saberlo?

—Celestial lo sabe, pero no te lo ha contado. Y si no te lo ha contado a ti, no se lo habrá contado a nadie…

Él parecía satisfecho, pero yo noté un aguijonazo por dentro. Entre un mosquito y una avispa.

—Te pareces a tu padre, ¿eh? —observé.

—Mi padre es Roy Padre. Con este tipo, Walter, me llevo bien, pero hubo un día en que se fue a por tabaco y no volvió. Ahora lo veo todos los días. —Agitó la cabeza—. Creo que debe de querer decir algo, dentro del contexto general de las cosas, pero no sé el qué.

Me quedé ahí sentado, en silencio. Me sentía incómodo con aquel traje gris, el mismo que llevaría en el velatorio, ese mismo día. No tenía ni idea de qué podría significar ese hallazgo de Roy. Los padres son seres complicados. Cuando yo tenía siete años, mi padre conoció a una mujer en una feria comercial, nos abandonó y fundó una nueva familia. Mi padre había recurrido a ese truco antes, enamorándose como un idiota de alguna extraña y amenazando con irse a vivir con ella. Su empresa —regentaba un almacén de hielo—

lo obligaba a viajar a ferias y convenciones, y en ellas le perdía la emoción. Obviamente, era un hombre apasionado. Cuando yo tenía tres años, se enredó con una mujer que trabajaba en el sector del hielo seco, pero ella no quiso dejar a su marido y mi padre volvió a casa con Evie y conmigo. Después de aquello, tuvo otros tres idilios, pero ninguno duró. Conoció en una feria en Denver a una chica que esculpía en hielo. Tras solo día y medio en su maravillosa compañía, volvió a casa, empaquetó todas sus cosas y se marchó para siempre. Tuvo con ella dos hijos, niño y niña, a los que vio crecer en familia.

Yo extendí las palmas de las manos inquisitivamente.

—Los caminos del Señor son inescrutables, ¿no? —dije.

—Sí, supongo —respondió él—. Mi madre ha muerto.

—Lo siento mucho, Roy.

Él sacudió la cabeza y se miró las manos.

—Muchas gracias, Andre. Por llevarla en mi lugar.

—Ya sabes que puedes contar conmigo.

—Dile a Celestial que la echo de menos. Dale las gracias a ella por cantar.

—Por supuesto —dije levantándome de nuevo de la silla.

—Dre —atajó—. No te lo tomes a mal. Celestial es mi mujer. No lo olvides. —Y a continuación dibujó una amplia sonrisa, abriendo la boca a la vez—. Es broma, tío. Dile que pregunté por ella.

*

Celestial no es el tipo de cantante que contratarías para una boda. Su madre es soprano y cuando canta parece que desafía a la ley de la gravedad, pero ella es una contralto de voz carrasposa, como de *whisky* y Marlboro. Ya de pequeña tenía una voz oscura como la noche. Su canto no suena especialmente delicado al oído; parece, más bien, que esté revelando un secreto que no debería.

Roy me pidió a mí cargar con el ataúd de su madre y a Celestial cantar un himno. Ella se dirigió al altar y tomó posición frente a todos los asistentes. No parecía ella. Se había alisado el pelo y llevaba un vestido azul marino que le había prestado Gloria y le daba un aire modesto. No era por rebajarse; al contrario, fue muy respetuoso de su parte no querer estar preciosa como de costumbre.

—Había dos cosas que Olive amaba —dijo al micrófono, que daba a su voz una resonancia fantasmagórica—. Amaba al Señor y amaba a su familia, especialmente a su hijo. La mayoría sabe por qué Roy no está presente. No está con nosotros ahora, pero no falta.

Celestial dio un par de pasos atrás. Los monaguillos se hicieron una seña y se aprestaron para salir a cogerla, temerosos de que fuera a desmayarse. Pero no, solo estaba alejándose un poco del micro porque su voz era demasiado potente.

Cantó *Jesus Promised Me a Home,* sin el embellecimiento que da el piano acompañante, mientras contemplaba el ataúd pasar ante ella. Mirando fijamente a Roy Padre, lo dio todo hasta que las mujeres se levantaron y alzaron sus abanicos, y los señores de la primera fila repitieron «Gracias, Señor». Con su canto, hirió y sanó a todos los fieles allí reunidos. «Si Él lo dijo, sé que es cierto.» No estaba tratando de pavonearse ni tampoco quería emocionar a la gente hasta las últimas consecuencias, pero entonó la melodía con una energía que conjuraba al Espíritu Santo o las emociones más mundanas. Por fin, Roy Padre bajó los hombros y dejó brotar un llanto vivificante. Yo tengo poco de teólogo, pero en aquel templo había Amor. Celestial había dicho que Roy no estaba ausente y, cuando terminó de cantar, ni un alma lo dudaba.

Celestial regresó al banco, a mi lado, agotada. La tomé de la mano. Apoyó la cabeza en mi hombro y dijo: «Quiero irme a casa».

Tras los discursos en memoria de Olive, en los que se dijo lo que suele decirse sobre las esposas y las madres y se citó el libro de Rut, llegó el turno de transportar el féretro. Roy Padre insistió en que la cargásemos con todas las formalidades: sobre los hombros y sin usar las manos. El empleado de la funeraria nos dio instrucciones como si fuera el director de una orquesta y, a su orden, los seis hombres nos colocamos el féretro de Olive sobre los hombros y emprendimos el camino, paso a paso, hacia el exterior del templo. No hay peso como el peso de un cuerpo. Se repartía entre seis hombres, pero yo me sentía completamente solo en mi labor. Con cada paso, el ataúd me golpeaba levemente el lateral de la cabeza, y, en un instante de superstición, me pregunté si no estaría quizá recibiendo un mensaje desde el otro lado.

Roy Padre, Celestial y yo fuimos en la limusina que conducía el hijo del sepulturero. Cuando nos preguntó si queríamos que pusiera el aire acondicionado, Roy Padre contestó: «No, Reggie. Prefiero aire fresco». Bajó entonces la ventanilla y dejó entrar la brisa, húmeda y espesa como la sangre. Yo me quedé muy quieto y me concentré en mi respiración. Celestial llevaba un perfume que olía a romance. Roy Padre saboreaba un caramelo de menta, de fragancia suave y fuerte a la vez. Celestial, sentada a mi izquierda, me dio la mano. Disfruté de su fresco tacto.

—Te agradecería que no hicieras eso —dijo Roy Padre. Ella retiró los dedos y yo sentí la mano vacía.

Tras unos kilómetros, el coche fúnebre encabezó el breve cortejo por un camino sin asfaltar, lleno de baches. El traqueteo desencadenó algo en el interior de Roy Padre, que dijo:

—Amo a Olive de una manera que vosotros los jóvenes no podríais imaginar. Fui el mejor marido y el mejor padre que supe ser. Ella me mostró lo que significa unirse a una mujer. Me enseñó a cuidar de un niño pequeño.

Yo hice un gesto con la mano.

—Desde luego, señor —dije, y Celestial tarareó una melodía que reconocí, pero cuyo título ignoraba. Ella parecía una persona distinta, más profunda y más ancha a la vez, como si fuese capaz de aprehender algo sobre la vida, la muerte y el amor que a mí me era desconocido aún.

En el cementerio, volvimos a cargar con el féretro. Mientras nos dirigíamos al sepulcro, me pregunté sorprendido cómo era posible que un pueblo tan pequeño como aquel hubiese acumulado tantos muertos. Cerca de la entrada se levantaban dos modernas lápidas de granito pulido, pero a lo lejos proliferaban otras más antiguas, erosionadas por el tiempo, de piedra calcárea, probablemente. En esta etapa del viaje de Olive, se nos dio permiso para usar las manos y así mantener el equilibrio más fácilmente. La colocamos por fin sobre las correas que servirían para hacer descender el ataúd a la zanja abierta en la tierra.

El pastor caminaba tras nosotros, entonando un himno. Habló de la corruptibilidad de los cuerpos y recordó que los gusanos no destruirían el alma de Olive, inmaculada e intocable. Todos repetimos lo de «polvo al polvo». La pequeña muchedumbre de dolientes apartó las coronas y lanzó flores sobre el féretro mientras los funcionarios del cementerio hacían descender poco a poco a Olive al subsuelo.

Roy Padre se había sentado bajo el palio de color verde instalado para la ocasión. Celestial, a su lado, trataba de consolarlo mientras emplazaban la cubierta de granito que sellaría la sepultura. Ella se enjugó los ojos con un pañuelo plegado; mientras, los funcionarios del cementerio empezaron a desenrollar el césped artificial que colocarían encima. Se detuvieron un momento, pues no querían poner en marcha el pequeño tractor que rellenaría de tierra el hueco sobrante hasta que los familiares se marchasen. Me turbó levemente pensar que los familiares éramos Celestial, Roy Padre y yo. Pero ahí estábamos.

Yo me puse en pie.

—Creo que es hora de marcharse, señor. Todo el mundo estará esperándonos en la iglesia.

Celestial también se puso en pie.

—Sí, todo el mundo estará allí.

—¿Cómo que «todo el mundo»? No puede ser «todo el mundo» si mi mujer no está.

A nuestras espaldas, los funcionarios del cementerio se mostraban ya inquietos. Querían hacer el trabajo para el que se los había contratado. Yo percibía el aroma de la sepultura, fértil y rancio, como el de la carnada de pescar. Por fin, Roy Padre se puso en pie y se dirigió a la sepultura como si fuera a coger un puñado de tierra y echarlo sobre el ataúd, que ya reposaba a dos metros bajo tierra, bajo una placa de granito. Celestial y yo lo seguimos de cerca y nos llevamos una sorpresa cuando lo vimos sentarse junto al agujero. Parecía dispuesto a quedarse ahí para siempre, como en una manifestación.

—¿Señor? —dijo Celestial.

Pero Roy Padre no dijo nada. Celestial lo imitó y se sentó también. Yo miré a un lado y a otro y quise comprobar si alguien nos echaría una mano para resolver la situación, pero los asistentes iban ya camino del ágape. Por fin, decidí hacer lo mismo que ella y me senté. La tierra estaba mojada y empapó la tela de mis pantalones. Los sepultureros cuchicheaban unos con otros en español.

Yo estaba sentado a su derecha, pero Roy Padre solo hablaba con Celestial. Le explicó que ahora era ella la mujer al cargo.

—Olive fue a ver al pequeño Roy todas las semanas, hasta que estuvo muy enferma y no pudo viajar. Estaba muy pendiente del trabajo que hacía el señor Banks. Lo llamaba todos los miércoles a la hora de comer. No sé exactamente lo que ha hecho hasta ahora, pero ella estuvo muy pendiente. Ahora ya no está, así que te tienes que encargar tú de ese trabajo, Celestial. Yo haré lo que pueda, por mi parte —explicó—. Pero un hombre necesita de los cuidados de una mujer.

Celestial asintió con los ojos bañados en lágrimas.

—Sí, señor —respondió—. Comprendo.

—¿Estás segura? —preguntó él a su vez, mirándola con ojos cansados—. Crees que lo sabes todo, pero eres demasiado joven, muchacha.

Yo me puse en pie y me sacudí el trasero. Extendí una mano para ayudar a Celestial a ponerse en pie y luego a Roy Padre.

—Señor, marchémonos. Dejemos que estos hombres hagan su trabajo.

Roy Padre se levantó, pero no aceptó mi ayuda. Es un tipo grande. A su lado, me sentí apenas un adolescente.

—Ese no es su trabajo —respondió—. Es el mío.

Y, a continuación, se dirigió a un árbol cercano y cogió una pala que había apoyada en el tronco. Roy Padre no era ya un joven, pero llenaba la pala con colmo y, así, fue echando tierra palada a palada en la sepultura. Jamás olvidaré el ruido de la tierra al caer.

Eché mano a la otra pala, pensando en Roy, convencido de que yo debía ser su sustituto. Roy Padre me pidió hoscamente que la soltara, aunque, a continuación, con tono más amable, dijo:

—Esto no es responsabilidad tuya. Sé que quieres hacer el trabajo por Roy, mi hijo, pero tampoco debería él encargarse. Aunque estuviera aquí. Esto es personal. Yo y mi esposa.

Debo cubrir su cuerpo con mis propias manos. Tú y Celestial id al Cadillac. Me reuniré con vosotros cuando haya hecho lo que debo hacer.

Lo obedecimos como si se tratara de nuestro propio padre. Nos alejamos caminando, caracoleando entre las lápidas, hasta que alcanzamos el coche, que esperaba en el camino. Abrimos la puerta y el conductor dio un respingo y se apresuró a apagar la música de baile que retumbaba en los altavoces. Cuando el coche empezó a alejarse, nos dimos la vuelta en el asiento y, como niños, tratamos de divisar a Roy Padre asomados al parabrisas trasero. Paleaba tierra sobre el ataúd de su esposa con la misma fuerza que martilleaba el John Henry del folklore sureño.

Celestial dejó escapar un suspiro.

—Jamás verás algo así en tu vida. Da igual cuántos años vivas.

—No quiero verlo.

—Hace tanto que Roy se fue... —susurró—. He hecho todo lo que se suponía que tenía que hacer. No he pensado en ningún otro hombre y mucho menos le he puesto a alguno la mano encima. Sin embargo, cuando he visto a su padre, ahí, ante la tumba de su esposa, he pensado que quizá yo me tomé el matrimonio como un juego. Que no sé lo que es comprometerse. —Y entonces Celestial lloró y me humedeció la camisa blanca, ya sucia—. No quiero volver a la iglesia. Quiero irme a casa.

La consolé con un susurro y me incliné hacia el conductor. En voz queda le dije:

—Escucha, este pueblo es muy pequeño. Por favor, no cuentes nada que pueda malinterpretarse, ¿de acuerdo?

Un cuarto de hora más tarde, entramos en la iglesia baptista de Cristo Rey, sucios como mineros del carbón, y disfrutamos de una comida digna de la realeza. La gente habló de nosotros, estoy convencido, pero todo el mundo se mostraba muy educado y no dejaban de servirnos ponche de frutas. Miré a Celestial a los ojos y supe que, como yo, lo que quería era un martini con vodka extraseco, pero conseguimos aguantar hasta el final del almuerzo, una retahíla de platos sureños que alimentaban tanto el cuerpo como el alma. Esperamos hasta que nos quedó claro que Roy Padre no iba a aparecer por allí.

*

Nos llevó un rato, pero por fin encontramos un bar abierto. Habría sido más rápido conducir cuarenta y cinco kilómetros hasta el casino, donde la bebida era barata y los camareros cargaban bien las copas. Sin embargo, cuando lo propuse, Celestial me atajó: «No, al casino no. No quiero pasar por delante de la cárcel».

—No pasa nada —acepté.

—¿Seguro? —inquirió Celestial—. En mi opinión es vergonzoso no ser capaz siquiera de mirar el alambre de espino detrás del cual Roy se ve obligado a hacer su vida. ¿Crees que lo quiero, Dre?

Yo no sabía qué responderle.

—Te casaste con él.

Ella giró la cara hacia la ventanilla y apoyó la frente en el vidrio. Yo rebusqué en el bolsillo de mi chaqueta y le entregué mi pañuelo, conduciendo con la otra mano y atento por si aparecía algún bar en el que poder apoltronarnos.

No es que en Eloe falte el alcohol, precisamente. Hay una licorería y una iglesia cada treinta metros. En cada esquina vimos ese día grupos de hombres empinando el codo con botellas en bolsas de papel. Si no encontrábamos algo pronto, compraríamos una botella de cualquier cosa y nos la beberíamos a medias como dos borrachines.

Al final, terminamos en un sitio llamado Earl Picard Saturday Nighter, un garito que parecía un 7-Eleven reconvertido. Elegimos dos taburetes un poco inestables y nos quedamos mirando cómo los perritos calientes daban vueltas en el horno de resistencia. Las ventanas estaban pintadas de negro, así que, aunque el reloj marcase las dos de la tarde, dentro eran perpetuamente las dos de la madrugada. No había casi nadie, aunque supongo que la gente con trabajo estaría trabajando y los parados no tiraban el dinero pagando por el alcohol de vaso en vaso. Cuando nos sentamos, la camarera levantó la mirada del libro que estaba leyendo con ayuda de una linterna.

—¿Qué les pongo? —preguntó colocando la linterna sobre la barra, de manera que un círculo de luz iluminó el techo.

No era aquel el tipo de sitio que tiene martini extraseco, así que Celestial pidió un destornillador. La camarera sirvió cuatro buenos dedos de Smirnoff en un vaso de plástico y luego abrió una botella de zumo. Rebuscó bajo la encimera y sacó un recipiente con cerezas, de las que ensartó un par en una espada de plástico en miniatura.

Bebimos sin brindar. Estábamos tan sucios que la bebida sabía a tierra.

—¿Crees que Roy Padre sigue ahí con la pala, o habrá dejado a los encargados trabajar?

—Sigue ahí, estoy convencida —contestó ella—. No va a dejar que la entierre un tractor —zanjó removiendo su bebida para enfriarla—. ¿Y Roy? ¿Cómo sigue?

—Estaba bien, creo. Me dijo que te dijera que te echa de menos.

—Sabes que lo quiero, ¿verdad, Dre? Su madre nunca lo creyó.

—Bueno, ella no te conocía, ¿verdad? Quizá creyera que nadie está a la altura de su hijo. Ya sabes cómo son las mamás negras.

—Póngame otra —pidió Celestial a la camarera, y esta mezcló de inmediato más vodka con zumo de naranja. Yo rebusqué en el bolsillo y pesqué algunas monedas de cuarto de dólar—. Detente, vaquera —le espeté—. Ve a poner algo a la máquina de discos.

Ella cogió las monedas y se dirigió al fondo del local con paso vacilante, como si caminase con las piernas de otra persona. Con la humedad ambiente, el pelo planchado empezaba a ondulársele tras las orejas. Los hombres sentados al final de la barra se fijaron en ella cuando se inclinó levemente para echar un vistazo a los discos.

—¿Es su esposa? —me preguntó la camarera con un brillo de coqueteo en los ojos.

—No —contesté—. Somos viejos amigos. Hemos venido a un funeral desde Atlanta.

—Oh, ¿el de Olive Hamilton?

Asentí con la cabeza.

—Qué triste. ¿Ella es su nuera?

Tuve la sensación de que la camarera ya conocía la respuesta a la pregunta. Ese brillo que había percibido no era más que curiosidad malsana de pueblo.

Cuando Celestial regresó, la camarera se retiró como abochornada. De repente, emergió desde la máquina de discos la voz de Prince: «I wanna be your lover».

—¿Recuerdas, en octavo curso, cuando creíamos que la letra decía «I want to be the only you cook for»?

—Nunca lo había pensado —dijo ella.

—¿Sabías en octavo lo que significaba *to come* en inglés?

—Sabía que era algo, y no precisamente *cocinar*.

Estuvimos callados un rato. Ella le siguió pegando al vodka barato y yo cambié a la cerveza y luego al Sprite.

—Ella me pegaba —dijo Celestial, haciendo sonar el cubito de hielo en el vaso—. La madre de Roy. Cuando en alguna ocasión yo pasaba fuera de casa demasiado tiempo, me abofeteaba. Una vez estábamos cenando con mis padres en el casino y esperó hasta que Gloria se levantó para ir al baño: en ese instante, sacó la mano y pum. —Celestial dio una palmada—. En toda la cara. A mí se me saltaron las lágrimas y ella me dijo: «Mira, niñita, si yo no lloro, tú tampoco lloras. Solo esta mañana, yo he sufrido más que tú en toda tu vida».

—¿Qué? —exclamé yo, acariciándole la mejilla—. Pero ¿cómo es posible? ¿Por qué?

—Por todo. Olive me hacía llorar a base de bofetadas. —Entonces, Celestial cubrió mi mano con la suya en su mejilla—. Durante todo el servicio del funeral, salvo cantando, me ha ardido la cara. Justo ahí. —Y se frotó entonces la mejilla con mi mano. Acto seguido, giró la cabeza y me besó la palma.

—Celestial, estás muy borracha, cariño —dije yo.

—No, no lo estoy —contestó buscando de nuevo mi mano—. Bueno, sí. Pero sigo siendo yo.

—Para —dije retirando la mano—. La gente del bar sabe quiénes somos.

Le dirigí una dura mirada, inclinando la cabeza hacia un lado.

—Ah, claro —dijo ella—. Esto sigue siendo un pueblo.

Yo hice un gesto reconviniéndola y ella bajó un poco el rostro.

—Una aldea, más bien.

Sonaron los Isley Brothers. Esas canciones tan lentas y tan retro tenían algo. Señores cantando sobre un tipo de devoción que dejó de estilarse hace tiempo.

—Siempre me gustó esta canción —le dije.

—¿Sabes por qué? —dijo Celestial—. Porque es la música con la que fuiste concebido. Les habla directamente a tus instintos más primarios.

—Prefiero no imaginar cómo fui concebido.

De repente, Celestial parecía algo sombría. Hizo girar un cubito de hielo con la punta de un dedo. Tenía la uña comida hasta la carne.

—Dre, estoy harta de esto. De todo esto. De este pueblucho. Estoy harta de mi familia política y de la cárcel. La cárcel no tenía por qué formar parte de mi vida. Estuve casada un año y medio, ya está. A Roy lo encarcelaron injustamente y mi padre sigue extendiendo cheques para pagar la ceremonia de mi boda.

—Yo nunca me acostumbré a que fueses la señora Hamilton —dije yo pidiendo la cuenta y dos vasos de agua con hielo.

Ella lanzó una mirada de hartazgo al techo.

—Cuando fuiste a verlo, ¿parecía enfadado conmigo? La última vez que estuve con él, me dijo que no le gustaba mi actitud, que parecía que iba obligada. —Colocó el vaso sobre la barra—. Y no le faltaba razón, pero ¿qué podía hacer yo? Trabajo como una loca en la tienda, luego tengo que conducir durante horas para llegar hasta aquí, pasar la noche con sus padres, a los que ni siquiera caigo bien… Y luego tengo que pasar por… —Agitó varios dedos, ahuyentando el pensamiento—. Tengo que pasar por todo eso, y ¿de repente no le parece que mi sonrisa sea lo suficientemente alegre? No, esto no es a lo que yo había apuntado.

Hablaba en serio, pero yo no pude evitar reír.

—Esto no es una actividad extraescolar. Creo que no es así como funciona.

—Ríete si quieres —replicó con ojos enojados—. ¿Sabes cómo me siento cuando estoy ahí dentro? Como una negra sin esperanza. No sabes lo que es esperar esa cola para entrar a verlo.

—Sí lo sé. La hice ayer.

—Para las mujeres es diferente. Te tratan como si estuvieras yendo a ver a tu chulo. Todo el mundo te mira con esa sonrisa sarcástica de desprecio. «Os lo tenéis merecido», te dicen con los ojos. Como si fueses tú la víctima y no tuvieses ni idea de por qué estás allí. Si intentas arreglarte y parecer respetable, es casi peor. Te tratan como si fueras idiota y te dan a entender que estás allí de visita porque eres idiota.

Chasqueó los dedos al ritmo de la música, como intentado despertar del hechizo que esos sentimientos le producían. Pero estaba tan bebida que no era capaz de meter sus emociones en cintura.

De haber estado solos, la habría abrazado y acariciado, pero sabía que ante los ojos de la camarera y los otros tres hombres no debía mover las manos de donde las tenía.

—Vámonos —propuse.

*

Las luces del exterior del hotel estaban apagadas, pero el aparcamiento del casino estaba repleto. Al parecer, esa noche sorteaban diez coches. Cuando estuvimos al resguardo de miradas indiscretas, tras las puertas del ascensor, me volví hacia ella.

Ella me rodeó el torso con los brazos. Pensé en nuestra niñez, cuando jugábamos a sacarnos el aire de los pulmones el uno al otro, apretando. Celestial olía a vodka, pero también a lavanda y a pino. La abracé hasta que llegamos al quinto piso, cuando, al abrirse las puertas, apareció una familia al completo. Esperaron pacientemente para entrar.

—Recién casados —explicó la madre.

Salimos del ascensor y nos quedamos en pie ante el pasillo que conducía a nuestras habitaciones.

—Todo el mundo ha pensado siempre que algún día tú y yo nos casaríamos —dijo ella.

—Estás borracha —repuse yo—. Muy borracha.

—No estoy de acuerdo. —Ella recorrió como pudo los pasos que la separaban de su habitación, metió la tarjeta en la ranura y parpadeó una luz verde—. No sé cómo estoy, pero borracha no. ¿Entras? ¿Quieres?

—Celestial —dije yo, aunque me noté caer lentamente hacia ella, como si alguien estuviera inclinando todo el planeta en esa dirección—. Soy yo, Dre. —Ella rio juguetona. Nadie habría dicho que veníamos de ver al padre de Roy enterrar a su madre con una pala de las antiguas. Ella reía como si nada malo hubiese ocurrido nunca.

—Yo también soy yo —dijo ella con una sonrisa—. Celestial.

Traté de corresponderla con una risa, pero mi boca no emitió ningún sonido. Habría sido una risa falsa y, cuando se trataba de Celestial, yo nunca simulaba.

Di un paso al otro lado del umbral de la puerta. Cuando la oí cerrarse a mis espaldas, pensé: «Se acabó». No caímos en los brazos del otro como en las películas, besándonos y tocándonos furiosamente. Los primeros momentos transcurrieron muy despacio. Nos limitamos a mirarnos el uno al otro, como cuando te dan un paquete que no sabes muy bien cómo abrir. Ella se sentó en la cama y yo la emulé. Me recordó a la otra ocasión en que cruzamos la línea, en la escuela secundaria. Entonces, como ahora, íbamos arreglados y estábamos extenuados. Aquella vez ocurrió en un sótano oscuro, aunque yo recuerdo aún el tacto de la tela arrugada de su vestido. En esta ocasión nos encontrábamos a plena luz. Su cabello flotaba en torno a su cabeza como un halo oscuro; a los dos nos ardía la boca por el alcohol y llevábamos la ropa manchada de la tierra del cementerio.

Me acerqué a ella y le peiné con los dedos la espesa mata de pelo.

—Siempre hemos estado uno al lado del otro —me dijo—. No de esta manera. Pero siempre.

Yo asentí con la cabeza.

—«I want to be the only one you cook for».

Nos reímos de verdad, juntos. Es en ese momento cuando tu vida cambia. Acudimos el uno al otro con alegría en los labios. Lo siguiente quizá no fuese vinculante desde el punto de vista legal: no hubo pastor ni testigos. Pero fue nuestro.

Roy

En Eloe, si querías saber quién debías ser, no tenías más que echar un vistazo a la Biblia familiar. Ahí, en la página en blanco anterior a «En el comienzo...», estaba todo lo que necesitas saber. Ahí figuraban las demás verdades del mundo, aunque muchas veces no por escrito. Aquellos registros familiares apócrifos pasaban de boca en boca. Por una parte, aparecían los parientes blancos, de los que se hablaba entre susurros, ruborizadamente a veces, otras con satisfacción, dependiendo de los detalles. A continuación, aparecía, de repente, una parte de la familia en el otro lado del espectro de color pero con la que había enfrentamientos por una parcela de tierra, por ejemplo. Yo era de los pocos en Eloe que no tenía familia más allá de mi padre y mi madre. Olive había nacido en Oklahoma City y teníamos familia allí, pero no los veíamos nunca. Roy Padre era de Howland, Texas, y pasó por Eloe durante un viaje a Jackson, en realidad. La Biblia familiar que hay en casa fue el regalo de boda de la casera de Roy Padre. Tras la cubierta forrada de cuero solo aparecen tres nombres y apellidos, manuscritos con la cuidadosa letra de Olive:
Roy McHenry Hamilton + Olive Ann Ingelman
Roy Othaniel Hamilton Jr.
Olive escribió el nombre de Celestial junto al mío, pero quedaba mucho espacio libre aún en la página, en el que de-

berían aparecer todos los Hamilton del futuro, conectados entre sí por líneas diagonales y guiones.

Davina Hardrick era distinta. En el pueblo vivía al menos una docena de negros apellidados Hardrick, y también unos cuantos Hardrik, sin la ce, que se cambiaron el apellido porque la familia se dividió en dos, como si de una congregación se tratase. Yo le envidiaba esas robustas raíces, tan gruesas que deformarían cualquier acera. Davina dijo que vivía en la casa de la señora Annie Mae, y yo intenté recordar qué relación mantenía con esta, qué línea de la Biblia la conectaba con ella. Recordé al abuelo de Davina, el señor Picard, ¿o era quizá su tío? Su familia era muy extensa, de eso sí me acuerdo. O, al menos, fui consciente cuando supe qué parentesco unía a cada uno de sus familiares con los demás.

Me topé de nuevo con Davina en Wal-Mart, cuando, después de salir de la cárcel, fui a comprar flores para mi madre. Davina llevaba un uniforme azul. Abrió el armario refrigerador de las flores y me ayudó a elegir un ramo porque yo no era capaz de decidirme. Envolvió mi compra en un papel blanquísimo y me preguntó si la recordaba de la escuela secundaria, aunque ella era un par de años mayor que yo. Me preguntó si me apetecería una comida casera y le dije que sí. Unas horas después, me encontraba ante una casa con tejado de tablillas de madera decorada por Navidad con espumillón y luces multicolores.

Subí los tres escalones de hormigón y me quedé de pie en el porche, que estaba levemente inclinado. Aquella casita debía de tener setenta u ochenta años de antigüedad. Probablemente la construyó el marido de la señora Annie Mae. Ese barrio era conocido como Hardwood y allí habían vivido los obreros de color de las fábricas, cuando había fábricas y cuando «de color» era un apelativo respetuoso. Toqué a la puerta, de la que colgaba un adorno navideño plateado, deseando casi haber llevado un sombrero para poder quitármelo.

—¡Hola! —saludó Davina a través de la puerta mosquitera con actitud hospitalaria. Llevaba un delantal navideño que resaltaba su tono de piel: era de un espléndido color chocolate con rojo por debajo, como un buen par de mocasines. Inclinó la cabeza a un lado y añadió—: ¡Tienes buen aspecto!

—Tú también —respondí. Salió a mi encuentro una vaharada de aroma especiado. Lo que más deseaba en el mundo en aquel momento era cruzar esa puerta.

—Te has adelantado —dijo con una escueta sonrisa. No parecía molesta, pero claramente quiso que lo supiera—. ¿Me das cinco minutos? Voy a arreglarme el pelo.

Y acto seguido cerró. Me senté en la escalera del porche a esperar. Cinco años a la sombra te enseñan a tener paciencia. Me quedé ahí unos minutos, pero en ningún momento giré la cabeza para mirar al edificio de ladrillo naranja que justamente tenía en mi diagonal: el tanatorio donde mi madre había sido velada. Me miré los dedos y pensé que se parecían mucho a los de Walter: nudosos, con callos amarillentos. Entré en prisión con manos de banquero y cuando salí parecía un albañil. Lo importante, en cualquier caso, era estar fuera. Otra cosa que se aprende en el trullo: centrarse en lo importante.

La calle Edwards era bastante tranquila. Una pandilla de niños trataba de pescar cangrejos de río con sedal y trozos de beicon en las zanjas inundadas que flanqueaban la calzada. A lo lejos, se veían luces de neón reflejadas en el escaparate de la licorería. Notaba también en el aire la leve vibración de los bajos de un altavoz. Aquel era mi pueblo. En sus calles me desollé las rodillas, en aquellas mismas esquinas había aprendido a ser un hombre. Pero no me sentía en casa.

*

Cuando Davina reapareció por fin, no llevaba ya el delantal y yo lo eché de menos. El vestido color burdeos que se había puesto, no obstante, resaltaba todo lo que de cautivador tiene un cuerpo femenino. En secundaria, ella tenía una silueta perfecta: era pequeña y tenía curvas, «chiquita pero matona», como solíamos bromear. Roy Padre me advirtió de que no me casara con una de esas chicas que a los quince están muy bien pero que a los treinta engordan. Pensando en Davina, la advertencia me pareció infantil y cruel. Sí, ella tenía busto y caderas de sobra, pero su aspecto era delicioso.

—¿Sigues casado? —preguntó desde el otro lado de la puerta mosquitera.

—No lo sé —respondí.

Ella sonrió e inclinó la cabeza a un lado, dejado ver un manojo de espumillón que se había colocado detrás de la oreja, como una gardenia.

—Vamos, entra —dijo—. La cena estará lista en un momento. ¿Quieres beber algo?

—¿Tú qué crees? —respondí yo, contemplando sus espléndidas curvas mientras subía los escalones hasta la puerta, que daba acceso a la cocina.

El viejo yo —y no me refiero al yo de antes de entrar en prisión, sino a otro mucho anterior a mi relación con Celestial, el yo de mis veintipocos que se llevaba a las mujeres de calle— habría sabido qué decir. En esa época sabía muy bien cómo centrar la atención. «La mente en el dinero y el dinero en la mente», solía decir para mis adentros, independientemente de que el asunto tuviera o no que ver con dinero. Las cosas, de una en una. Así es como se gana. Y, sin embargo, ahí estaba yo, frente a una mujer estupenda, pero pensando en una esposa con la que llevaba dos años sin hablar.

Durante mi matrimonio no fui ningún ángel. Cometí errores y herí sensibilidades, como aquella vez que Celestial encontró un recibo por la compra de dos piezas de lencería, de las cuales solo le había regalado una por su cumpleaños. No es que se volviera loca, pero ya apuntaba maneras. Le dije: «Celestial, solo te quiero a ti». Aquello no explicaba necesariamente el trocito de papel que sostenía en la mano, pero era la pura verdad y supongo que ella así lo entendió.

Estaba sentado en el salón de Davina, bebiendo la copa que ella me había servido, pero no podía quitarme el rostro de Celestial de la cabeza, su aroma, su voz. Sin embargo, miraba a Davina y se me hacía la boca agua.

—¿Cuándo murió la señora Annie Mae? —le pregunté—. Era una mujer estupenda. Recuerdo que vendía pepinillos en vinagre a diez centavos la unidad, cuando éramos pequeños. ¿Te acuerdas tú?

—Murió hace cuatro años. Me sorprendió que me lo dejase todo a mí, aunque es cierto que siempre estuvimos muy unidas. Su hijo vive en Houston. Se llama Wofford, ¿te acuerdas de él?

Sí que lo recordaba; era un chaval del pueblo al que empezó a irle bien en la vida y llegó a hacerse famoso. Una vez vino a nuestra clase de secundaria para animarnos a que no dejáramos los estudios, alertarnos contra el crac y pedirnos a los chicos que no dejáramos embarazadas a las chicas.

—Sí, sí que me acuerdo.

Davina esbozó una media sonrisa.

—Ahora que Annie Mae no está, imagino que no volveremos a verlo por el pueblo —dijo haciendo un ademán con la cabeza—. Mi padre también era así. Antes de que yo cumpliera cinco años, ya iba camino de Dallas.

—No sabes realmente por qué se tuvo que marchar.

Davina volvió a sonreír, una sonrisa sincera con la que apreciaba que le diese un optimista beneficio de la duda.

—Lo único que sé es que no está. La misma historia estúpida que todo el mundo cuenta.

—No digas que fue estúpida —argumenté yo—. Los hombres tienen sus razones.

Ella me chistó.

—No has venido a mi casa para hablar de mi padre, ¿verdad?

Y en su pregunta reverberó otra pregunta más. Las mujeres saben muy bien preguntar más cosas de las que quieren saber.

—Qué bien huele la comida —dije, tratando de alegrar el ambiente—. Las mujeres de Luisiana. Salís todas del vientre de vuestras madres con una sartén en la mano.

Deseé que sobre la mesa nos esperase una buena fuente de las judías de careta que crecían en la planta que separaba el jardín de Davina del jardín del vecino. Cuando era pequeño, en esa casa vivía el señor Fontenot, mi profesor de idiomas. Yo terminé apuntándome a francés por accidente. Era el único negro de la clase, así que hice buenas migas con el profesor, que también lo era.

Fue él quien me habló del Club de Francés. Me contó que sus miembros se reunían después de clase y practicaban el idioma para el viaje de diez días que iban a hacer a París. Pregunté al señor Fontenot si en París había negros y él me contestó: «Hay negros de fabricación nacional y también importados». También me prestó *Ve y dilo en la montaña*, la novela de James Baldwin, la cual no tenía nada que ver con Francia, aunque me aseguró que el autor vivía en ese país. Leí la contraportada y estudié el rostro triste e inteligente de Baldwin. «Aprende el idioma —dijo el señor Fontenot— y yo te ayudaré a pagar el viaje.» Ocurrieron, sin embargo, tres cosas: yo habría sido el único niño negro del grupo. «Si algo se tuerce durante el viaje, será tu palabra contra la de ellos», me advirtió Roy Padre. Por otro lado, estaba el dinero: aun con la ayuda del señor Fontenot, habría tenido que pagar setecientos cincuenta dólares. Por eso no iban niños negros a ese tipo de viajes. Y, por fin, la última razón era el propio señor Fontenot.

Cuando me habló de *Ve y dilo en la montaña*, no dijo una palabra de que Jimmy fuese homosexual. «Jimmy» es como llamaba el señor Fontenot a Baldwin, como si se conocieran. Según el señor Fontenot, Jimmy empezó a guardar sus escritos para la posteridad cuando tenía solo once años, porque estaba convencido de que iba a ser importante y tenía que «documentar toda su trayectoria». Recuerdo que me regaló un cuadernito negro. «Deberías escribir un diario para la posteridad», me dijo. «Cuando consigas marcharte de este pueblo, la gente querrá saber cómo lo hiciste.» Fue ese diario lo que echó por tierra todos mis planes. A Roy Padre no le gustó nada aquella idea y a mi madre tampoco. Eloe es un pueblo pequeño, claustrofóbico y cruel a veces. No le llevó más de un par de llamadas telefónicas a mi padre averiguar que el señor Fontenot era «rarito». De ningún modo iba yo a viajar a París bajo su patronazgo.

—¿Qué es del señor Fontenot? —pregunté.

—Murió a principios de los noventa —dijo Davina.

—¿De qué?

—Te lo puedes imaginar —zanjó—. Vamos, tienes que comer.

Me levanté y me dirigí a la mesa de comedor. Era ovalada, muy parecida a la que había en mi casa cuando era niño, y podrían comer en ella seis personas fácilmente. Arrastré la silla y estaba a punto de sentarme en ella cuando Davina me preguntó si no quería lavarme las manos. Algo abochornado, pregunté por el aseo. Me enjaboné profusamente con un jabón que olía a chica. Noté entonces un leve pinchazo de enojo bajo la mandíbula, pero me eché agua en la cara hasta que se me pasó. Doblé la cabeza junto al grifo, me llené la boca de esa agua dulce y bebí. Llevaba mucho tiempo sin mirarme en un espejo de verdad y ahora no había manera de huir del reflejo. Tenía la frente arrugada, como el abanico que Olive llevaba en el bolso, pero al menos estaba afeitado y me sentía limpio. En cuanto me recuperase económicamente, visitaría al dentista para que me pusiera una funda. Me sequé con una esponjosa toalla marrón que colgaba junto al lavabo y regresé a la mesa, sobre la que Davina había dispuesto un auténtico festival gastronómico.

Era un banquete de dimensiones bíblicas. Chuletas de cerdo bañadas en salsa de carne, macarrones con queso gratinados y relucientes por la mantequilla, puré de patatas en una fuente azul de franjas y, junto a él, una pirámide de los panecillos blancos que también Olive solía cocer y que se deshacían en trozos mantecosos al apretarlos. En otra fuente, esta plateada, se amontonaban las judías de careta que tanto me habían apetecido.

—¿Quieres bendecir la mesa tú? —propuso Davina alargando la mano para tomar la mía.

Cerré los ojos e incliné la cabeza, pero no pude pasar del «Oh, Señor». Empezó a picarme la garganta y tuve que tomar aire dos veces profundamente para recuperar el habla. Cerré los ojos con fuerza y tragué saliva, tratando de empujar hacia abajo aquello que parecía subirme por dentro, queriendo salir.

—Oh, Señor —dijo Davina, relevándome—. Gracias por estos alimentos que nutrirán nuestros cuerpos. Te damos las gracias porque nos podamos hacer Roy y yo compañía mutuamente. En el nombre de tu hijo, Jesucristo, amén.

Ella me apretó la mano coincidiendo con el «amén», como marcando el punto final de la oración. Yo no la solté, aunque ella trató de retirarla, hasta que acerté a decir:

—Benditas sean las manos que los han cocinado.

*

Davina sirvió un poco de cada cosa en mi plato y yo traté de verme a mí mismo desde fuera: un tipo recién salido de la cárcel que a punto estaba de darse un atracón de chuletas de cerdo. Me sentía como el protagonista de un chiste o una anécdota y noté que era más consciente que nunca de mi situación en ese corporativo país nuestro. Davina me colocó el plato ante las narices. No recordé hasta el último instante lo que eran los modales, pero no toqué el tenedor hasta que ella cogió el suyo.

—*Bon appétit* —dijo esbozando una breve sonrisa.

Le deseé lo mismo y recordé a Celestial, que siempre decía justamente eso antes de comer, en todas las comidas, incluido el desayuno.

Yo estaba peleándome con una segunda ración de comida y un tercer vaso de la dulce limonada que Davina había preparado cuando esta hizo de nuevo, con un tono indiferente de más, la misma pregunta que había hecho poco antes.

—¿Sigues casado?

Terminé de masticar lentamente, tragué y di un trago a la limonada.

—¿Qué quieres que conteste? No puedo decirte mucho: estaba casado cuando entré y mi mujer no se ha divorciado de mí.

—Eso suena a razonamiento tipo pescadilla que se muerde la cola. Muy propio de abogados.

Ella se hizo por un instante la ofendida, como si hubiera ido a su casa a cenar bajo una falsa premisa. Inspiré profundamente y traté de transmitirle toda la verdad que creía llevar en mi interior.

—Hace dos años que no la veo. Desde que murió mi madre.

—¿Hablas con ella por teléfono?

—Últimamente no —dije—. ¿Y tú? ¿Estás con alguien?

Ella miró alrededor.

—¿Tú ves a alguien?

Dejamos el asunto pasar, satisfechos ambos con las respuestas obtenidas del otro.

*

Cuando hubimos terminado de comer, me puse de pie de un respingo para ayudar a quitar la mesa. Limpié los platos y los apilé en el fregadero. Davina me sonrió como se le sonríe a un niño pequeño que intenta hacer cosas de adultos, como tocar el piano.

—No te preocupes por los platos. Eres el invitado.

Juro por Dios que no había ido a casa de Davina para acostarme con ella. Juro por Dios que aquel no era el plan. ¿Lo había deseado nada más entrar en la casa? Mentiría si dijese que no tenía ganas de hacer el amor. Walter me advirtió sobre ello, pero es que anhelaba muchas cosas de la vida, en general. Desde que me marché a estudiar a la universidad, por ejemplo, anhelé volver a probar la cocina de mi madre. Davina Hardrick me había invitado a cenar. Si todo quedase en la cena, me marcharía de allí con más de lo que llegué.

—¿Quieres café? —ofreció.

Negué con la cabeza.

—¿Otro trago?

—Sí —dije, y ella me sirvió otro combinado, pero menos cargado.

—No quiero que te multen —dijo, y yo me sentí un poco decepcionado por que estuviera ya pensando en que me fuera—. ¿Puedo preguntarte algo sobre tu vida en la cárcel?

—Sabes que no soy culpable.

—Sí, lo sé. No hay nadie en Eloe que crea lo contrario. Un negro en el momento más inapropiado. La policía se trae asuntos muy turbios entre manos. Por eso está todo el mundo entre rejas.

Como muestra de respeto, levanté mi copa y me la terminé de un solo trago, que me ardió en la garganta. Extendí el brazo, ofreciéndole el vaso vacío a Davina.

—Una pregunta —dijo ella con un repentino tono serio. Me preparé para otra pregunta sobre Celestial.

—Adelante.

—¿Conociste en la cárcel a un tipo que se llama Antoine Guillory? Antoine Fredrick Guillory.

—¿Por qué? ¿Es tu novio?

Ella negó con la cabeza.

—No. Es mi hijo.

—No —respondí con voz consternada. Si era hijo suyo, no podía tener más de diecisiete o dieciocho años—. No, no he conocido a nadie con ese nombre.

—Le llaman Saltamontes.

El apodo sí me sonaba. Saltamontes no era el preso más joven, pero tenía, en cualquier caso, pocos años para estar en la prisión de adultos. Era demasiado frágil, demasiado mono. Recuerdo que le pintaban los labios de rojo y le alisaban el pelo con lejía artesana.

—No lo conozco —repetí.

—¿Estás seguro?

—Estoy seguro —mentí—. No me suena de nada ese apodo. —Extendí el brazo de nuevo—. ¿Por favor, señora?

Ella negó con la cabeza.

—No, señor. No te voy a poner más. Por tu propio bien.

—Muchacha, me dan igual las multas. He venido andando. Este pueblo se cruza en un minuto.

—Roy —continuó—, han cambiado muchas cosas. No es buena idea andar por el pueblo a las tantas de la noche. No sé qué es peor, la policía o algunos vecinos. A Saltamontes lo detuvieron acusado de tenencia de armas, pero no hizo más que intentar defenderse. Tenía dieciséis años y presentaron cargos contra él como si fuera adulto.

—Confía en mí. No tengo ningún miedo. ¿Sabes dónde he estado los últimos cinco años? —pregunté, y en esa ocasión fue una carcajada lo que me raspó la garganta—. ¿Crees que me da miedo que algún chalado de pueblo quiera darme un susto desde detrás de un matorral?

—Si ese chalado tiene una pistola, quizá. —Acto seguido, me dio una palmada en un brazo y me dedicó una sonrisa de autenticidad, marcada por un hoyuelo a cada lado—. ¡El chalado aquí eres tú! Te pongo la última. Pero poco cargada.

—Ponte tú también una. No me gusta beber solo.

Davina regresó con las bebidas, que había servido en dos pequeños vasos, como los que mamá utilizaba para el zumo de naranja.

—Me he quedado sin hielo —dijo. Alcé el vaso y brindamos sin brindar por nada en concreto, y apuramos los tragos hasta el final, como si fueran chupitos. Me sentó de lujo y me hizo recordar mi primer empleo; en la fiesta de Navidad de la empresa, los blancos sacaron alcoholes de los caros y nos los bebimos como agua, como si el dinero no fuera a acabarse nunca.

Davina se levantó y puso un poco de música: algo de Frankie Beverly sobre la felicidad. De camino de vuelta al sofá chasqueó los dedos un par de veces. Se dejó caer sobre los cojines y se acomodó, cimbreándose, haciendo resaltar las curvas de su cuerpo.

—Eh... —dijo, jugando imperceptiblemente con el tono de voz.

Decir que el *whisky* no la hacía guapa sería mentir. Davina no era una chavalita ya y yo tampoco era un joven ejecutivo. Pero, en nuestro caso, tuvimos y retuvimos, creo. Davina era todo lo que echaba de menos desde hacía mucho tiempo materializado en una cálida carne achocolatada.

—¿Estás bien?

Negué con la cabeza, porque no podía hacer otra cosa.

—¿Qué te pasa?

Volví a negar.

—No pasa nada —dijo Davina—. Vuelve a casa. Los regresos son siempre muy cansados.

Lo dijo como si yo acabara de llegar de la guerra o me hubiesen dado el alta en el hospital.

En un movimiento suave, como de bibliotecaria, Davina se llevó la mano a los labios y yo me incliné hacia ella, siguiendo su movimiento. Celestial —no pude evitar pensar en ella— no es una mujer pequeña; tiene los huesos anchos y complexión voluminosa, pero no tiene la piel tan suave como la de Davina, que se sentía como una bata de hotel de cinco estrellas. Traté de contenerme, porque no quería echarme encima de ella como un cavernícola. Todos y cada uno de los segundos que resistí sin quitarme ropa fueron un auténtico milagro. Cuando solté por fin amarras, la besé hondamente, metiéndole la lengua en la boca, buscando el sabor especiado del *whisky*. Me gustó. Ella paseó por todo mi cuerpo los dedos, delicados como luciérnagas. Sus manos parecían querer sanar, como las de un predicador de pacotilla. Se abrió paso bajo mi camisa y el tacto de sus palmas frías sobre mi espalda ardiente fue eléctrico.

Fuimos al dormitorio, pero no nos desvestimos. Cada uno se quitó la ropa en su propio rincón oscuro. Davina colgó el vestido en el armario con un entrechocar de perchas y acto seguido se deslizó bajo las sábanas junto a mí. Olía a *whisky* y a crema hidratante de coco. Se dio la vuelta y acercó su cabello a mi cara. Yo noté la textura gomosa de los mechones, pero me retiré porque no quería tocar nada que no fuese real. Quería frotarme contra algo que respirase. Moría por algo vivo. Ella levantó una pierna y apoyó el muslo sobre mi cadera.

—¿Estás bien? —susurró.

—Sí. ¿Y tú?

—Estoy bien.

—Siento lo de tu hijo.

—Siento lo de tu madre.

Para gente normal, hablar sobre seres queridos desaparecidos en un momento apagaría la pasión, pero para mí fue gasolina y un chorro de oxígeno puro. La besé otra vez y me coloqué sobre ella. Estudiado su perfil en la oscuridad, sentí la necesidad de explicarme de nuevo. ¿Cómo podría decirle que no quería follar con ella como follaría cualquier tipo recién salido de la cárcel? Quería hacerlo como un hombre que ha ido a visitar a su mujer. Quería hacerlo como el tipo del pueblo al que le ha ido bien y vuelve a casa. Quería follar como si tuviera dinero todavía, una oficina bonita, zapatos italianos y reloj de acero inoxidable. ¿Cómo explicar a una mujer que quieres follar con ella como un ser humano?

No es que estuviera atemorizado, pero me quedé ahí, por encima de ella, sosteniéndome con los antebrazos, sin saber muy bien cuál debía ser el paso siguiente. Quería darle placer, no hacer que gritase mi nombre en voz alta ni machadas por el estilo. Quería dejar una buena impresión. Había dicho que no creía que yo hubiese violado a aquella mujer en Piney Woods, pero ¿le quedaría alguna mínima duda? ¿Esa segunda lectura que todas las historias supuestamente tienen?

—Cariño —dijo Davina cruzando los brazos por detrás de mi espalda y apretándome contra ella. Tiré de memoria corporal y con las rodillas separé sus muslos, pero ella se escabulló y se colocó de perfil, frente a mí. Me puso la yema del dedo índice en el pecho y me invitó a tumbarme bocarriba—. Todavía no —dijo volviéndome a empujar suavemente con la palma cuando traté de incorporarme e ir a su encuentro.

Davina me cuidó. Es la única manera que tengo de describir lo que pasó esa noche. Dos días después de que saliera en libertad, me tumbó en su cama y me cuidó. Con las manos y con los labios tocó todo mi cuerpo y no dejó un solo rodal de piel sin amar. Se movió por encima de mí, por debajo y quizá también a través. Las partes de mi cuerpo que no recibían su amor a cada instante se incendiaban, esperando atraer su atención lo antes posible. Uno no sabe lo que necesita hasta que alguien se lo da a manos llenas y tal y como necesita que se lo den.

En un momento dado, su cuerpo se entretejió con el mío de manera que uno de sus pies quedó al alcance de mi boca. Lo besé. ¿Cómo era posible que alguien criado en Eloe tuviera esos pies de bebé? No lo sabía. Celestial también tenía pies suaves. El recuerdo de mi esposa removió algo dentro de mí y di un respingo, como si acabara de despertarme de una pesadilla. Davina se detuvo y vi la poca luz que había en la habitación reflejada en sus ojos.

—¿Estás bien? —me preguntó.

—No, no.

—Ven aquí —dijo ella tumbándose bocarriba y extendiendo los brazos.

Me llamó entonces «cariño» como solo algunas mujeres saben hacer, como si hablara un idioma de una sola palabra que tuviese el significado justo y necesario en cada momento. Entonces significó una invitación. Un «por favor». Me rodeó la cintura con los muslos y yo me aferré a ella, porque mi vida dependía de ello.

—Cariño... —repitió.

—¿Tienes un condón?

—Creo que sí. En el armarito de las medicinas.

—¿En el baño?

—Sí.

—¿Tengo que ponérmelo? —Davina guardó silencio en la oscuridad. Yo me incorporé un poco y traté de verle la cara, pero la luz de la luna no llegaba a iluminarla—. Si quieres, me levanto y lo cojo —prometí, pero enseguida volví a besarla, mordiéndole suavemente el labio inferior—. ¿Hace falta? —Estaba rogándole, aunque quizá no se diera cuenta. Moría por hacerlo así, por sentir el tacto con otra persona, sin plástico de por medio. De igual forma, necesitaba tocar su pelo auténtico, que crecía ya rizadísimo en la nuca. Aquella era la diferencia entre hablar por teléfono y hablar notando el aliento del otro—. Por favor —me oí a mí mismo suplicar—. Me saldré a tiempo. Lo prometo. Por favor. —Seguíamos tocándonos. Ella no me apartó y tampoco cerró las rodillas—. Por favor, cariño —repetí. Era yo quien hablaba ahora el idioma secreto.

—No pasa nada —dijo por fin—. No pasa nada, cariño. Es seguro.

Celestial

Gloria me enseñó a rezar cuando tenía yo tres años. Recuerdo que se arrodilló a mi lado y me enseñó a colocar las manos extendidas bajo la barbilla, una contra otra, como un querubín. Mi padre no era devoto, pero ella sí. Hay cierto tipo de mujer cristiana incapaz de resistirse ante un hombre no creyente, cuya alma tratará siempre de salvaguardar. A veces me gustaría ser como ella, haber nacido para salvar a un hombre. Podría, en ese caso, seguir el rastro de miguitas dejado por mi madre.

—Bendice mi cama, que me voy a acostar.

Gloria casi cantaba el último verso de aquella oración y yo, como un eco, lo repetía con mi voz de niña pequeña, con los ojos apretados muy fuerte. Luego, mi madre apostillaba: «Rezo a Dios por que mi alma lleve», y yo abría los ojos y le preguntaba qué quería decir eso. Ella me contestaba que era voluntad de Dios el que despertáramos a la mañana para disfrutar de otro día de vida. Y había que rogarle que, si morías durante la noche, llevase con Él tu alma al Cielo. O así lo entendí yo entonces, al menos. Acongojada, me quedaba en mi cama con dosel sin querer siquiera guiñar un ojo por temor a caer en el sueño eterno.

Todas las noches seguíamos el mismo ritual. Cantábamos juntas y, cuando ella se arrodillaba a mi lado, yo rezaba, tal y como ella esperaba que hiciese. Cuando se marchaba, yo me retractaba, negociando con el Altísimo para que no se llevara mi alma.

En algún lugar había leído que, hasta los doce años, todos tus pecados se les cobran a tus progenitores, especialmente al padre. A partir de esa edad, los quebrantamientos de la ley divina pasan a la cuenta personal. Cuando tuve poder de decisión en el asunto, empecé a no acompañar a mi madre a los servicios, prefiriendo la cómoda compañía de mi padre. Pero sigo rezando como siempre.

Cuando vivía sola, rezaba en voz alta, pero ahora comparto dormitorio con Andre, así que me limito a mover los labios. Rezo por Roy. Pido por su seguridad. Ruego que me perdone, si bien, con el corazón en la mano, sé que no he hecho nada malo. Rezo también por Andre y le pido que me perdone por pedir perdón. Rezo por mi padre y rezo por averiguar un día cómo ser de nuevo su hija.

Mi madre me enseñó que a Dios no se le puede ocultar ningún secreto. Él conoce nuestro sentir más oculto, porque Él lo creó. Cuando confiesas tus pecados, Él te bendice por tu valor. Te bendecirá por tu humildad. Te bendecirá porque te arrodillas ante él.

Dios debe de saber que en el fondo de mi joyero forrado de fieltro está el diente que le falta a Roy. Una mujer sabría qué hacer con un diente; hasta yo, que no tengo ningún talento para lo invisible, soy capaz de sentir su energía fulgurante de cometa en la palma de la mano. Sin embargo, no tengo modo de convocar ni embridar este poder para mi provecho.

Roy

Pasé con Davina Hardrick treinta y seis horas seguidas en la que había sido la casa de la señora Annie Mae. ¿Quién habría imaginado que una chica a la que apenas conocía en secundaria me haría casi olvidar el camino de vuelta a mi casa? Salí de su cama porque me echó. Tenía que ir a trabajar. Lo bien que se le daba la cocina y lo bien que se le daba la cama serían razones suficientes para quedarme allí por siempre jamás. Cuando por fin aparecí por casa, vestido con la ropa arrugada que había llevado (puesta o no) durante el día y medio anterior, Roy Padre me estaba esperando en el porche. Las dos sillas de mimbre estilo Huey Newton estaban vacías y él se había sentado en el suelo de hormigón, con los pies colgando entre los macizos de flores. Tenía la mano izquierda enroscada en torno a una taza amarilla en que mi madre solía tomarse el café y con la otra agarraba un bollo de miel que comía sin haberlo sacado del todo del envoltorio.

—¡Pero si sigues vivo!

—Sí, señor —dije enfilando las escaleras—. Vivito y coleando.

Roy Padre enarcó las cejas exageradamente.

—¿Cómo se llama la chica, a ver?

—He jurado guardar el secreto. He de proteger a la inocente.

—Mientras no esté casada… No me haría ninguna gracia que después de todo lo que has pasado alguien te pegue un tiro por un lío de faldas.

—Tienes razón. Mi historia es lo suficientemente trágica tal cual.

—Hay café hecho. En la hornilla —dijo señalando con la cabeza la puerta de entrada de la casa.

Me serví una taza, regresé al porche y me senté junto a mi padre. Contemplé la calle en toda su longitud, hacia un extremo y hacia el otro, y pensé en mí mismo, hábito que había adquirido en la cárcel. Te sientas, en cualquier lugar, y piensas dónde quieres estar y con quién quieres estar. En lo que te gustaría comer. A veces, me pasaba veinte minutos pensando en aceitunas de las griegas y en los platos a los que se las echaría. Ahora pensaba en Davina y me preguntaba si podría volver a verla esa noche.

¿Estaba traicionando a Celestial, o más bien al recuerdo que tenía de ella? Supongo que un hombre en mi posición debería recibir cierto tipo de consideración especial. No diré que Davina Hardrick me salvó la vida con sus muslos prietos y sus «cariño mío», pero hubo algo mío que supo rescatar. Quizá no la vida, pero sí el alma.

Roy Padre habló con los labios pegados al borde de la taza.

—Tienes que aprender a usar el teléfono, hijo mío. No puedes desaparecer sin más. Al menos, no recién salido de la cárcel.

Noté como la musculatura de mis hombros se contraía al hundir la barbilla en el pecho.

—Lo siento, papá. No lo pensé.

—Tienes que acordarte de pensar en los demás.

—Lo sé —respondí dando otro sorbo al café. Mi padre me ofreció la mitad del bollo de miel. La partí en dos trozos y me metí uno en la boca. Saboreé su dulzor—. Tengo que acostumbrarme de nuevo a ser yo.

—Debes ponerte en contacto con tu esposa hoy mismo. Debes contarle —dijo Roy Padre.

—¿Contarle el qué?

—No tienes por qué decirle nada que tenga que ver con la sonrisa de bobalicón que traes. Pero debes decirle que estás de vuelta. Confía en mí, hijo. La mujer con la que has estado puede parecerte especial ahora mismo, quienquiera que sea. Pero no es tu esposa.

Levanté las manos en el aire, exculpándome.

—Ya lo sé. Ya lo sé.

No había vivido ni una brizna de felicidad en cinco años y ahora mi padre no quería dejarme retozar en la hierba un rato.

—De todos modos, espera a que habléis tranquilamente y pongáis todo en orden —añadió.

Tenía razón. Debía hacer planes para volver a Atlanta, ver a Celestial cara a cara y preguntarle si seguíamos casados o no. Una parte de mí decía que, si era necesario preguntarlo, la respuesta era sin duda negativa. Quizá me estaba metiendo en un lío. Habían pasado dos años sin visitas ni cartas. El mensaje parecía bastante claro, ¿qué necesidad había de oírlo de su boca? Eso haría daño. Y no sería una herida limpia, precisamente. Sería más bien la mordedura de un perro.

En cualquier caso, había un hecho tan simple como indiscutible: no se había divorciado de mí. Y si no lo había oficializado era porque no quería. Aquel argumento pesaba. Además, las mordeduras de perro se curan. Como cualquier otra herida.

*

Cuando el teléfono sonó, yo no tenía puestos más que los calzoncillos. La antigualla resonaba en la pared con un timbrazo metálico.

—Dile a Wickliffe que le espero en el porche —gritó Roy Padre desde fuera.

Entré de puntillas en la cocina, descalzo y medio desnudo, cogí el teléfono y dije:

—Está esperándote en el porche.

—¿Perdón? —dijo un tipo al otro lado del hilo.

—Lo siento. ¿Hola? Está usted hablando con la residencia de los Hamilton.

—Roy, ¿eres tú? —preguntó el interlocutor.

—Soy Roy Hijo. ¿Quiere hablar con mi padre?

—Roy, soy Andre. ¿Qué estás haciendo ahí? ¡Pensaba que no salías hasta el miércoles!

La última vez que vi a Dre llevaba el traje gris que luciría también en el funeral de Olive. Recuerdo a la muchedumbre que llenaba la sala de visitas mirarnos mientras charlábamos, tratando de deducir cuál era nuestra relación. Yo sé muy bien cuál era mi indumentaria: chándal gastado y piel negra, como el resto de los que estábamos en el trullo. Lo demás eran detalles. Dre no parecía precisamente un abogado con ese traje; hacía pensar más bien en un músico que se hubiera afincado en Europa porque «la peña en América no pilla el *jazz*».

Me alegré de verlo aquella vez. Dre era mi colega. Fue él quien me presentó a Celestial, si bien nuestra relación no emprendería el vuelo hasta mucho más tarde. Cuando nos casamos, él estaba a mi izquierda y firmó con su nombre. Y aquel día, el último de Olive sobre esta tierra, fue a visitarme.

—¿Cargarás con su féretro en mi lugar? —le pregunté.

Dre tomó aire profundamente y asintió con la cabeza.

Duele el solo recordarlo, pero cuando aceptó me sentí agradecido y furioso a la vez.

—Te aprecio mucho —añadí.

Él quitó importancia a mis palabras con sus dedos de pianista.

—Siento mucho todo esto. Ya sabes, Banks sigue trabajando...

Fue mi turno entonces de tranquilizarlo.

—Que le den a Banks. Aunque me sacara de aquí mañana mismo, sería demasiado tarde. Mi madre ya está muerta.

*

Al escuchar su voz de nuevo, sentí la misma mezcla de vergüenza y rabia que se adueñó de mí cuando aceptó llevar el ataúd de Olive. Me picó la garganta y tuve que carraspear dos veces antes de hablar.

—¿Qué pasa, Dre? Me alegro de oírte.

—Igualmente, tío —dijo—. Pero, oye, ¡te has adelantado! ¡No te esperábamos hasta dentro de unos días!

¿«Esperábamos»? ¿Quiénes?

—Los papeleos, ya sabes —expliqué—. Cosas de la burocracia. Hubo alguien del Departamento de Penitenciarías que dijo que me tocaba salir antes, así que me sacaron.

—¡Bueno, genial! —respondió Dre—. ¿Has hablado con Celestial?

—Todavía no —respondí.

—De acuerdo —dijo Dre tras un instante de silencio—. Espero que no te importe esperar un par de días.

—¿Venís juntos?

—No, voy solo yo —respondió él.

Colgué el teléfono y salí al porche. Me quedé de pie, junto a Roy Padre. Desde ese ángulo, se distinguían las pequeñas cicatrices que tenía en la coronilla ya desprovista de pelo. Recuerdo que mi madre se las besaba cuando mi padre se golpeaba la cabeza contra la lámpara del comedor, que colgaba muy baja, por encima de la mesa. A Olive le encantaba esa araña de cristal, que era bastante bonita, y mi padre jamás le pidió que la quitase.

—No era Wickliffe —dije—. Era Andre.

—¿Qué es lo que te ha dicho para que salgas al porche en calzoncillos?

Me miré las piernas desnudas, algo descoloridas.

—Dice que viene a por mí. Él solo.

—Y ¿qué te parece a ti eso?

—No sé ya lo que me parece.

—Será mejor que llegues cuanto antes a Atlanta para comprobar si queda algo de tu matrimonio en pie —reflexionó Roy Padre, para hacer una breve pausa a continuación—. Si es eso lo que quieres.

—Sí, joder. Eso es lo que quiero.

—Tenía que preguntarte otra vez porque hace diez minutos no parecías tan seguro.

El teléfono sonó de nuevo y Roy Padre hizo un gesto indicando el interior de la casa.

—Cógelo. Serán o Wickliffe o Celestial. Si es Wickliffe, dile que voy para su casa. Si es Celestial, tú verás.

Dejé sonar el teléfono hasta que Celestial se cansó.

*

Regresé a la cocina vestido con la mejor ropa que había encontrado en Wal-Mart: unos chinos y una camisa de punto. Al menos tenía unos buenos zapatos. Mi imagen en el espejo me hizo pensar en un Tiger Woods de tercera. Era un comienzo: ya no tenía pinta de exconvicto.

—Quiero irme a casa.

Roy Padre estaba asomado al refrigerador, rebuscando algo.

—¿A Atlanta, quieres decir?

—Sí.

—Te has decidido rápido, ¿eh? —dijo—. Andre te ha prendido la mecha.

—Tenía decidido ir desde el principio, aunque no sabía cuándo. Ahora sé que quiero llegar lo antes posible.

—¿Puedes conducir?

Saqué la cartera del bolsillo posterior del pantalón. Había pasado mucho tiempo guardada en la cárcel, pero el cuero se había conservado bien y seguía siendo suave y flexible. Mi carné de conducir se había quedado pegado a la tarjeta de puntos de una cafetería. La fotografía que aparecía era la del yo triunfador: en ella, sonreía arrogante y seguro de mí mismo, con camisa y corbata color burdeos, y una imponente dentadura. Según el estado de Georgia, el carné no caducaba hasta seis meses después, y, además, mi residencia constaba en el 1104 de Lynn Valley Road. Ese carné era lo único que me quedaba de ese tiempo pasado. Lo sostuve ante la luz y dejé que los rayos de sol se reflejasen en el holograma del escudo estatal.

—Puedo conducir, pero no tengo coche.

—Llévate el Chrysler —ofreció Roy Padre abriendo un cartón en el que quedaba un único y solitario huevo—. Tengo que hacer la compra. Los hombres adultos deben desayunar.

—Papá, ¿cómo vas a ir a trabajar si no tienes coche?

—Wickliffe me llevará y yo le ayudaré a pagar la gasolina.

—Déjame que lo piense, ¿de acuerdo?

—Creía que estabas deseando marcharte.

—Dije que lo estaba pensando.

—¿Sabes? A veces, el beicon te da lo que no te dan los huevos —dijo Roy Padre, abriendo un poco más la puerta del frigorífico y hundiendo el brazo entre dos repisas—. Una triste loncha de beicon. Cómete tú el huevo y yo me comeré el beicon. —Luego abrió uno de los armarios, en el que aparecieron alineadas varias latas—. ¡Ya está! Buñuelos de salmón. Te gustan, ¿verdad?

Miré a Roy Padre como si fuera un desconocido. Su cuerpo era demasiado grande para la cocina de mamá, pero se las arreglaba. Cascó el huevo con una sola mano y lo batió con un tenedor diminuto.

—¿Qué pasa?

—Nada, papá. Es solo que en todo el tiempo que viví en esta casa no te vi jamás tocar una sartén o un cazo. Pero ahora te mueves por la cocina como Martha Stewart.

—Bueno, cuando Olive murió me quedaron dos opciones. O aprender a cocinar o morirme de hambre —explicó dándome la espalda y sin dejar de batir el huevo.

—¿Por qué no te vuelves a casar? —dije con un hilo de voz—. Podrías, legalmente.

—Cuando quiera otra persona, la buscaré —sentenció—. Pero mientras lo que me falte sea comida, cocinaré yo. —Sacó la lata de salmón y sonrió—. Esto es una cosa que nadie te dice, pero en la parte de atrás de los paquetes vienen recetas. Son muy útiles.

Lo observé durante unos instantes y me pregunté si cuando la gente te dice «pasar página» se refiere a esto. Aprender de nuevo a vivir sin alguien. Mi padre seguía afanándose con el huevo, al que añadió un poco de cayena.

—El problema es que no te explican cómo sazonar las cosas. Una regla básica es sazonar un poco cualquier comida que salga de una lata.

—Mamá cocinaba de oído —recordé yo.

Roy Padre vertió un poco de aceite en una sartén de acero.

—No puedo creer todavía que ya no esté.

Cuando terminó de cocinar, sirvió la comida en dos platos. Tocamos a dos buñuelos de tamaño considerable por cabeza, media loncha de beicon y media naranja cortada en triángulos.

—*Bon appétit* —dije yo, cogiendo el tenedor.

—Oh, Señor —empezó a decir Roy Padre, a modo de bendición. Solté el tenedor.

La comida no estaba mala. No estaba buena tampoco, pero no estaba mala.

—Rico, ¿no? —dijo Roy Padre—. En la lata decía que había que usar pan rallado, pero, como no tengo, he rallado unas galletitas saladas. Da un toque a frutos secos.

—Sí, señor —dije yo engullendo media loncha de beicon de un bocado.

Yo no podía dejar de pensar en Olive, que había sido una virtuosa de los fogones. Los viernes por la noche, preparaba tartas, pasteles y galletas que todas las familias del pueblo compraban el sábado a la tarde para la cena del domingo. Había otras señoras que hacían lo mismo, pero Olive cobraba una media de dos dólares más que ellas por cada tarta. Así de segura se sentía de su cocina: «Mis postres merecen ese pequeño extra», argumentaba.

Comimos despacio, absortos en nuestros pensamientos.

—Antes de irte deberías pelarte —dijo Roy Padre.

Me pasé la mano por la mata de pelo.

—¿Hay alguna peluquería abierta los lunes?

—Sí, estás en ella —dijo Roy Padre—. Ya sabes que yo cortaba el pelo cuando estuve en el ejército. Sigo teniendo la licencia de barbero. Si las cosas se ponen realmente feas, siempre podré ganarme la vida pelando y rasurando.

—¿Has estado haciéndolo estos años?

—Yo te cortaba el pelo todos los sábados por la noche, hasta que cumpliste diez años —recordó, agitando la cabeza y mordiendo un gajo de naranja—. ¿No te parece que la fruta antes sabía de otra forma?

—Esa es una de las cosas que más he echado de menos en la cárcel. La fruta. Una vez pagué seis dólares por una pera. —En cuanto pronuncié esas palabras, sacudí la cabeza rápidamente para ahuyentar el recuerdo, pero me fue imposible—. Jamás olvidaré esa pera. Tuve que regatear mucho. Le vendí a un tipo una bolsa de basura. Solo me quería dar cuatro dólares, pero le presioné.

—Nosotros intentamos que no te faltara de nada mientras estuviste dentro. Quizá no te ingresáramos en tu cuenta del economato tanto dinero como tus suegros, pero proporcionalmente para nosotros era bastante más.

—No estoy comparando —dije—. Solo quiero contártelo. Deja que te lo cuente, papá. Vendí una bolsa de basura y no me pregunté por qué alguien querría pagar tanto dinero por un objeto así. Regateé con ese tipo hasta sacarle el último centavo, porque necesitaba comer fruta fresca. Estaba deseando probar ese sabor de nuevo.

Aquella pera era roja como una hoja otoñal y suave como el helado. Me la comí entera, tallo, corazón y semillas incluidos. Todo. Me la comí en el baño, que estaba asqueroso de sucio, porque no quería que nadie me viera y me la quitase.

—Hijo mío… —dijo Roy Padre, y de repente supe, por la relajación de sus facciones, que hasta él conocía el final de la historia. Me sentí como la única persona del mundo que no entendía para qué puede querer alguien una bolsa de basura en la cárcel. Quise compartir la pera con Walter, pero no quiso ni tocarla cuando le conté cómo la había conseguido.

—¿Cómo iba a saberlo yo? —pregunté a mi padre.

En la cárcel, uno aprende muy rápido que cualquier cosa puede ser un arma contra otro hombre o contra uno mismo. Un cepillo de dientes puede convertirse en una daga; una chocolatina puede derretirse para fabricar napalm casero y con una bolsa de basura es muy fácil hacer un lazo corredizo.

—No lo sabía. De saberlo no habría dejado que se la llevara, y mucho menos me habría quedado con su dinero.

Recordé que tuve arcadas en el váter de acero. Esperé que el mal olor me ayudase a vomitar la pera. No salió más que bilis, acre y ácida.

—No te estoy culpando de nada, hijo mío —se excusó Roy Padre—. De nada.

*

Sonó entonces el teléfono, como si supiera que estábamos ahí sentados y se negase a no llamar nuestra atención.

—Ese no es Wickliffe —dijo Roy Padre.

—Ya lo sé.

El timbre sonó y sonó hasta que se cansó. Y luego volvió a sonar.

—No quiero hablar con Celestial hasta tener algo que decirle.

—Vas a viajar a Atlanta. Eso ya es algo.

Había llegado el momento de pronunciar las palabras que no quería pronunciar.

—Papá, no tengo dinero.

A lo que Roy Padre repuso:

—Yo te puedo prestar un poco. Estamos a fin de mes, pero te puedo dejar el dinero que tengo. Quizá Wickliffe pueda prestarme a mí hasta que me paguen.

—Papá, ya me has ofrecido tu coche. No puedes pedirle dinero a Wickliffe.

—Mira, no es el momento de ponerse cabezón. O coges el coche y te plantas en Atlanta con el dinero que pueda reunir para ti, o esperas a que venga Andre a recogerte. A lo mejor el orgullo no te permite aceptar el dinero de un viejo, pero más te dolerá tener que esperar hasta el miércoles.

Me impresionó lo mucho que Roy Padre me recordó a Walter en ese momento. Eché enormemente de menos a mi padre biológico, de repente. Me pregunté qué tendría que decir sobre aquella situación. Yo siempre había pensado que Walter y Roy Padre eran como la noche y el día, y no solo porque Roy Padre no hubiese tenido problema en criar al hijo de otro hombre y Walter fuera un desastre incorregible. Conociéndolos a ambos, entiendo el tipo de hombre que atraía a mi madre: el hombre con un punto de vista propio. Alguien que cree haber desentrañado el mecanismo de la vida.

*

—Tenemos el dinero que tu madre ahorró cuando naciste. Hay unos doscientos dólares a tu nombre. Con el carné de conducir y la partida de nacimiento podrás retirarlos. Olive guardaba todos tus papeles en el cajón de su cómoda.

El dormitorio no había cambiado de aspecto. Extendida sobre la cama estaba la colcha con el diseño de círculos superpuestos que había conseguido en el mercado de trueque. En una de las paredes colgaba una fotografía enmarcada de tres chicas con vestido rosa, saltando a la comba. Se la regalé a mi madre con el dinero de mi primer sueldo. No era una obra original, pero iba firmada y numerada. Sobre la cómoda, como un ángel travieso, estaba el muñeco vestido con mi ropa de bebé.

Cuando Roy Padre dijo que los papeles del banco estaban en «su» cajón de la cómoda, se refería al de ella, el superior derecho, donde mi madre solía guardar sus cosas. Coloqué la mano sobre el tirador de latón y me quedé paralizado un instante.

—¿Lo has encontrado? —preguntó Roy Padre.

—Todavía no —contesté, y a continuación tiré del cajón como si estuviera arrancando una venda. Las corrientes de aire del dormitorio entraron en contacto con sábanas y ropas, cuidadosamente dobladas, que liberaron esa fragancia que siempre me ha recordado a mi madre. Si alguien me pidiera describirla, le propondría explicar con palabras el olor del café. El aroma de mi madre no podía descomponerse en partes. Saqué un fular estampado en flores y me lo acerqué a la cara. Noté una presión acumulándose tras los ojos, pero no ocurrió nada más. Inspiré profundamente con el fular en la nariz y la presión se hizo mayor. Casi me dolió la cabeza, pero no brotaron las lágrimas. Traté de doblar el fular, pero quedó como enrollado y quería que encajase con el resto de la ropa.

Al fondo del cajón, en uno de los rincones, había un fajo de papeles sujetos con una goma elástica verde. Lo cogí y regresé a la cocina, donde esperaba Roy Padre.

—No has quitado sus cosas.

—¿Qué sentido tiene? —reflexionó él—. No necesito más espacio.

Le quité al fajo la goma elástica. La primera hoja era mi partida de nacimiento: hombre negro nacido vivo en Alexandria, Luisiana. Aparecía en ella mi nombre original, Othaniel Walter Jenkins. La firma de Olive era pequeña y abigarrada, como si las letras se intentasen esconder unas bajo otras. El siguiente documento era la enmienda de la partida, en la que aparecía mi nuevo nombre, junto a la florida firma de Roy Padre, en tinta azul. En ella, la letra de mi madre parecía más redondeada y femenina. Luego, la primera página de la cartilla del banco, donde constaba un depósito de cincuenta dólares el año que nací, que se repetía anualmente. Los ingresos aumentaron a partir de mis catorce años, momento en el que empecé a añadir diez dólares anuales más. Cuando cumplí dieciséis, retiré setenta y cinco dólares para sacarme mi primer pasaporte, que mi madre también había conservado. Abrí el librito de cubierta azul oscuro y contemplé mi retrato en blanco y negro, tomado en la oficina de correos de Alexandria. Devolví la mirada a la cartilla bancaria y vi la retirada de dinero que hice tras secundaria: setecientos cuarenta y cinco dólares que usé para la universidad, dejando un balance de ciento ochenta y siete. Habían pasado más de diez años, así que con los intereses la suma total sería algo superior. Quizá suficiente para llegar a Atlanta sin tener que recurrir al dinero de mi padre o, en última instancia, del viejo Wickliffe.

Había en el fajo otro documento más. Un cuadernito cuya cubierta yo habría jurado era de cuero. En ese momento, sin embargo, me di cuenta de que no: era piel sintética. Era el diario que el señor Fontenot me había regalado cuando yo me creía el futuro James Baldwin. Había escrito apenas unas páginas. En la mayoría hablaba de los trámites que necesitaba hacer para sacarme el pasaporte, sobre giros postales y sobre el viaje a Alexandria con Roy Padre para hacerme la fotografía de carné. La última entrada decía: «¡Queridos historiadores! ¡El mundo tiene que ir preparándose para Roy Othaniel Hamilton Jr.!».

*

En el mundo hay demasiados cabos sueltos que han de anudarse. Uno no puede atender a todos ellos, pero debe intentarlo. Eso me dijo Roy Padre mientras me cortaba el pelo, el lunes por la tarde. No tenía maquinilla, así que lo hizo a la antigua, con peine y tijeras. El chasquido metálico de la tijera en el oído me transportó a aquella época de infancia en que yo aún no sabía que un niño puede tener más de un padre. Mucho antes de que esos nombres en las guardas de la

Biblia contasen toda la historia, cuando éramos una familia de tres.

—¿Hay algo que quieras decirme?

—No, señor —contesté con una vocecita aguda.

—¿Qué ha sido eso? —dijo Roy Padre, soltando una carcajada—. ¿Tienes cuatro años otra vez?

—Son las tijeras —respondí—. Me recuerdan a cuando era pequeño.

—Cuando conocí a Olive, tú solo sabías decir una palabra: «No». Cuando cortejaba a tu madre, tú te ponías a gritar «No» cada vez que me acercaba a ella, agitando el puñito en el aire. Sin embargo, ella me dejó muy claro que ese producto no se vendía por separado. Ibais en paquete, tú y ella. Yo bromeaba y le preguntaba: «¿Y si solo quiero el niño?». Cuando le dije eso se puso colorada e incluso tú dejaste de enfadarte conmigo. Cuando me diste tu aprobación oficial, ella empezó a plantearse lo de convertirse en mi esposa. Pero tenía muy claro que era a ti, ese niñito cabezón, a quien tendría que pedir la mano de Olive.

»Acababa de terminar el servicio militar. Literalmente. Conocí a Olive en la casa de comidas donde trabajaba. La casera del apartamento en que me instalé trató de distraer mi atención, porque estaba buscando novio para sus hijas. Tenía seis o siete. Un día me dijo al oído: "¿Sabes que Olive tiene un hijo?", como si aquello fuera el tifus. Eso me hizo quererla aún más. No me gusta nada cuando la gente malmete así. Seis meses después, de hecho, estábamos casándonos en un juzgado. Ella te llevaba en brazos. A todos los respectos, eras mi hijo. Siempre lo serás.

Asentí con la cabeza. Conocía aquella historia y, de hecho, se la había contado a Walter.

—¿Cómo me tomé que me cambiarais el nombre?

—Apenas hablabas.

—Pero ya sabía cuál era mi nombre, ¿no? ¿Cuánto tiempo me llevó acostumbrarme al nuevo?

—Muy poco. Todo empezó como una promesa a Olive. Pero ahora eres mi hijo. Eres la única familia que me queda. ¿Has tenido alguna vez la sensación de no tener padre? ¿Has tenido la impresión de que no hice todo lo que podía hacer?

Callaron los chasquidos de las tijeras y yo me giré en la silla para encarar a Roy Padre. Su boca ocultaba los labios y tenía la mandíbula tensa.

—¿Quién te lo ha dicho? —pregunté.

—Olive.

—¿Y quién se lo ha contado a ella?

—Celestial —contestó Roy Padre.

—¿Celestial?

—Vino cuando tu madre estaba enferma. Colocamos la cama de hospital en el salón para que pudiera ver la tele. Celestial estaba sola. Andre no vino. Fue entonces cuando le regaló a Olive el muñeco que a tu madre le hacía tanta ilusión, ese que se te parece. Olive no podía respirar bien, ni siquiera con la mascarilla. Pero peleó. Se aferró a la vida. Fue algo terrible. No he querido nunca hablarte sobre esto, hijo. Fue algo rápido, supuestamente. Desde que se lo detectaron, transcurrieron dos meses. Tengo que decir algo a favor de Celestial: vino dos veces. La primera, cuando recibió la noticia. Condujo toda la noche y Olive la recibió sentada en la cama, más cansada que enferma. Y vino de nuevo justo al final.

»Esa segunda vez, Celestial me pidió que saliera de la habitación. Pensé que quería ayudar a Olive a lavarse o algo así. Después de quince minutos, se abrió la puerta y Celestial salió con el bolso en la mano, como si fuera a marcharse. Olive estaba tumbada en la cama, tan quieta y silenciosa que por un instante temí que hubiera muerto. Luego la escuché respirar ruidosamente. Resplandecía aún en su frente la huella del beso que le había dado Celestial para despedirse de ella.

»Después de aquello, traté de convencer a Olive de que me dejase administrarle una dosis de morfina. Le vacié la jeringa bajo la lengua y acto seguido dijo: "Othaniel está dentro, en la cárcel, con él". No fueron sus últimas palabras. Pero fue lo último que dijo de alguna relevancia. Murió dos días después. Estuvo luchando hasta la visita de Celestial. Quería vivir. Pero tras aquella noticia, tiró la toalla.

—Celestial prometió no contarlo. ¿Por qué lo hizo?

—No tengo ni idea —contestó Roy Padre.

Andre

Cuando tenía dieciséis años, me peleé con mi padre, porque pensaba que Evie iba a morir. Los médicos habían dicho que se acercaba el final, que el lupus se había hecho con ella. Así pues, el duelo se nos venía encima mucho más rápido de lo que habíamos calculado. Queríamos asimilarlo antes de que fuese demasiado tarde. Yo no pude sino dejarme guiar por la ira. Conduje hasta casa de Carlos y lo encontré recortando los arbustos del jardín, a los que estaba dando forma redondeada. Me acerqué a él y le asesté un puñetazo en plena mandíbula. Su hijo —supongo que podría considerarlo mi hermanastro— trató de entrometerse y ayudar a su padre, pero era un chaval bajito y de un empujón lo tiré al suelo. «Evie se está muriendo», espeté a mi padre, quien se negó a levantar los puños y devolver el golpe. Volví a darle otro puñetazo, esta vez en el pecho, y, cuando eché el brazo hacia atrás para pegar de nuevo, él bloqueó el golpe, pero no me lo devolvió. Gritó mi nombre a voz en cuello y yo quedé paralizado en el lugar.

Mi hermanastro se había puesto de pie. Me miraba a mí y luego a nuestro padre, una y otra vez, esperando instrucciones. Carlos, en un afectuoso tono que jamás le había oído, dijo: «Tyler, métete en casa». Y luego se dirigió a mí: «El tiempo que has perdido en venir hasta aquí en coche para pegarme podrías haberlo pasado con Evie».

—¿Eso es todo lo que tienes que decirme? —pregunté yo a modo de respuesta.

Él extendió las palmas de las manos, como hacen los niños pequeños cuando lo pasan mal. Vislumbré en su nuca el destello de una cadena. Bajo la camisa, sobre el pecho, le colgaba una medalla de oro del tamaño de una moneda de cuarto de dólar. Su madre se la había regalado hacía media vida y no se la quitaba nunca.

—¿Qué quieres que te responda? —preguntó con voz meliflua, como si realmente quisiera saberlo.

Era una buena pregunta, de hecho. ¿Qué podría él decir, después de tantos años? ¿Que lo sentía?

—Di que no quieres que se muera.

—Por Dios, hijo. No, pues claro que no quiero que Evie se muera. Siempre he dado por hecho que al final arreglaríamos las cosas y volveríamos a ser amigos, de un modo u otro. Pensé que con el tiempo podríamos poner parches aquí y allí. Es una mujer excepcional. Mírate. Ella te crio. Siempre le deberé eso.

Sé que es una afirmación modesta, pero a mí me pareció todo un regalo.

Una semana más tarde, Evie se recuperó un poco, la sacaron de cuidados intensivos y la devolvieron a su habitación, en la tercera planta del hospital. En su mesita de noche había un alegre ramo: media docena de rosas con algunas hojas verdes. Mi madre me invitó a leer la tarjeta: «Que te mejores. Con mis mejores deseos, Carlos». Después de aquello, las cosas entre nosotros mejoraron algo. Por mera cortesía, nos empezó a enviar invitaciones para cenar juntos en las fiestas y, también por pura cortesía, yo declinaba siempre sus ofertas. En breve llegará su felicitación de Navidad, con una jovial carta escrita por su esposa. No leo nunca esos partes anuales porque no me interesa saber lo sanos y hermosos que están sus hijos. No les reprocho nada, pero no los conozco.

Esta es una de las cosas que envidio de Roy: el padre que tiene. No es que no conozca a más padres responsables. Después de todo, crecí cerca de Celestial y ella tenía al señor Davenport. Pero no es lo mismo ser padre de un hijo que de una hija. Uno es el zapato izquierdo y la otra, el derecho. Son lo mismo, pero no son intercambiables.

Yo no pienso todo el tiempo en Carlos, ese trágico hombre negro, marcado para toda la vida por una infancia sin padre. Evie me crio bien y soy un tipo fuerte. Sin embargo, si alguna vez me quedaba tirado en mitad de una autopista de ocho carriles, lo único que quería era quedarme en el asiento del conductor y llamarlo por teléfono. Roy Hamilton acababa de salir de la cárcel, con siete años de adelanto. No es que esto cambiara las cosas radicalmente, pero esa aceleración del tiempo me removió las entrañas y me daba vueltas a la cabeza.

Quizá echaba de menos a un mentor, a alguien que me diera consejo. De niño, el señor Davenport venía a casa de cuando en cuando, pero ahora ni me miraba a la cara. Evie chasqueaba la lengua una y otra vez y me decía que a ningún hombre le cae bien el niñato que se acuesta con su hija. Intenté explicarle que lo nuestro iba mucho más allá. Evie me respondió: «¿Estaba encantado quizá con Roy, antes de que lo mandaran a la cárcel?». No, probablemente no, pero eso no tenía importancia. Ahora, el señor Davenport era más leal a Roy que a su propia hija. De algún modo, toda la raza negra era leal a Roy, el hombre recién descendido de la cruz.

—Pásate cuando quieras —me había propuesto mi padre, como quien no quiere la cosa, una vez que me lo encontré con su mujer en el supermercado Kroger de la calle Cascade. Él empujaba un carrito hasta los topes de pollo, costillas, patatas irlandesas, azúcar moreno, refrescos y el resto de productos necesarios para una barbacoa. Me vio él a mí antes de verlo yo a él; si no, no habríamos hablado nunca. Su mujer se acercó un momento al pasillo de las ensaladas, lo cual fue muy oportuno: Carlos me tomó del brazo y me dijo: «Ha pasado demasiado tiempo».

¿Cómo puede ocurrirle esto a una familia? He visto fotografías en las que aparezco a hombros de mi padre, con un pelo a lo afro como el de Michael Jackson de niño. Recuerdo cosas cotidianas, como cuando me enseñó a hacer pis sin salpicar. Recuerdo también el ardor del cuero de su correa contra mis piernas, aunque esas azotainas no eran frecuentes. Él había sido mi padre y ahora no hablábamos nunca. Quizá ocurra que ese hombre solo pueda amar a su hijo en la medida en que ama a la madre de este. Pero no, eso no podía ser. Era mi padre. No me llamaba como él, pero llevaba su apellido con tanta naturalidad como mi propia piel.

«Siempre serás bienvenido en mi casa», había dicho.

Y así fue como decidí tomarle la palabra.

Yo no creo que sea la sangre lo que hace la familia: los parientes, realmente, son el círculo que uno se crea alrededor y que mantiene siempre estrechamente cerrado. Hay algo que tiene que ver con la genética compartida, pero ¿qué, exactamente? Que yo no creciese junto a mi padre es importante. Es como tener una pierna medio palmo más corta que la otra. Puedes caminar, pero vas a cojear siempre.

*

Carlos vive en la calle Brownlee, en una casa casi idéntica a la que compartió con mi madre y conmigo. Es como si hubiese querido la misma vida, pero con otras personas. Su mujer, Jeanette, es de piel mestiza y constitución generosa; de hecho, se parece un poco Evie. Cuando se casaron, Jeanette se las arregló para vivir haciendo esculturas de hielo para bodas y cosas así. Era mucho más joven que Evie, pero después de los años parecía que sus edades se hubiesen acercado. Así de desconcertante es a veces el paso del tiempo.

Carlos salió a la puerta sin camiseta, con el cráneo embadurnado de espuma de afeitar y secándose la frente con una ajada toalla. Contra el pelo oscuro de su pecho refulgía el oro de su medalla de san Cristóbal.

—¡Andre! ¿Está todo bien, hijo?

—Sí —contesté—. Quería hablar contigo un momento. —Él se quedó callado un instante—. Dijiste que podía pasar por aquí cuando quisiera.

Abrió la puerta de par en par.

—Pues claro. Pasa, pasa. Estaba arreglándome. ¡Ha venido Andre! —voceó entonces hacia el interior de la casa.

Di un paso para entrar y me topé con el aroma de un desayuno recién preparado: beicon, café y algo dulce, bollitos de canela, quizá. Ante mí, en el recibidor, se levantaba un árbol de Navidad que olía a pino de verdad, sobre el que habían espolvoreado diminutas bolitas brillantes. A sus pies descansaban ya, sobre un tapete rojo ribeteado de blanco, como el traje de Papá Noel, decenas de paquetes envueltos en resplandeciente papel de regalo. Sintiéndome niño de nuevo, de repente me inquietó pensar que no hubiera bajo ese árbol ningún regalo para mí; luego, como adulto, pensé que no debería haberme presentado en esa casa con las manos vacías.

—Es bonito el árbol, ¿verdad? —dijo—. Dejo que Jeanette se ocupe de la decoración. Yo lo saco todo de los armarios, es lo más que un hombre puede hacer.

Acto seguido se agachó para enchufar un cable verde a la pared y el árbol se encendió con unas lucecitas blancas tan limpias y radiantes que refulgían incluso a la luz del sol.

Justo en ese momento apareció Jeanette. Vestía un kimono de color azul pavo real.

—Hola, Andre, me alegro de verte —saludó, arreglándose el pelo con la mano.

—Me alegro de verla yo también, señora.

—No me llames señora y tutéame, por favor —replicó—. Somos familia. ¿Quieres desayunar con nosotros?

—No, señora.

Jeanette besó a mi padre en la mejilla, como para recordarme que aquella era su casa y aquel, su marido y padre de sus hijos. O quizá era afecto sin más, floreciente aún después de tantos años. Como fuese, sentí que por el mero hecho de pisar esa casa le estaba siendo desleal a Evie, aunque mi madre, ahora que ha encontrado su propio amor verdadero, se toma este asunto con mucha tranquilidad.

—Acompáñame mientras termino de afeitarme —me dijo, señalando la espuma que seguía amontonada sobre su coronilla—. Cuando era joven, a las chicas les encantaba mi pelo. Mitad negro mitad portorriqueño: eso quiere decir pelo oscuro como la tinta, que duraba días ondulado. Con un poco de vaselina y un peine húmedo tocaba la perfección. Pero ¿ahora? —Y suspiró, como diciendo: «Nada es para siempre».

Lo seguí a través de la casa, silenciosa salvo por el silbido de las ollas y el repiquetear de sartenes en la cocina.

—¿Dónde están los chicos? —pregunté.

—Llegan esta noche de la universidad.

—¿Dónde están estudiando?

—Tyler está en Oberlin, en Ohio, y Mikayla en Duke. Quise que fuesen a universidades negras, pero...

Agitó la cabeza, como si no recordara que a mí me ofreció pagarme la universidad solo si me matriculaba en la que él eligiese.

En el baño, se colocó entre dos espejos que tenía colocados estratégicamente y terminó de afeitarse la cabeza, poco a poco.

—Michael Jordan fue lo mejor que pudo pasarnos a los negros de mi edad. Podemos afeitarnos la cabeza y decir que somos calvos, pero porque nos da la gana.

Estudié los reflejos de ambos. Mi padre era un tipo corpulento. Hay una fotografía suya en la que me sostiene a mí, recién nacido, contra su pecho, y yo parezco del tamaño de una nuez. Carlos debe de tener hoy unos sesenta años, y su masa muscular se ha venido un poco abajo. En el lado izquierdo del pecho le queda la cicatriz de un corte que se hizo como parte del rito de iniciación de su fraternidad. Cuando se dio cuenta de que la miraba, se la tapó con la mano y dijo:

—Ahora me da vergüenza esto.

—A mí me da vergüenza que no me aceptasen.

—Que no te la dé. Yo he aprendido unas cuantas cosas a lo largo de estos últimos treinta años.

Volvió entonces a concentrarse en el afeitado, y yo me miré en el espejo. Parecía como si Dios hubiera sabido que Evie terminaría criándome sola, porque me hizo a su entera imagen y semejanza. Nariz ancha, labios rellenos y pelo castaño claro, pero de un rizo africano. El único rasgo que había sacado de mi padre eran los pómulos, que sobresalían tanto como los huesos de mis clavículas.

—Y, esto... —dijo, alargando la palabra como un redoble de tambor—. ¿Qué te está pasando ahora mismo por la cabeza, a ver?

—Me voy a casar —anuncié.

—¿Quién es la afortunada?

Me desconcertó que no lo supiera. Del mismo modo, quizá, en que a él le habría sorprendido que yo no supiera en qué universidades estudiaban sus hijos.

—Celestial. Celestial Davenport.

—¡Ajá! —exclamó—. Se veía venir desde que erais pequeños. ¿Se parece a su madre? Pero... Un segundo, ¿no estaba casada con un tipo que resultó ser un violador? Un chico que estudió en Morehouse. De una fraternidad.

—Pero es inocente.

—¿Quién lo dice? ¿Ella? Si sigue afirmando que él no fue, tienes un problema de verdad, chico. —Me miró a los ojos a través del espejo y adquirió un tono reflexivo—. Perdona si me meto donde no me importa. Hoy día lo llaman «ser directo»; tu madre lo llamaba «ser un estúpido». —Se rio entre dientes—. Llevo treinta y ocho años viviendo en Atlanta, pero todavía tengo actitud de neoyorquino.

Y de repente se le cambió el acento como si acabase de aterrizar de la Gran Manzana.

—A ver, no conoces la historia en detalle —alegué, sintiendo que debía romper una lanza a favor de Celestial y Roy—. De hecho, quería hablar de eso contigo. Su abogado ha conseguido que le revoquen la condena. Acaba de salir y voy a viajar a Luisiana para recogerlo.

Mi padre dio por terminado el afeitado y enjuagó la maquinilla bajo el chorro. Cerró la tapa del váter y se sentó en él como si fuera un trono. Me hizo una seña y yo me senté frente a él, en el borde de la espaciosa bañera.

—Y me estás diciendo que te vas a casar con su exmujer. Vaya, entiendo el apuro.

—No es su exmujer. Técnicamente, no.

—Joder, chaval —exclamó Carlos—. Ya sabía yo que si venías a hablar conmigo tenía que ser por algún asunto gordo.

Le conté toda la historia de pe a pa y, cuando terminé, mi padre se quedó un rato apretándose el puente de la nariz con el índice y el pulgar, como si tuviera migraña.

—Todo esto es culpa mía —dijo sin abrir los ojos—. Esto jamás habría ocurrido si hubieras crecido a mi lado. Te habría enseñado a no acercarte a un nido de serpientes como este. Vais a salir todos perdiendo. Para empezar, no es buena idea tontear con la mujer de otro hombre, ¿no te parece? Pero, en fin, ¿quién soy yo para juzgar? —reflexionó con un gesto de cabeza que transmitía cierta deferencia—. Cuando conocí a Jeanette, Evie me echó de su vida. Tenía un sitio al que ir, es cierto, pero la decisión fue suya. Eres consciente, ¿verdad? Yo no la dejé.

Mi padre se acariciaba el cráneo con la yema de dos dedos, buscando parches de pelo que hubiese pasado por alto.

—No he venido a hablar de eso.

—¿Entonces?

—Obviamente, necesito consejo. Orientación. Palabras sabias. Algo.

—Bueno, yo he sido otras veces uno de los vértices de un triángulo amoroso, eso ya lo sabes. También deberías saber que, como te he dicho, no hay manera de que en una situación así haya finales felices. Para nadie. Yo echo de menos a tu madre todos los días. También nosotros crecimos juntos. Pero ella no puede estar bajo el mismo techo que Jeanette, y...

—Podrías venir a vernos tú solo, alguna vez.

—Mi esposa es Jeanette ahora. Nuestros hijos son Tyler y Mikayla. No puede decirse que la decisión fuese mía. Fue tu madre la que me sacó de su vida. No lo olvides.

—Bueno, ya está bien —atajé—. Ya está bien de hablar del pasado. Te echó porque andabas siempre detrás de otras mujeres. Te echó, te casaste y le echaste la culpa a ella. ¿Y yo qué? Yo no te eché. Estaba en segundo de primaria.

Habíamos cerrado la puerta del baño. El aire estaba caliente y húmedo, pese al ruidoso extractor. La crema de afeitar de mi padre olía a clavo y me empezaba a provocar náuseas. ¿Qué estaba haciendo yo ahí, de todos modos? Mi padre no me conocía, en realidad, no conocía a Celestial y no conocía a Roy. ¿Cómo iba a darme el norte en mitad de esa tempestad?

Desde el otro lado de la puerta, la voz de Jeanette rompió nuestro silencio: «¡El desayuno está listo!».

—Vamos, Dre —dijo mi padre—. Desayúnate unos huevos con beicon.

—No he venido esperando que me invitarais a comer.

Carlos asomó la cabeza al pasillo.

—¡Ya voy, Jeanette!

Luego se volvió hacia mí y, con tono apremiante, como si solo dispusiera de un instante más, dijo:

—Vamos a empezar por el principio. Dices que quieres mi consejo, y esto es lo que puedo decirte. Cuenta la verdad. No trates de amortiguar el golpe. Si tienes los redaños de hacer lo que has hecho, debes tenerlos también para contarlo. Pregúntale a tu madre. Ella te contará que era infeliz porque yo no me andaba con mentiras. Supo todo el tiempo con qué tipo de hombre se había casado.

»Ve y cuéntale a ese tío lo que has hecho, y que no piensas echarte a un lado. Tiene derecho a saber. Y no se lo cuentes mirando al suelo. Se lo dices para informarle, para que vea qué tipo de hombre eres. La conclusión que saque es cosa suya.

—¿Cómo crees que debería hacerlo?

—Depende de lo que él haga. La cosa probablemente llegará a las manos. No creo que quiera matarte por una cosa así. No le hará mucha gracia que lo vuelvan a meter entre rejas. Pero, hijo, te van a patear el culo fuerte. Deja que pase el chaparrón y sigue adelante con tu vida.

—Pero...

—El pero es el siguiente. Podría ser que te diese una paliza en Luisiana, pero eso no importa. A Celestial no te la va a quitar a base de golpes. Esto no es un duelo medieval. —Y se echó a reír. Pero a mí no me hizo gracia—. Bueno, hijo mío. Sin bromas. En mi opinión, te mereces los palos que te vas a llevar en Luisiana, pero eso no quiere decir que no te desee lo mejor con Celeste. Todas las relaciones tienen cosas jodidas que dejar atrás. —Se pasó entonces los dedos de nuevo por la cicatriz del pecho—. Esto fue una estupidez, por ejemplo. Nos marcábamos los unos a los otros como ganado. Como esclavos. Nos dábamos de hostias. Y eso nos unía. Quiero a todos y cada uno de esos tipos. Cuando te digo que todo eso queda atrás, lo digo en serio. Quizá Jeanette y yo hemos estado juntos tantos años justamente por todo lo que tuve que pasar y las cosas a las que debí renunciar para estar con ella.

Con esto, Carlos abrió la puerta del baño y regresamos de nuevo al ambiente alegre del comedor. En el recibidor, me subí la cremallera. Estaba siendo un diciembre frío. Me dirigí a la puerta y dejé atrás el árbol de Navidad, cuyas luces seguían parpadeando. Había en mi cabeza una voz infantil que se preguntaba si habría quizá un regalo aparte para mí. Si mi padre se habría acordado de mí estas fiestas.

—Vuelve en Navidad —dijo—. Habrá un paquete bajo el árbol con tu nombre.

Me abochornaba tanto que se hubiese percatado de lo que estaba pensando que me ruboricé. Y, como tengo el color de piel de Evie, también de eso se dio cuenta.

Me giré, pero mi padre me puso la mano en el hombro.

—Nunca me he olvidado de ti, hijo. Ni durante el año ni en Navidad. Simplemente, no te esperaba hoy.

A continuación, se palpó los bolsillos, buscando algo. Desalentado, se sacó la medalla de oro por la cabeza recién afeitada.

—Mi madre me la compró en Chinatown cuando terminé la secundaria. A otros estudiantes les regalaban máquinas de escribir para que se las llevaran a la universidad o quizá un

maletín, cosas así. Pero a mí me regaló un santo. San Cristóbal es el patrón de los viajeros y da suerte a los solteros. —Besó
el rostro grabado en la medalla y me la alargó—. Me da mucha rabia que no llegases a conocerla. No hay nada como una
abuela portorriqueña. Un par de veranos en Harlem del Este
no te habrían venido nada mal. —Cerró entonces el puño y
agitó la medalla en su interior, como si fuera un dado—. Es
tuya. Así lo dice también mi testamento. Pero no tiene mucho
sentido esperar.

Mi padre me cogió de la muñeca, me colocó la medalla y
la cadena en la palma, y me apretó los dedos en torno a ellas
con tanta fuerza que dolía.

Roy

No se me da nada bien decir adiós. Soy más bien de «hasta luego». Cuando salí de la cárcel, no me despedí siquiera de Walter. La víspera de mi liberación se había peleado con alguien en el patio y lo habían metido en aislamiento. Mientras reunía mis pertenencias y las amontonaba en su lado de la celda, me dije que quizá a él tampoco se le diesen bien las despedidas. No me había marchado y ya lo echaba de menos. Decidí escribir una nota en la primera página de un cuaderno que le había dejado:

Querido Walter:
Cuando se abre la puerta, hay que cruzarla. Estaremos en contacto. Has sido un buen padre para mí estos años.

Tu hijo Roy.

Nunca hasta entonces me había calificado a mí mismo de hijo suyo. Querría haberlo hecho, pero siempre tuve el miedo tonto de que Roy Padre lo descubriese o incluso de que Olive lo adivinase desde el otro mundo. Pero así quedó la nota. Dejé el cuaderno sobre su almohada y entre sus páginas deslicé una fotografía que Celestial me había enviado, en la que aparecíamos ella y yo en la playa de Hilton Head. Otros tipos tienen fotografías de sus hijos, ¿por qué no él? Tu hijo Roy: ese soy yo.

Había llegado el momento de presentarle mis respetos a Olive, en el que antiguamente había sido el «cementerio de color», fundado en el siglo XIX, justo tras el final de la esclavitud. El señor Fontenot me llevó un par de veces de adolescente para calcar con tiza los bajorrelieves de las decrépitas lápidas. Ahora él también descansaba bajo ese suelo. Había otros lugares donde reposar eternamente; hoy se abren cementerios en casi cualquier sitio, pero no conozco a ninguna familia de Eloe que quiera enterrar a sus muertos en otro cementerio que no sea el Memorial Descanso Eterno.

Roy Padre me envió con un gran ramo de flores amarillas atado con un navideño lazo verde. Recorrí en el Chrysler el camino lleno de baches que entraba en el cementerio y detuve el coche en el lugar donde terminaba el pavimento. Bajé y di diez pasos hacia el este y luego seis hacia el sur, con las flores a la espalda como si fuera San Valentín.

Pasé frente a lápidas y monumentos de mucha alcurnia, grabados incluso con bajorrelieves de los difuntos. Aquellas piedras eran como Cadillacs resplandecientes. Las caras talladas en la roca correspondían todas a chavales jóvenes. Me detuve ante una, cubierta de besos estampados con carmín de labios. Le calculé al chico unos quince años. Pensé de nuevo en Walter. «Seis o doce», decía a veces cuando estaba deprimido. No ocurría a menudo, solo lo suficiente como para reconocer cuando se adueñaba de él la tristeza. «Ese es el destino de los hombres negros. Que te lleven a hombros entre seis o que te juzguen entre doce.»

Siguiendo las instrucciones de Roy Padre, como si buscase un tesoro pirata, giré a la derecha en una pacana y allí encontré el lugar de descanso de Olive, exactamente donde él me había indicado.

El lóbrego gris de la piedra sepulcral me hizo caer de rodillas. Aterricé con un golpe sobre la tierra compactada, donde crecían pequeños rodales de hierba. Sobre la parte superior de la lápida habían tallado el apellido de nuestra familia. Debajo, OLIVE ANN, y a la derecha, ROY. Por un instante perdí el aliento, pensando que alguien me había dado ya por muerto, pero caí enseguida en que aquel era el espacio para mi padre. Lo conozco bien: habiendo contratado ya al tallista, seguramente le había pedido que grabase su nombre junto al de su difunta esposa. Cuando llegara el momento de enterrarlo, a mí no me cobrarían más que la fecha de la muerte. Acaricié con las yemas de los dedos sus nombres grabados y me pregunté dónde figuraría el mío llegado el momento. Ese cementerio estaba atestado. Olive tenía vecinos por ambos flancos.

Arrodillado, deposité las flores en el jarrón de metal deslustrado que habían fijado en la piedra. Me quedé quieto, de rodillas. «Reza», me había pedido Roy Padre. «Dile lo que quieres que oiga.» Pero no sabía siquiera por dónde empezar.

«Mamá», dije en voz alta. Y no dije más. Fue entonces cuando manaron las lágrimas. No había llorado desde el día que escuché la condena y me humillé ante un juez al que le importaba un bledo lo que me ocurriese. Ese día aciago, mis gimoteos y mis mocos se fundieron con el lúgubre acompañamiento de Celestial y Olive. Pero en el cementerio sufrí a capela. El llanto me quemó la garganta como cuando vomitas un alcohol fuerte. Esa única palabra, «mamá», fue mi oración. Golpeé el suelo con las manos, como poseído por el Espíritu Santo. Me sobrevinieron ahí, tirado en la tierra, espasmos de dolor físico. Me dolieron las articulaciones y me dolió la nuca, como si me hubieran golpeado con un palo. Era como si reviviese todos los dolores sufridos desde que nací. El malestar persistió y, de repente, desapareció. Me incorporé, sucio y exhausto.

—Gracias —susurré al aire, pensando en Olive—. Gracias por aliviarme. Gracias por ser mi madre. Gracias por cuidarme y darme tanto amor.

A continuación, me quedé quieto, esperando quizá escuchar algo de vuelta, cualquier cosa, una señal en el canto de un pájaro. Pero no. Solo hubo silencio. Me recompuse y me erguí, sacudiéndome la tierra de los pantalones chinos lo mejor que pude. Posé la palma de la mano sobre la lápida. «Adiós, mamá», murmuré, pues no fui capaz de pensar en nada más que decir.

Me encontraba más tarde en una gasolinera BP, llenando el Chrysler de mi padre, cuando por fin escuché la voz de mi madre en el oído, o algo que me pareció la voz de mi madre. «Los insensatos son muy atrevidos.» Siempre que hablaba de «insensatos», había que esperar una apostilla referida al «hombre de verdad». También le gustaba mucho reflexionar sobre lo que los perros eran capaces de hacer: «Hasta un perro puede preñar a una perra con una camada de cachorros. Los hombres de verdad son los que saben criar a sus hijos». Hacía decenas de observaciones de este tipo. A mí me las hacía constantemente y yo me esforzaba cuanto podía para ser el hombre de verdad que ella tenía en mente. Eso sí, jamás dijo nada sobre las despedidas, porque, en lo que a ella concernía, los hombres de verdad no necesitaban despedirse de nadie, porque los hombres de verdad jamás se marchaban.

Me quedé en silencio con la manguera de la gasolina en la mano, esperando a ver si Olive decidía compartir alguna otra perla de sabiduría conmigo. Pero al parecer aquello había sido todo.

—Sí, señora —dije yo, en voz alta, poniendo el morro del Chrysler rumbo a Hardwood.

*

Le debía a Davina Hardrick una despedida de algún tipo, y también un agradecimiento. Pensé que debía hablar con ella directamente y hacerle ver que lo más inteligente sería librarse de mí, porque yo era mercancía defectuosa. En el mejor de los casos, no era muy buen partido. No había ninguna falsedad en ello. No tendría que mencionar a Celestial. Sin embargo, luego me di cuenta de que no resultaría tan fácil. Entre Davina y yo transpiraba el sexo, pero había algo más. No llegaba a lo que sentíamos Celestial y yo cuando hablábamos de tener un hijo; se parecía más a un baile lento de madrugada, cuando estás tan borracho que es el ritmo de la música el que te lleva y miras a la mujer que está contigo a los ojos y los dos bailáis con exactamente el mismo compás. Esa sería una manera de describirlo. Pero habría que añadir que esa mujer me había devuelto la salud a polvos. En realidad, jamás lo expresaría así —hay expresiones que las mujeres prefieren no oír—, pero es lo que ocurrió. En ocasiones, lo único que cura al hombre es el interior de una mujer: de la mujer apropiada, que hace las cosas de la forma apropiada. Por eso debía darle las gracias.

Llegué a su casa, toqué al timbre y esperé. No estaba. Me planteé dejar un mensaje, como el que dejé a Walter, pero no me pareció adecuado. Es feo que una mujer se despida de un hombre por carta, pero más feo es al revés. Intentaba no caer en lugares comunes; quería recordar cómo se comporta un ser humano. ¿De qué manera agradecer a quien te ha recordado lo que es ser un hombre, y no apenas un negro recién salido de la trena? ¿Qué tipo de divisa debería utilizar para esa compensación? Yo no tenía nada que dar, salvo mi yo apenado. Mi yo apenado y aún unido en matrimonio, para ser más exactos.

Regresé al coche, giré la llave de encendido y puse la calefacción. Me quedaría ahí sentado hasta que Davina regresara, perdiendo un tiempo que no tenía y quemando una gasolina que no podía desperdiciar. Rebusqué en la guantera y encontré un cuadernillo y un pequeño lápiz. Si iba a dejar una nota, debería utilizar una hoja tamaño folio, al menos. Salí del coche y busqué en el maletero, pero no había nada salvo mi macuto y un mapa de carretera. Me dejé caer en el lateral del coche y, apoyándome en la palma de la mano, reflexioné sobre qué escribir. «Querida Davina: Muchas gracias por estos dos días de sexo. Me han devuelto la vida. Ahora me siento mucho mejor.» Jamás pensé que escribiría palabras de agradecimiento como esas.

—Está trabajando —escuché decir a mis espaldas.

Me giré y vi a un chiquillo de unos cinco o seis años, con un gorro de Papá Noel mal colocado sobre una cabeza lisa como un cacahuete.

—¿Te refieres a Davina?

El niño asintió con la cabeza. Estaba tratando de clavar un bastoncito de caramelo en un pepinillo en vinagre envuelto en celofán.

—¿Sabes a qué hora vuelve? —El niño volvió a asentir y chupó el pepinillo con caramelo—. ¿Quieres decírmelo? —Negó con la cabeza—. ¿Por qué no?

—Porque a lo mejor Davina no quiere.

—¡Justin! —llamó de repente una mujer desde el porche de la casa vecina, en la que antaño había vivido mi profesor de francés.

—No estoy hablando con el señor —se excusó el niño—. El señor estaba hablando conmigo.

Decidí explicar la situación a la señora.

—Estoy buscando a Davina. Justin me ha dicho que está trabajando y me preguntaba a qué hora volvería a casa.

La señora, que debía de ser la abuela del niño, era una negra alta y de piel muy oscura. Tenía canas en las sienes y se había trenzado el pelo por encima de la coronilla.

—¿Y cómo sé yo que Davina quiere verlo a usted?

Justin me dedicó media sonrisa.

—Soy amigo suyo —contesté—. Me voy de Eloe y quería despedirme.

—Déjele una nota, si quiere. Yo puedo entregársela.

—Se merece más que una nota... —dije yo.

La abuela enarcó las cejas, como imaginándose de qué estaba hablando. No un «hasta luego», sino una auténtica despedida.

—Es Navidad. No saldrá de trabajar hasta medianoche.

No podía pasarme el día entero esperando la oportunidad de decepcionar a Davina en persona. Eran las cuatro y veinticinco de la tarde y tenía que emprender mi viaje. Así que di las gracias a Justin y a su abuela antes de subir al coche y me dirigí al Wal-Mart.

Recorrí la tienda entera, escudriñando un pasillo tras otro, hasta que encontré a Davina en la parte de atrás, en la sección de bricolaje y manualidades, cortando un trozo de tela azul aterciopelada para un señor delgado con gafas. «Me voy a llevar un metro más», dijo el cliente, y ella dio un par de vueltas al rollo y con unas enormes tijeras cortó la tela. Me vio mientras doblaba cuidadosamente el tejido y le ponía el precio. Se lo entregó al hombre y acto seguido me sonrió. Me sentí entonces la peor persona del mundo.

Cuando el cliente se alejó, me acerqué a su mostrador, como si yo también necesitara que me midieran y me cortaran algo.

—¿En qué puedo ayudarle? —preguntó, sonriendo como si aquello fuera algún tipo de juego navideño.

—Hola, Davina —saludé—. ¿Podríamos hablar un momento?

—¿Estás bien? —dijo fijándose en mi ropa sucia—. ¿Ha pasado algo?

—No, no —dije yo—. Me manché y no he podido cambiarme todavía. Es que tengo que hablar contigo, aunque sea solo un momento.

—Ahora no tengo descanso. Pero ve a buscar alguna tela y tráela. Podemos hablar aquí en el mostrador, mientras.

Las telas estaban ordenadas por colores y me recordó a cuando los sábados mi madre me arrastraba del brazo por Cloth World, el almacén de telas que había en Alexandria. Cogí un rollo de tela roja con flecos dorados, regresé al mostrador de corte y se lo entregué a Davina, quien se dispuso a desenrollar la tela.

—A veces la gente me pregunta cuánta tela tenemos y a mí no me queda otra que medir el rollo entero. Así que voy a hacer eso y mientras tanto hablamos. ¿Qué tal? ¿Has venido a decirme que me echas de menos?

Y volvió a sonreír.

—He venido a decirte que voy a echarte de menos —especifiqué.

—¿Adónde vas?

—Vuelvo a Atlanta.

—¿Para cuánto tiempo?

—No lo sé.

—¿Quieres volver con ella? —Asentí con la cabeza—. Ese fue tu plan desde el principio, ¿verdad?

Tiró con fuerza de la tela hasta que el carrete quedó desnudo y todo el tejido estuvo extendido sobre la mesa, como la alfombra roja de los Óscar. Empezó a medir en el metro que venía marcado en el mostrador, contando en voz baja.

—No pienses eso, por favor.

—Te pregunté muy claramente si estabas casado.

—Y te contesté que no lo sabía.

—Pues no se notó.

—Quiero darte las gracias. Por eso he venido a verte, para darte las gracias y decirte adiós.

—Pues yo quiero decirte «Que te den por culo». ¿Qué te parece?

—Lo que ocurrió entre nosotros fue muy especial —dije, sintiéndome imbécil, aunque no había dicho una sola mentira—. Me importas. No seas así.

—Seré como me dé la gana. —Estaba muy enfadada, pero me di cuenta de que hacía esfuerzos por no llorar—. Venga. Lárgate con *miss* Atlanta. Eso sí, quiero dos cosas de ti.

—Claro —dije, ansioso por hacer lo que fuese para demostrar que quería cooperar, que no deseaba hacerle daño.

—Por favor, no hables de mí ni cuentes por ahí que cuando saliste de la cárcel estabas tan desesperado que te follaste a una tía del Wal-Mart. No les cuentes eso a tus amigos, por favor.

—No diría nunca algo así. Porque no fue así.

Ella levantó la mano en el aire.

—Te estoy hablando en serio. No pronuncies mi nombre, jamás. Y, Roy Hamilton, prométeme que no vendrás nunca más a tocar a mi puerta.

Celestial

«¿Es amor o es comodidad?», me preguntó Gloria aquel día de Acción de Gracias, después de que mi padre subiera a toda prisa al piso de arriba y Andre fuese a buscar nuestros abrigos. Me explicó que la comodidad, el hábito, el confort, las obligaciones... hacen a veces que parezca que hay amor donde no lo hay. Me pregunté si toda esta historia con Andre estaba siendo demasiado fácil. Andre era, literalmente, el chico de la casa de al lado.

Pero, si mi madre estuviera aquí ahora, se daría cuenta de que lo que habíamos elegido Andre y yo era de todo menos cómodo. Era Navidad y yo tenía un negocio con dos empleados. Mi marido, injustamente encarcelado, acababa de salir de prisión y yo tenía que darle la noticia de que me había comprometido con otro hombre. La situación podría calificarse de muchas maneras —de trágica, absurda, improbable e incluso poco ética—, pero no de cómoda.

Andre practicaba lo que habíamos acordado entre ambos explicar a Roy. Usaba el tono más tranquilo posible. Mientras lo escuchaba, levanté la mirada, contemplé las ramas desnudas de la Vieja Pacana y me pregunté cuántos años llevaría ese árbol ahí. Nuestras casas se construyeron en 1967 y, en cuanto quedó colocado el último ladrillo, mis padres se instalaron y empezaron a tener hijos. Pero la Vieja Pacana es anterior a todo eso. Cuando la empresa de construcción allanó la parcela, se cortaron un montón de pinos, cuyos tocones fueron retirados. Pero a la Vieja Pacana la salvaron.

Andre palmeó la rugosa corteza.

—La única manera de saber su edad es talarlo y contar los anillos del tronco. No tengo tanta necesidad de saberlo. La respuesta es que es viejo y ya está. Este ancianito ha visto de todo —dijo Andre.

—¿Estás listo? —le pregunté.

—No hay por qué estar listo —repuso él, apoyando la espalda en el tronco y atrayéndome hacia él. No fui capaz de resistirme y le pasé los dedos por el denso pelo. Me incliné hacia él para besarle en la garganta, pero él me agarró por los hombros y me separó de él para que pudiéramos vernos las caras. Sus ojos reflejaban los tonos grises y pardos del invierno.

—Tienes miedo —dijo—. Noto tu cuerpo tiritar bajo la piel. Dime, ¿qué te pasa, Celestial?

—Esto es de verdad —respondí—. Lo que tenemos tú y yo es de verdad. No es comodidad.

—Cariño… El amor también debe ser comodidad. Debe ser fácil. ¿No lo dice la primera carta a los corintios? —Me apretó entonces de nuevo contra su pecho—. Lo nuestro es de verdad. Es cómodo. Y es perfecto.

—¿Crees que Roy se volverá contigo desde Luisiana?

—Quizá. O quizá no —dijo Andre.

—¿Qué harías tú si fueras él?

Andre me dejó ir y apoyó los pies sobre las raíces elevadas del árbol. El aire se sentía frío y limpio.

—No sabría decirte, porque no me imagino en su situación. Lo he intentado y no soy capaz de meterme en su piel ni por un segundo. A veces pienso que, de estar en su lugar, querría comportarme como un caballero. Te desearía lo mejor y dejaría que siguieras tu camino con dignidad.

Yo negué con la cabeza. Roy no era ese tipo de hombre, aunque dignidad le sobraba. Para alguien como él, dejar las cosas estar iba contra el respeto a uno mismo. Gloria me dijo en una ocasión que nuestra mejor virtud es también el peor de nuestros defectos. Ella hablaba, por ejemplo, de sí misma y de su capacidad de adaptación. «He aguantado carros y carretas, cuando debería haber devuelto los golpes», me decía. «Pero esa capacidad para adaptarme también me ayudó a vivir la vida como he querido.» Gloria me dijo que, desde muy pequeña, yo siempre había dado rienda suelta a mis apetitos. «Ibas corriendo a por lo que querías. Tu padre intentaba evitarlo constantemente, pero tú eres como él: brillante, pero impulsiva y un poco egoísta. Las mujeres deberíamos ser un poco más egoístas», me decía. «Si no, el mundo nos pasa por encima una y otra vez.» A mis ojos, Roy era un luchador, rasgo cuyos dos filos resplandecían y cortaban de la misma manera.

—No sé qué pensar —dijo Andre reflexionando en voz alta—. Él siente que le han arrebatado todo: su trabajo, su casa, su mujer. Y quiere que se lo devuelvan. El trabajo no lo recuperará, porque las empresas en este país no esperan a nadie, y menos a un negro. Y va a querer también que le devuelvan su matrimonio, como si hubiera estado todos estos años guardado en un congelador. Mi trabajo consiste ahora en quitarle esa fantasía de la cabeza. —Hizo un gesto con los brazos con el que intentó acaparar nuestras dos casas, nuestros cuerpos, quizá toda esa ciudad, que era la nuestra—. Me siento muy culpable. No lo puedo evitar.

—Yo también —apostillé.

—¿Por qué nos sentimos culpables? —preguntó rodeándome la cintura con los brazos.

—Desde que tengo memoria, mi padre me ha repetido una y otra vez la suerte que he tenido. Me ha recordado cientos de veces que jamás tuve que luchar. Que todos los días tenía comida servida en la mesa. Que nadie me ha insultado a la cara por mi raza, nunca. «Nacer por accidente es casi garantía de felicidad», me dijo en una ocasión. Una vez, mi padre me llevó a las urgencias del hospital de Grady para que viese cómo trataban a los negros pobres cuando enferman. Al volver a casa, Gloria estaba muy cabreada. Yo tenía ocho años. Mi padre se disculpó diciendo: «A mí me da igual vivir en Cascade Heights, pero esta niña necesita conocer la realidad». Gloria estaba furiosa. «No es un becario de Sociología. ¡Es nuestra hija!» «Pues nuestra hija necesita saber cómo es el mundo y darse cuenta de la suerte que tiene. Cuando yo tenía su edad...» Pero mi madre lo atajó. «Para, Franklin. Esto es el progreso. Tú has vivido mejor que tu padre y yo mejor que el mío. No la trates como si estuviera robándole a alguien.» A lo que mi padre adujo: «No estoy diciendo que esté robando. Solo quiero que sea consciente de lo que tiene».

Dre hizo un gesto de aquiescencia, como si mis recuerdos fueran los suyos propios.

—Te mereces la vida. Nada es accidental. Ni en el nacimiento ni en ningún aspecto.

Le di un profundo beso y le deseé buen viaje a Luisiana como quien desea buena suerte en la guerra.

Roy

Apartado de correos
973
Eloe, Luisiana 98562

Querido Walter:

Hola desde el otro lado. Por favor, haz caso omiso del remite que aparece en esta carta, porque no sé dónde estaré cuando te llegue. Ahora mismo me encuentro en un área de servicio a las afueras de Gulfport, Misisipi, donde he alquilado una habitación. Pasaré aquí la noche y mañana por la mañana continuaré el viaje hacia Atlanta. Voy en busca de Celestial. Quiero averiguar si me queda algo en esa ciudad. Podría pasar cualquier cosa. No creo estar dándole demasiada importancia al hecho de que no se divorciara de mí. Mañana a esta hora se habrá resuelto todo.

Tengo dinero en el bolsillo y doy gracias por ello. De niño me abrieron una cartilla de ahorros. Fui a la sucursal del banco el martes pasado para sacar el dinero y allí viví un pequeño milagro. Olive había dejado de meter dinero en mi cuenta del economato cuando supo que Celestial estaba encargándose, pero había empezado a ahorrar de nuevo para mi futuro. Todo el dinero que sacaba de vender tartas los sábados lo apartó para mí, así que ahora tengo casi tres mil quinientos dólares. No tendré que presentarme en casa de Celestial como un sintecho. Que, en cualquier caso, es lo que soy, supongo. Al menos no soy un sintecho arruinado.

Celestial no sabe que voy y me alegra no tener que escuchar tus consejos al respecto. Es complicado de explicar. Ella ha enviado a Andre a Eloe para que me recoja. Según mis cálculos, saldrá de viaje mañana a primera hora. Por eso he decidido no decirle que yo viajaría a Atlanta: necesito verla a solas, no con Dre dando vueltas alrededor. No digo que haya algo entre ellos, pero... siempre ha habido algo entre ellos. Sabes a lo que me refiero, ¿verdad? ¿O soy yo el que está filosofando demasiado ahora? El caso es que creo que necesito hablar con ella sin intermediarios de ningún tipo. Así que, si él viene a Luisiana, le llevará al menos otro día regresar. Lo que me da dos días para poder encargarme de este asunto.

Reconócelo, es un gran plan.

Quizá tengas razón y a fin de cuentas sea tu hijo bilógico.

En cualquier caso, ten en cuenta que parte del dinero del que he hablado terminará entre las páginas de los libros que te mande. No te lo gastes de golpe (ja, ja). Y cuídate. Si quieres, reza por tu hijo.

Roy O.

TRES

Generosidad

Andre

No íbamos a darle de lado. No pensábamos decirle que no era bienvenido. Mi plan era viajar a Eloe y, una vez allí, sentarnos a solas y hablar, él y yo. Yo le explicaría que Celestial y yo llevábamos viéndonos dos años y que nos habíamos prometido. Pero eso no quería decir que no tuviera una casa en la que guarecerse. Si quería afincarse en Atlanta, podríamos ayudarle a buscar y pagar un apartamento, lo que necesitara para arrancar. Quería hacer hincapié en lo felices que nos hacía su liberación y lo agradecidos que estábamos de que por fin se hubiera hecho justicia. Celestial propuso que usáramos la palabra «perdón», pero yo no lo acepté. Podría pedir comprensión, templanza. Pero no que me perdonase. Celestial y yo no nos habíamos equivocado. Aquella era una situación complicada, pero no debíamos arrodillarnos ante él.

Justo antes de quedarse dormida, Celestial murmuró:

—Quizá debería ser yo la que viajase a Luisiana.

—Deja que yo me encargue —repuse.

Aquel no era un plan maestro, pero no tenía otro. Un plan y un vaso de poliestireno que envenenaba mi café de gasolinera.

Salí a la autopista interestatal y conduje como si estuviera examinándome en la autoescuela. Lo último que necesitaba era llamar la atención de la policía, especialmente en el interior de Luisiana. Si le podía ocurrir a Roy, me podía ocurrir a mí. Aparte de mi piel, llamaba la atención mi coche. Al respecto de la mayoría de cosas, soy un tipo bastante humilde. Celestial a veces me tira a la basura mis camisas viejas, a las que tengo mucho cariño, sin avisarme. La ropa no me interesa, pero los coches me gustan mucho, y tengo un Mercedes clase M por el que me han parado media docena de veces a lo largo de los últimos tres años. Una vez, en Atlanta, llegaron a sacarme del coche. Al parecer, si tienes la marca y el modelo equivocados, y encima vas rápido, te toman sí o sí por camello. Incluso en Atlanta. Eso ocurría, no obstante, en barrios chungos o un poco chungos, aunque los barrios más elegantes, como Buckhead, tampoco eran seguros. Ya sabéis lo que se dice: si te alejas diez kilómetros de Atlanta ciudad, acabas en Georgia. Y ¿sabéis qué otra broma se hace? ¿Qué se le llama a un negro con un doctorado? Las mismas cosas que a un negro que conduce un cochazo.

Casi no reconocía la casa de Roy sin el Chrysler aparcado en la puerta. Di dos vueltas a la manzana, confuso. Las sillas tipo Huey Newton del porche me confirmaron que había dado con la casa correcta. Aparqué frente al porche, con el parachoques casi besando la pared de tablones, y, de repente, se encendieron varios focos automáticos que me deslumbraron y me obligaron a taparme los ojos.

—¡Hola! —exclamé—. Soy yo, Andre. Andre Tucker. He venido a ver a Roy Hijo.

Los vecinos tenían puesto *zydeco,* la alegre música de los cajunes negros, a toda voz. Yo me acerqué lentamente a la casa, como si temiera que al hacer un movimiento brusco alguien fuese a dispararme.

Roy Padre esperaba tras la puerta mosquitera, con un delantal de carnicero a rayas.

—Pasa, Andre —saludó—. ¿Has comido ya? Estoy preparando unos buñuelos de salmón.

Le estreché la mano y me invitó a entrar al mismo salón-cocina que recordaba desde mi última visita a aquella casa. La cama de hospital no estaba y el sillón verde parecía nuevo.

—He venido a recoger a Roy, ¿sabe?

Roy Padre se dirigió a la cocina y yo le seguí de cerca. Una vez allí, se ajustó el delantal, anudándolo de nuevo en torno a su prominente torso.

—Mi hijo se ha marchado.

—¿Adónde?

—A Atlanta.

Me senté en la mesa de la cocina.

—¿Qué?

—¿Tienes hambre? —preguntó Roy—. Puedo prepararte unos buñuelos de salmón.

—¿Que se ha ido a Atlanta? ¿Cuándo?

—Hace un rato. Voy a ponerte algo de comer, ¿de acuerdo? Hablaremos de eso mientras comemos —añadió alargándome un vaso de refresco morado que sabía a puro verano.

—Gracias, señor. Aprecio su hospitalidad, pero ¿no podría hacerme un resumen? ¿Cómo se ha ido? ¿En avión? ¿En tren? ¿En coche?

Él valoró la pregunta mientras abría una lata, como si estuviera contestando un test de respuesta múltiple. Y por fin dijo:

—En coche.

—¿El coche de quién?

—El mío.

Me apreté los ojos con las palmas de las manos.

—No puede estar hablando en serio...

—Estoy hablando en serio...

Me saqué el teléfono del bolsillo. Estaríamos quizá a más de cien kilómetros de la antena de telefonía móvil más cercana, pero tenía que intentarlo.

—Por aquí no hay mucha cobertura. Todos los niños piden teléfonos móviles por Navidad, pero son ganas de tirar el dinero.

Miré la pantalla del mío. Tenía batería de sobra, pero no había señal. No podía evitar sentir que me la habían jugado. En la pared de la casa había un teléfono verde antiguo, de los de dial. Me referí a él con un gesto de cabeza.

—¿Puedo usarlo?

Desmenuzando galletas Ritz, Roy Padre se encogió de hombros y respondió:

—Me lo cortaron ayer. Desde que Olive murió, me está costando llegar a fin de mes.

Me quedé en silencio mientras él cocinaba. Cascó un huevo encima de las galletas desmenuzadas y luego batió la mezcla con golpes de tenedor lentos y cuidadosos, como si temiera estropear la receta.

—Lo lamento de veras —repliqué avergonzado por haber preguntado siquiera—. Siento que esté resultando tan duro.

Roy Padre suspiró de nuevo.

—Me las arreglo, más o menos.

Me senté otra vez en la mesa de la cocina y observé a Roy Padre preparar los buñuelos. Los años lo tenían claramente agarrado por la garganta. Tenía la misma edad que mi padre, más o menos, pero estaba encorvado y de las comisuras de sus labios nacían profundas arrugas. Tenía el rostro de un hombre que ha amado demasiado.

Traté de compararlo con mi propio padre, ese hombre atractivo y vanidoso, de constitución tersa como el cristal. La inconfundible cadena de oro de Carlos era un poco *Fiebre del sábado noche,* al menos eso había pensado yo siempre. Quizá la atesoraba no por vanidad sino como don protector de su madre. Todavía no tenía claro qué significado tendría para mí.

Roy Padre echó los buñuelos de pescado en la sartén embadurnada de manteca y dijo:

—Vas a tener que quedarte a pasar la noche. En invierno anochece muy pronto. Es demasiado tarde para volver a la carretera. Además, no tienes pinta de ir a aguantar otras siete horas al volante.

Crucé los brazos sobre la mesa y apoyé la cabeza entre ellos.

—¿Qué está ocurriendo, por favor? —pregunté, sin esperar realmente una respuesta.

Por fin, Roy Padre sirvió la comida. Buñuelos de salmón y guarnición de zanahoria cortada en tiras. Los buñuelos se dejaban comer, sin más. En cualquier caso, yo no tenía mucha hambre. Roy Padre se comió todo su plato con un tenedor de postre, hasta las zanahorias. Me dedicaba una sonrisa de tanto en tanto, aunque yo no me sentía del todo bienvenido en aquella cocina. Después de la cena, me ofrecí a lavar los platos, mientras él devolvía la manteca usada a un cacharro de estaño. En equipo, yo secaba los platos y él los colocaba. Cada pocos minutos, yo comprobaba si mi teléfono tenía cobertura.

—¿A qué hora se marchó Roy, entonces? —quise saber.

—Se fue anoche.

—Entonces… —dije yo, haciendo cálculos mentales.

—Llegó a Atlanta más o menos a la misma hora a la que tú saliste.

Cuando todos los cacharros estuvieron limpios, secos y colocados, y hubimos limpiado la mesa, Roy Padre me preguntó si me gustaba el Johnny Walker.

—Sí, señor —respondí.

Por fin, nos sentamos cómodamente en el salón, vaso en mano. Yo me acomodé en el firme sofá y él eligió el sillón reclinable de cuero verde.

—Cuando murió Olive, al principio, no era capaz ni de tumbarme en mi cama. Durante un mes dormí en este sillón. Lo reclinaba al máximo y sacaba el reposapiés, y me ponía una manta y una almohada. Así pasaba la noche.

Asentí con la cabeza, imaginándolo. Lo recordé en el funeral, destruido pero decidido. «A su lado, sentía que estaba engañando a todo el mundo», me había dicho Celestial. No se lo dije nunca, pero Roy Padre provocó en mí la reacción contraria. Sentí sus emociones, más profundas que la tumba de su esposa, y comprendí también su desvalimiento, ese anhelo por una mujer que uno jamás sería capaz de entender o calibrar del todo.

—Me llevó un año entero aprender a dormir sin Olive al lado. Bueno, si se le puede llamar «dormir» a lo que yo hago por la noche.

Hice otro gesto de comprensión con la cabeza y bebí. Desde las paredes forradas de madera oscura me observaban varios retratos de Roy a diferentes edades.

—¿Cómo está él? —pregunté—. ¿Cómo se está apañando?

Roy Padre se encogió de hombros.

—Se está apañando todo lo bien que uno podría imaginar después de pasar cinco años encerrado por algo que no hizo. Ha perdido muchas cosas y no solo a su madre. Antes de la cárcel, Roy había cogido carrerilla, ya sabes. Hizo todo lo que tenía que hacer y más. Llegó más lejos de lo que yo he llegado nunca. Y entonces...

Me dejé caer sobre el respaldo del sofá.

—Roy sabía que yo iba a venir. ¿Por qué se ha marchado por su cuenta?

Roy Padre tomó un sorbo con aire pensativo y sus facciones hicieron un gesto que se acercaba a la sonrisa pero no llegaba a serlo.

—Déjame decirte que valoro mucho que quisieras participar en el funeral de mi esposa. Cuando agarraste aquella pala, sé que lo hiciste con buena intención. Te lo agradezco también. Sinceramente.

—No tiene que darme las gracias... Yo solo estaba...

Pero entonces me interrumpió bruscamente.

—Hijo, sé lo que estás haciendo. Sé que has venido para contarle a mi hijo que entre Celestial y tú hay algo.

—Señor, yo...

—No intentes negarlo.

—No iba a negarlo. Iba a decir que no quiero hablar de ese asunto con usted. Es algo entre Roy y yo.

—Es algo entre Roy y ella, Andre. Están casados.

—Ha estado desaparecido cinco años. Y pensábamos que le quedaban otros siete.

—Pues sí, pero ahora está en la calle —argumentó Roy Padre—. Roy y Celestial están legalmente casados. Los jóvenes ya no respetan la institución. Pero te diré una cosa, cuando yo me casé con Olive, el matrimonio era algo sagrado y todos los hombres buscaban una mujer joven, acabada de salir de la casa de su padre. A mí trataron de advertirme y de alejarme de Olive, porque tenía un hijo, pero solo hice caso a lo que me pedía el corazón.

—Señor, no puedo decirle lo que opino en general sobre la institución del matrimonio, pero sé muy bien cómo son las cosas entre Celestial y yo.

—Sí, pero no sabes cómo son las cosas entre Roy y ella. Eso es lo único que a mí me interesa. No me importáis un bledo tú ni tus sentimientos. Lo único que me preocupa es mi hijo.

Entonces, Roy Padre se echó hacia delante. Pensé en ese instante que iba a pegarme, pero no, alargó el brazo para coger el mando a distancia de la televisión. La encendió y en la pantalla apareció un cocinero que hacía una demostración de algún tipo de licuadora milagrosa.

Durante un largo minuto no dije una palabra, hasta que, de repente, sonó el teléfono, con un timbrazo largo y estridente como el de una alarma de incendios.

—¿No dijo que le habían desconectado el teléfono?

—No era cierto —dijo arqueando las cejas.

—No me esperaba algo así de usted —confesé, sintiéndome engañado. Me sentí de repente harto de estar sometido a los caprichos de los padres, ya fuera el de Roy, el de Celestial o el mío propio—. Pensé que era usted un hombre honorable. Todo el rollo de que lo único que tiene un hombre es su palabra...

—¿Sabes? —y entonces sonrió abiertamente—. Me he sentido mal al decírtelo, hasta que he visto que te lo creías. —La sonrisa tomó un cariz sarcástico—. Dime, ¿te parezco una persona que no es capaz de hacerse cargo de sus facturas?

Dejó escapar entonces una risa entre dientes, grave y lenta, que, no obstante, se hizo más ruidosa con cada inspiración. Miré alrededor, buscando alguna cámara oculta. Aquel día parecía una película romántica en la que estaba claro que el que se quedaba sin chica era yo.

—Vamos —dijo Roy Padre—, hay veces en las que lo único que podemos hacer es reír.

Y eso hice. Al principio, me impulsó la amabilidad de reírle el chiste a un viejo, pero, de repente, algo dentro del pecho prendió y empecé a reír desaforadamente, como un loco, como cuando sospechas que Dios no se está riendo contigo, sino de ti, y te dejas llevar.

—Voy a decirte otra cosa —me dijo dejando de reír abruptamente, como quien cierra un grifo de agua—. Estaré encantado de dejarte dormir aquí, pero he de pedirte que no uses mi teléfono. Llevas a solas con Celestial... ¿cuánto?, ¿cinco años? Has tenido todo el tiempo del mundo para vender tu oferta. Quiero que concedas a Roy esta noche. Sé que vas a luchar por ella, pero deja que sea una lucha justa.

—Solo quiero saber que está bien.

—Ella va a estar bien. Roy no va a hacerle ningún daño y lo sabes. Además, ella tiene mi número de teléfono. Si quisiera decirte algo, no tendría más que llamar.

—Quizá fuera ella quien llamó antes.

Roy Padre volvió a coger el mando a distancia como si fuera un mazo. Apagó la televisión y el salón quedó en un silencio tal que hasta se oían los grillos de fuera.

—Escucha. Estoy haciendo por mi hijo lo que tu padre habría hecho por ti.

Celestial

Yo la veía a veces, así que me había acostumbrado a su aliento entrecortado, y a que repentinamente se me erizase el vello de los brazos y notase frío en la nuca. Uno puede vivir perfectamente rodeado de fantasmas. Gloria dice que su madre la visitó todos los domingos por la mañana a lo largo de un año. Cuando se miraba al espejo para darse carmín en los labios, aparecía su madre tras su hombro izquierdo, como recién enterrada, pero rediviva en el reflejo. A veces, me aupaba a mí y me preguntaba: «¿Ves a la abuela?». Yo solo la veía a ella, arreglada y lista para las clases dominicales que se impartían en la iglesia a los necesitados. «No pasa nada, ella sí te ve a ti», me consolaba. Mi padre siempre pensó que aquello era ridículo. Su fe, decía él siempre, es el empirismo. Si no se puede contar, medir o calibrar científicamente, no existe. A Gloria le daba igual que él no la creyese, porque prefería disfrutar a solas de la compañía de su madre en el espejo.

Yo nunca vislumbré la cara de Roy en una tostada quemada ni en el agua de una olla. El fantasma de mi marido se aparecía en la guisa de otros hombres, casi siempre jóvenes, de esos que llevan el pelo siempre recién cortado. No siempre compartían con él los atributos físicos; no, se mostraban tan diversos como el ser humano mismo. Sin embargo, los reconocía en la ambición que llevaban, que les aromatizaba la

piel como un agua de colonia especiada: notaba ur
sa de poder revolver el aire y, acto seguido, sentí;
que me dejaba la boca con sabor a ceniza.

La víspera de Nochebuena, Andre conducía a toda velocidad por la interestatal dirección oeste, y luego sur, para cumplir con mi cometido. Debería haber sabido que no era buena
idea enviar a un hombre a hacer el trabajo de una mujer. Pero
él había insistido: «Deja que me ocupe yo». Y yo me había
sentido aliviada. No sé qué es lo que me ocurrió. Antes era
una mujer valiente.

Durante nuestro baile nupcial, antes del banquete de bodas, mi padre me hizo una recomendación:

—Deja que el hombre sea el hombre de vez en cuando.

Me reí de él, achispada por el amor y el champán:

—¿Qué significa eso? ¿Que le deje mear de pie?

—En ciertos momentos, tendrás que aceptar tus limitacio-
nes.

—¿Aceptas tú las tuyas? —le pregunté con tono desafiante.

—Pues claro, Mariquita. Eso es lo que te enseña el matrimonio.

Eso me hizo reír y, en ese instante, mi padre me hizo girar
y me mareé.

—Mi matrimonio no. Mi matrimonio va a ser diferente.

*

En la víspera de Nochebuena, le hice la maleta a Andre con
ropa limpia y un pequeño botiquín con medicinas por si su-
fría de migraña, insomnio o gripe. A la mañana siguiente,
temprano, lo despedí en el camino de acceso mientras él sacaba el coche marcha atrás con cuidado de no meter las ruedas
en el césped, de un parduzco invernal en la superficie pero
aún verde por debajo. Mis piernas se tensaron como si quisie-

ran salir corriendo detrás de él y devolverlo al calor de mi cocina. Sin embargo, mi brazo se agitó y mis labios dijeron adiós.

Y, a continuación, me marché al trabajo.

*

El local de Poupées estaba en un lugar privilegiado, en la intersección entre las avenidas Virginia y Highland. El vecindario era un poco el País de las Golosinas: mansiones rehabilitadas, adorables casitas de madera, cafés monos y *boutiques* caras. Las heladerías servían raciones generosas, servidas a mano por adolescentes que trabajaban para pagarse el primer año de universidad y llevaban en la boca coloridos aparatos correctores. El único problema del lugar era el aparcamiento, aunque no tanto como para no apreciar todas sus ventajas.

El suroeste de Atlanta era mi hogar. Ningún accidente geográfico posterior cambiaría eso, aunque a veces podía imaginarme viviendo con Andre en el noreste de la ciudad o incluso en Decatur, al este. Yo no tenía intención de empezar de nuevo en otro barrio, pero quizá nos vendría bien un poco de espacio para respirar. Tendríamos que despedirnos de la Vieja Pacana, pero en la avenida Highlands, por ejemplo, florecían antiguas magnolias, árboles que desprendían una energía distinta, a la que no obstante nos adaptaríamos.

Cuando llegué a la tienda, mi ayudante ya había llegado. Mientras encendía los ordenadores, Tamar se dedicó a colocar naricillas rojas y astas de reno a las muñecas del escaparate. La observé trabajar con atención, concentrada en los detalles. Pensé que ella era quizá una versión mejorada de mí misma. Más guapa que yo y diez años más joven. Podría interpretar mi papel en la película de mi vida. Tamar bordaba intrincadas colchas en miniatura para las *poupées*. Yo le pedí que firmara cada una de ellas. Apenas se vendían porque eran tan caras como las muñecas, pero me negué a que bajara los precios. «Ten claro lo que vales», le dije. Tamar había tenido un hijo justo la semana antes de sacarse un máster en Emory, así que se estaba ganando todo el respeto del mundo, exactamente como deseaba.

Con la Navidad encima, los muñecos que quedaban por vender en la tienda recordaban a esos niños a los que el entrenador no saca a jugar en los partidos del cole. Algunos tenían defectos buscados deliberadamente; les ponía el entrecejo muy poblado, o un torso muy alargado, con piernecitas cortas y rechonchas. Ahí fuera había niñas y niños que necesitaban cuidar y dar su cariño a algo que no fuese del todo perfecto. Estos muñecos que tenían imperfecciones (como los niños de carne y hueso) esperaban en las estanterías como huérfanos deseosos de ser adoptados. Solo quedaba una *poupée* de las más bonitas. Tenía una simetría adorable, mejillas regordetas y ojos brillantes. Tamar le había colocado unas alas y una aureola que había colgado del techo con un sedal de pescar y quedaba suspendida justo por encima de la cabeza de la muñeca.

Cuando el escaparate estuvo listo, Tamar me dijo:

—¿Lista para el *rock and roll*?

Consulté la hora en el reloj de muñeca que me había regalado Andre. Era un reloj retro, al que tenía que dar cuerda todas las mañanas, bonito como un bebé e igualmente ruidoso y pesado. La manecilla del segundero hacía que se estremeciera todo el mecanismo con cada movimiento. Asentí a la pregunta de Tamar y quité el cierre a la puerta de cristal. El negocio estaba abierto.

La tienda se llenaba, pero no vendíamos demasiado. Había personas que cogían una muñeca, la observaban largamente e, incapaces de discernir qué había en ella que las perturbaba, la devolvían al estante y dirigían su mirada hacia otro lado. Pero, bueno, no podíamos quejarnos. Cuando llegase el día 25, todas estarían cómodamente sentadas bajo algún árbol de Navidad.

Después del almuerzo, vi a Tamar algo nerviosa, alisando los vestidos a las muñecas y ahuecándolas como si fueran almohadas.

—¿Estás bien? —pregunté por fin.

Ella se señaló el espléndido pecho con la palma de la mano.

—Tengo que sacarme leche. En serio. O de aquí a cinco minutos estallo.

—¿Dónde está el bebé?

—Con mi madre. Te digo una cosa, la emoción de los nietos hace que hasta la madre más reticente te perdone por haberte quedado embarazada —dijo entre risas, feliz, con las cartas en la mano.

—De acuerdo —dije yo—. Ve a casa a darle el pecho. Me las puedo apañar sola hasta que cierre. Pero, hazme un favor: tráeme un poco más de muselina. ¡Haremos un brindis navideño!

No había terminado siquiera de hablar y ella estaba ya abotonándose el abrigo con esfuerzo.

—¡No le compres a tu niño unas zapatillas deportivas de trescientos dólares! —le dije alargándole el sobre con la paga extra de Navidad. Ella dejó escapar otra carcajada, luminosa y navideña, y juró que no lo haría.

—¡Lo que no prometo es que no vaya a comprarle una chaqueta de cuero!

Y ahí me quedé, contemplando a mi *alter ego* disfrutar de su felicidad mientras salía por la puerta.

Unas horas después, estaba a punto de cerrar cuando un hombre bastante atractivo, que llevaba un abrigo de lana color cobrizo, entró en la tienda, precedido por el tintineo de las campanitas. Era cien por cien Atlanta: llevaba la camisa inmaculada aun al final de la jornada. Parecía cansado pero un poco acelerado a la vez.

—Busco un regalo para mi hija. Cumple años hoy; siete. Necesito algo bonito y lo necesito rápido.

No llevaba alianza, así que me figuré que era un papá de los de fin de semana. Le di un paseo por la tienda y sus ojos se iban posando de muñeco en muñeco, los malandrines y pilluelas que no había querido llevarse nadie.

—¿Es usted de Atlanta? —preguntó, repentinamente.

Me toqué el pecho a la altura del corazón.

—Nacida y criada en el suroeste de Atlanta.

—Yo también. De Douglass High. Estas muñecas, por cierto, tienen un aspecto algo inquietante. No sé qué es exactamente, pero todas tienen algo raro. ¿Son las únicas que tiene?

—Son todas únicas —dije defendiendo mis creaciones—. Hay variaciones de una a otra y...

Él dejó escapar una risita.

—Puede ahorrarse el rollo para los clientes blancos. No, en serio... —Acto seguido, dirigió la mirada hacia el techo, como buscando la palabra justa, cuando sus ojos aterrizaron sobre la muñeca que flotaba por encima de nuestras cabezas—. Y ¿qué hay de esa que va vestida como un ángel? ¿Está a la venta?

Antes de que me diese tiempo a responder, llamó mi atención algo que ocurría en la calle y que vi por el rabillo del ojo. Al otro lado de la avenida Virginia había aparecido un espectro. El fantasma de Roy. Yo había aprendido a sofocar esas impresiones, pero en aquella ocasión me costó especial trabajo, porque el tipo se parecía realmente a Roy. No a Roy de joven. No al Roy del futuro. Aquel hombre se parecía a un

Roy que jamás hubiera salido de Eloe. El espectro de ese Roy tenía los brazos cruzados sobre el pecho, como un centinela. Lo miré durante todo el tiempo que pude, sabiendo que si apartaba la mirada se desvanecería.

—¿Tiene una escalerilla? —preguntó el cliente—. Si está a la venta, la puedo coger yo mismo.

—Está a la venta.

De repente, dio un salto de jugador de baloncesto y alcanzó el ángel.

—¡Lo pillé! Me lo puede envolver, ¿verdad?

El muñeco se parecía a Roy, como muchos otros. Hay otros que se parecen a mí o a Andre, a Gloria o a mi padre. Ante los ojos del apuesto cliente, coloqué la muñeca en una caja forrada de suave papel de seda. Hice una pausa, pero el impaciente repiqueteo de sus llaves contra el mostrador parecía azuzarme. Inspiré profundamente y ajusté bien la tapa. De repente noté que un pánico inundaba poco a poco el centro de mi pecho y, a continuación, se expandía por el resto de mi cuerpo. Acababa de cortar un trozo de cinta de color azulón y ya no pude soportarlo más. Rompí la cinta adhesiva con la uña, volví a abrir la caja, saqué el muñeco ángel de entre el papel y lo abracé firmemente.

—¿Está usted bien? —dijo el tipo.

—No, lo siento —reconocí.

El hombre miró su reloj.

—Joder, ya llego tarde —dijo dejando escapar un suspiro—. ¿Qué le ocurre? Mi ex dice que no me entero de nada cuando hay algo emocional de por medio. «¡No puedo enseñarte a sentir!» —exclamó con voz chirriante, imitándola, supongo—. Le advierto que quizá esté a punto de decirle alguna tontería, pero mis intenciones son buenas.

—Mi marido está a punto de salir de la cárcel.

El hombre inclinó la cabeza hacia un lado.

—¿Es eso mala noticia o buena noticia?

—Es buena —respondí, demasiado apresuradamente—. Es buena.

—No parece usted segura del todo... —replicó él—. Pero la entiendo. Siempre es un paso adelante que un hermano quede en libertad. —Citó entonces al que supongo sería su rapero favorito—. «Que abran la cárcel de Attica, que los manden a África.» ¿Se acuerda de esa canción?

Asentí con la cabeza, sin dejar de abrazar al angelito.

—Míreme a mí —continuó—. Aparte de un par de primos que son un poco idiotas, no conozco a nadie que haya pisado una cárcel. Lo que sí conozco es el matrimonio. Los divorciados lo conocemos bien. Olvide a los divorciados felices: no tienen ni idea. ¿Cuánto tiempo ha estado a la sombra?

—Cinco años.

—Joder. Vaya. Es bastante tiempo. Yo pasé en Singapur seis meses, por trabajo. Intentando ganarme la vida. Mi mujer vivía como si la hipoteca fuese a pagarse sola. Cuando regresé a casa, mi matrimonio estaba tocado de muerte. En apenas seis meses. —Sacudió la cabeza de un lado a otro—. Lo único que digo es que no tenga demasiadas esperanzas. El tiempo que pasa tiene casi más peso que el encarcelamiento en sí. —Entonces extendió las palmas de las manos—. ¿Puedo llevarme la muñeca, entonces? Es la única bonita que le queda.

Le acompañé a la puerta, preguntándome si no sería una aparición también él, el fantasma de lo que podría haber ocurrido pero no ocurrió. Fue el último cliente de la tarde. Mucha gente paseaba por la calle a esa hora, pero nadie entró en la tienda ni se detuvo siquiera ante el ornamentado escaparate. Dejé un mensaje a Tamar y decidí cerrar antes de la hora. Fui apagando luces mientras en mi reloj pasaban los minutos con un ruidoso tictac.

Miré a un lado y a otro de la calle mientras bajaba la persiana. No había nadie ya, salvo el empleado del aparcamiento cercano, que se bajó la gorra hasta los ojos.

Roy

Cuando era niño coleccionaba llaves. Os sorprendería saber la cantidad de llaves que se encuentran por ahí si uno anda con ojo. Las guardaba en frascos de mermelada que colocaba en la balda más alta de mi armario. Después de un tiempo, Olive y Roy Padre empezaron a traerme las llaves que encontraban ellos también. Mi colección estaba formada fundamentalmente por llaves de latón pequeñitas, de maletín, o de esas que se copian por un dólar en cualquier ferretería. Una vez, en un mercadillo, compré una llave tipo Ben Franklin, de esas con un brazo largo y dos o tres dientes en el extremo. Las atesoraba de todo tipo, en cualquier caso, pues me gustaba pensar que con esos pequeños objetos podría abrir decenas de puertas. A veces me imaginaba en una película o un cómic, en los que tenía que abrir una puerta, para lo que probaba todas las llaves que tenía en mi colección, y justo en el último segundo encontraba la llave apropiada. Creo que esta fantasía me duró de los ocho a los doce años de edad, cuando me di cuenta de que era una estupidez. Cuando me metieron en la cárcel, pensaba en mis llaves todos los días.

*

Entré en Atlanta por la autopista interestatal 75/85. Quería ver el perfil de la ciudad elevarse ante mí, como una tierra prometida. En Atlanta no tenemos el edificio Empire State de Nueva York ni la torre Sears de Chicago. Hasta donde sé, no hay ningún edificio especialmente famoso. De hecho, podría decirse que no hay rascacielos. Algunos edificios rozan el cielo, pero lo que se dice rascarlo, no. En cualquier caso, la ciudad es adorable como el rostro de una madre. Levanté las manos del volante al pasar por debajo del puente de la interestatal 20, como un niño en una montaña rusa. Yo no había nacido en esa ciudad como Celestial, pero pertenecía a ella igualmente y me emocionaba estar de vuelta en casa.

Celestial me había dicho que Poupées estaba en la esquina entre Virginia y Highland, justo en el lugar en que yo le había sugerido, cuando la tienda no era más que un sueño. Era la ubicación perfecta: estaba en el centro de la ciudad, así que los negros podían llegar fácilmente, pero en un barrio en el que los blancos también se sentirían cómodos. Pagué diez dólares por aparcar el coche en un aparcamiento que había al otro lado de la calle, justo frente al escaparate. Lo había hecho bien, tenía que reconocérselo. Con el dinero de su padre, todo se volvía más fácil, pero ella había hecho el trabajo. Las muñecas del escaparate eran de todas las razas, idea que también fue mía. «Tienes que darle un rollo Benetton», le dije. Muñecos y muñecas llevaban atuendos navideños. Dediqué unos quince minutos a contemplar el escaparate y el interior de la tienda, quizá más, quizá menos. Es difícil calcular el tiempo cuando tu corazón parece una pelota y tu pecho una máquina de *pinball*.

Creí verla en el interior, subida a una escalerilla, colgando un muñeco con alas del techo, pero aquella chica era demasiado joven. Me recordaba a Celestial cuando la conocí, en aquella época en la que no me daba ni la hora. Observé un poco más, mientras la doble de Celestial plegaba la escalerilla y desaparecía en la trastienda. Entonces, apareció esta por detrás de una cortina rosa oscuro, como si hubiera salido a un escenario.

Se había cortado el pelo. No es que se lo hubiera retocado o hubiese cambiado de estilo: esta nueva Celestial llevaba el pelo corto, rapado por los lados, como yo. Me acaricié la cabeza, tratando de imaginar cómo se sentiría la suya. No le daba un aspecto en absoluto masculino; hasta desde la acera de enfrente se distinguían los grandes pendientes plateados y el pintalabios rojo. La noté más resuelta, eso sí. Me quedé observándola, tratando de cruzar la mirada con ella, pero no me vio. Caminaba de un lado a otro de la tienda, sonriente, señalando aquí y allá, ayudando a los clientes a elegir el mejor regalo. Me quedé mirando hasta que me dio frío y, entonces, regresé al coche, me eché en el asiento trasero y caí en un sueño profundo como la muerte.

Cuando desperté, volví a verla, pero la chica que se parecía a ella había desaparecido. Estuvo sola, hasta que entró un negro alto que parecía salido de las revistas *GQ* o *Vibe*. Observé a Celestial mientras charlaba con él y, entonces, ella dirigió la mirada hacia donde me encontraba yo, y esbozó una sonrisa que se escapó por el aire como embadurnada en aceite. Yo no creo en la telepatía, pero nosotros a veces éramos capaces de hablar sin hablar, así que le pedí que saliera al exterior, que cruzase la calle y que viniera a mi encuentro, en la acera. Me noté conectado a ella durante unos segundos, aunque sentí al instante cómo se retiraba. Esperé, deseando que restableciera la conexión, pero volvió a fijarse en lo que tenía entre manos y, repentinamente, se llevó la muñeca a los brazos. El cliente sonrió y, aunque no pude verlo, sé a ciencia cierta que dejó ver una dentadura perfecta y resplandeciente. Sin que yo se lo ordenase, mi lengua fue a buscar el hueco que se abría entre mis dientes delanteros. Y, también sin que yo lo ordenase, mi mano palpó el llavero que llevaba en uno de los bolsillos delanteros del pantalón.

Ese llavero fue una de las cosas que me llevé de la cárcel, dentro de una bolsa de papel. La llave, encastrada en una empuñadura de plástico, era la del coche familiar. No sabía si Celestial lo conservaba, pero, dondequiera que estuviese, esa llave arrancaría el motor. Otra llave de las que llevaba en el llavero, gruesa y sin dientes, abriría la puerta de mi oficina, pero apostaría cualquier cosa a que cambiaron la cerradura en cuanto supieron de mi condena. La tercera llave era la copia de una copia de una copia y abría la puerta principal de nuestra bonita casa de la calle Lynn Valley. Me hice sobre esta última llave más preguntas de las que debería. Una o dos veces, me la metí en la boca y acaricié sus dientes con la lengua.

Sobre el papel, aquella nunca había sido mi casa. Cuando el señor Davenport entregó las escrituras a Celestial, solo puso una condición: que no cortara la Vieja Pacana. Recordaba un poco a las estrellas de Hollywood que nombran heredero a su caniche francés. Al árbol lo llamaban por su nombre, pero ninguna de aquellas páginas firmadas decía nada de Roy Hamilton. Aquella casa, aseguraba Celestial, era un regalo de boda para los dos. «Te he metido la llave en el bolsillo», dijo.

Y, en efecto, allí seguía mi llave. Pero ¿funcionaría?

Celestial no había pedido el divorcio. Tras un primer año sin visitas, pregunté a Banks si ella podría poner fin a nuestro matrimonio sin informarme. Su respuesta fue: «Técnicamente, no». Me envió una carta dejándome, pero aquello fue dos años atrás, cuando en teoría me quedaban aún muchos años de condena. En cualquier caso, en dos años habría tenido tiempo más que suficiente para divorciarse de quien fuera, si era lo que deseaba. Y también de cambiar la cerradura.

Las llaves tintineaban en mi bolsillo como los cascabeles de un trineo. Regresé al Chrysler, arranqué y puse rumbo al oeste de la ciudad. Pisé el acelerador. Solo tenía una cosa en la cabeza, la desgastada llave de color cobrizo, ligera como una moneda de diez centavos, sobre la que seguía pegado un papelito que decía CASA.

Celestial

Conozco esta casa como mi propio cuerpo. Antes de abrir la puerta, noté una presencia al otro lado, del mismo modo que el mínimo calambre en el bajo vientre alerta a la mujer de lo que viene, aunque hayan pasado solo tres semanas desde la última vez. Al entrar en el vestíbulo, se me erizó el vello de los brazos y se me puso la piel de gallina. Noté chispas subiendo y bajando por los vasos sanguíneos de todo mi cuerpo.

—¿Hola? —dije en voz alta, sin saber qué esperar, pero convencida de que no estaba sola—. ¿Quién está ahí? —Quizá me haya parecido ver algún fantasma alguna vez, pero no creo en los espectros como tales. Un fantasma es un recuerdo hecho materia, mientras que un espectro es el espíritu despojado de la carne que se pasea por la tierra como un ser humano más—. ¿Hola? —repetí, sin estar muy segura de qué creer.

—Estoy en el comedor —resonó una voz masculina que, sin duda, era de este mundo. Familiar y extraña a la vez.

Allí estaba Roy. Sentado en la cabecera de la mesa, con las manos entrelazadas y apoyadas sobre el pecho, justo bajo la barbilla. Yo cargaba bolsas de la compra para la velada que había planeado con Tamar y de repente me sentí tonta: sorbete de lima, *prosecco,* chocolate con chile y galletitas saladas para su hijo.

—No has cambiado la cerradura —dijo Roy levantándose. En su rostro resplandecía una pregunta—. Después de todo, has querido asegurarte de que mi llave seguía abriendo.

Roy me cogió las bolsas con el gesto más natural del mundo, dejándome ahí en medio, de pie, con las manos vacías.

—Dre va camino de Luisiana ahora mismo. Está yendo a por ti —dije, siguiéndolo a la cocina—. Se ha marchado esta misma mañana.

—Ya lo sé —contestó, interponiendo las bolsas entre él y yo, como marcando una tregua—. No es con Dre con quien quería hablar.

Me froté los brazos para calmar el cosquilleo mientras él colocaba las bolsas sobre la encimera. Acto seguido, se giró, extendió los brazos y sonrió hasta mostrar el hueco oscuro en la dentadura inferior.

—¿No te queda un poquito de amor para un hermano? He pasado por mucho para llegar hasta aquí. No me des un abrazo casto y cristiano, quiero uno de verdad.

Caminé hacia él sin saber si las piernas que me llevaban eran mías o no. Él cerró los brazos en torno a mí, y yo supe que ese hombre era mi marido y no una ensoñación. Tenía ante mí a Roy Othaniel Hamilton. Había ganado corpulencia. Su cuerpo era más duro y musculoso. Reconocí no obstante la misma energía, a punto de saltar como un resorte. Sin darse cuenta de su propia fuerza, me agarró con tal nervio que me mareé un poco.

—Estoy en casa, Celestial. Estoy en casa.

Me soltó y yo llené los pulmones con codiciosas bocanadas de aire.

A Roy se le había ensanchado el rostro. Lo cruzaban ahora arrugas aquí y allá. Llevaba sin verlo dos años. Me pasé la mano por la cara y noté la suavidad del maquillaje. Recordé mi pelo cortísimo, casi rapado. Me sentí casi obligada a pedir disculpas, recordando cómo solía enrollarse mis rizos entre los dedos. A veces decía en voz alta que Roy III debería heredar sus ojos y mi pelo.

Él se había preparado muy bien para ese encuentro: el aroma almidonado de su camisa nueva se entremezclaba con la dulce fragancia del *aftershave*. Me había cogido con el paso cambiado. Mi día había sido largo y agotador y se notaba.

—El plan original no era llegar así, al acecho —dijo.

Debe existir una palabra, pensé, que describa esa sensación de que algo te sorprende pero a la vez te parece totalmente inevitable. Lees sobre radicales de los sesenta que mataron por accidente a un policía y te preguntas si fue deliberado. Quién sabe. Huyen, se cambian el nombre y pasan a vivir una vida limpia y aburrida. Cogen peso, compran en Macy's. Pero un día vuelven a casa y allí los está esperando el FBI. Sus rostros, impresos en el periódico, parecen sorprendidos, pero no tanto.

—Te he echado de menos —dijo Roy—. Tengo muchas preguntas que hacerte, pero primero tengo que decirte que te he echado de menos.

Podría recitar de memoria las palabras de Andre, como si fuera una obra de teatro. Las palabras que él y yo habíamos decidido decir. ¿No tenía razón Gloria al decir que es la mujer quien debe encargarse del trabajo de revelar una verdad como esta? De repente, me encontraba bajo el influjo de mi marido, regresado al hogar, y no me sentía capaz de pronunciar una sola de esas palabras que era necesario decir.

Roy me condujo al salón, como si aquella siguiera siendo su casa. Miró alrededor.

—El salón no era turquesa antes, ¿verdad? Era amarillo, ¿no?

—Era amarillo dorado, sí.

—Todas estas cosas africanas son nuevas. Pero me gustan.

En las paredes había colgado máscaras y sobre casi todas

las superficies planas había una pequeña escultura, todas compradas por mis padres en sus viajes. Cogió una figurilla de marfil que representaba a una mujer tocando una campanilla.

—Esto no es marfil de verdad, ¿no? Pobre elefante.

—Es bastante antiguo —dije yo, un poco a la defensiva—. De antes de que los elefantes estuvieran en peligro de extinción.

—El elefante al que le tocó entregar su marfil se fastidió igual. Pero entiendo lo que quieres decir.

Nos sentamos en el sofá de cuero y nos quedamos mirándonos el uno al otro. Dejamos que el silencio creciera y ambos esperamos a que el otro rompiera la paz. Por fin, Roy arrastró el trasero sobre el sofá. Se sentó tan cerca que nuestras caderas casi se tocaban.

—Celestial, dime. Dime todo lo que tengas que decirme. —Yo negué con la cabeza. Él se llevó mis dedos desprevenidos a los labios y los besó dos veces y, a continuación, frotó las palmas de mis manos sobre su rostro recién afeitado—. ¿Me quieres? Porque el resto no son más que detalles. —Moví los labios, muda como un pez—. Sí, me quieres. Si no, te habrías divorciado de mí. No has cambiado las cerraduras. Yo siempre tuve mis dudas, y lo sabes. Cuando puse el pie en el porche delantero, decidí probar mi llave. Entró con tanta facilidad y le costó tan poco abrir que parecía que hubiesen acabado de engrasar todo el mecanismo. Así es como lo he sabido, Celestial. Así ha sido. No me he paseado por toda la casa. Te he esperado aquí, en el salón, porque sé que no lo usas. Sea lo que sea que deba saber, quiero oírlo de tu boca. —Callé. Y él habló por mí—. Es Andre, ¿verdad?

—La respuesta no es un sí ni un no —contesté yo.

Y, entonces, me sorprendió echándose en el sofá y apoyando la cabeza en mi regazo, y tomando mis brazos y rodeando su cuerpo con ellos, como si se echase encima una manta.

Roy

No la encontré como la recordaba. No era únicamente el corte de pelo a lo chico o que se le hubieran ensanchado un poco las caderas, aunque ambas cosas me llamaron la atención. Estaba distinta, más triste. Incluso olía de otra manera. Persistía la fragancia a lavanda pero más allá se distinguían aromas a madera o a tierra. La lavanda provenía de los aceites esenciales que guardaba en un frasquito, en su cómoda. El olor a pulpa de madera, de debajo de su piel.

Recordé de repente a Davina, quien me acogió con los brazos abiertos y me ofreció un festín digno de un hombre vuelto del frente de batalla. Celestial no sabía que yo iba a llegar, pero quería que sintiese que había emprendido la vuelta, y deseaba que preparase una mesa para mí. Me quedé dormido en su regazo y ella me dejó descansar hasta que volví a abrir los ojos por mí mismo. En invierno anochece pronto. Eran sobre las ocho, pero fuera parecía medianoche.

—Bueno, ¿cómo te encuentras, entonces? —me preguntó, y acto seguido me dio la impresión de que se ruborizaba—. Sé que es una pregunta un poco general pero no sé muy bien qué otra cosa decir.

—Podrías decir que te alegras de verme. Que te alegras de que haya salido.

—Pues claro que me alegro —dijo—. Me alegro tanto de que ya seas libre… Llevamos mucho tiempo rezando por esto. El tío Banks ha trabajado durante años para ello.

Por su tono de voz, parecía suplicar que la creyese, así que levanté la mano.

—Por favor, no. —Era ahora yo quien parecía caer de rodillas ante ella—. No quiero que hablemos en este tono, ninguno de los dos. ¿Podemos sentarnos en la cocina? ¿Podemos sentarnos en la cocina y charlar como un hombre y su esposa? —El rostro de Celestial perdió la suavidad de los rasgos y sus ojos miraron de un lado a otro de la estancia, suspicaces, quizá asustados—. No te voy a tocar —aseguré, aunque esas palabras sonaron amargas como el chocolate negro—. Te lo prometo.

Caminó hacia la cocina como quien camina al paredón.

—¿Has comido?

La cocina estaba tal y como la recordaba. Las paredes del color del océano y la mesa redonda, un pie con un círculo de cristal oscuro encima. Las cuatro sillas de cuero estaban simétricamente colocadas. Recordé cuando imaginaba que en aquellas cuatro sillas se sentarían nuestros hijos. Recordé cuando aquella era también mi casa. Recordé cuando Celestial era mi mujer. Recordé cuando tenía toda la vida por delante y ser consciente de ello me hacía sentir bien.

—No tengo nada para cocinar —comenzó a decir—. Aquí no… Normalmente almuerzo en…

Pero perdió el hilo.

—En la casa de al lado, ¿verdad? La de Andre —atajé—. Vamos a terminar con esa parte del asunto. Se trata de él, ¿verdad? Partamos desde ahí.

Me senté en la silla que siempre había considerado la mía y ella se sentó en la encimera.

—Roy —dijo de nuevo, como leyendo un guion—. Ahora estoy con Andre. Es cierto.

—Lo sé —repuse yo—. Lo sé, y no me importa. Yo no estaba. Te sentías vulnerable. Cinco años es mucho tiempo. Si alguien lo sabe, soy yo.

Me acerqué a la encimera y me situé entre las piernas de Celestial. Alargué la mano para tocarle la cara. Ella cerró los ojos, pero no se apartó.

—No me importa qué hayas hecho cuando no estaba. Solo me interesa nuestro futuro.

Me incliné hacia ella y la besé suavemente.

—No es cierto —dijo ella mientras yo me concentraba en el tacto de sus labios secos—. Eso no es cierto. Sí que te importa. A cualquiera le importaría.

—No —dije—. Te perdono. Te perdono por todo.

—No, no es cierto —repitió.

—Por favor —dije yo—. Déjame perdonarte.

Me acerqué más y, de nuevo, ella no se movió. Tomé su cabeza indefensa entre mis manos y no me detuvo. La besé de todas las maneras que se me ocurrieron. En la frente, como si fuera mi hija. En los párpados, como si fuera mi madre muerta. La besé fuerte en las mejillas, como se besa a quien estás a punto de matar. La besé en las clavículas como dando a entender que quería más. Le mordí el lóbulo de la oreja como cuando sabes lo que le gusta a tu pareja. Lo hice todo y ella permaneció ahí, sentada, dócil como una muñeca.

—Si me dejas, te perdonaré —insistí retomando el circuito de besos y abriéndome paso hacia su cuello.

Ella elevó la barbilla levemente y mi nariz tocó el punto de su piel en que más claramente vibraba el pulso. Sin embargo, la emoción se volatilizó en un instante, vino y se fue como el subidón de una droga casera y barata, que pega fuerte pero pronto te abandona sin saciarte. Me pasé al otro lado, esperando que ella ladease la cabeza y dejase al descubierto esa parte del cuello. Deseando que me abriese la puerta al resto de su cuerpo.

—Pídemelo —dije yo con una voz que era apenas un bramido ronco dentro del pecho—. Pídemelo y te perdonaré. —La tomé entre mis brazos. No se prestaba, pero tampoco lo impedía—. Pídemelo, Georgia —dije—. Pídemelo para poder decirte que sí.

*

El timbre sonó varias veces, una tras otra, sin interrupción. Yo salté con el primer timbrazo, al igual que Celestial, que se puso en pie de un respingo, como pillada in fraganti. Se bajó de la encimera a toda velocidad y salió corriendo hacia la puerta de entrada. Abrió de par en par: era la chica de la tienda, la que se le parecía a ella de joven. Llevaba en brazos a un bebé al que, aparentemente, divertía mucho tocar el timbre. Era un niñito regordete, de ojos brillantes y gesto complacido.

—Tamar —saludó Celestial—, ¡ya estás aquí!

—¿No me dijiste que te trajera muselina del almacén de telas a granel? —La chica entró al vestíbulo mientras su hijo trataba de agarrarle los aretes; del izquierdo colgaba una llave, como Janet Jackson antaño—. Jelani, ¿quieres decirle hola a la tita Celestial? —Se cambió el niño de brazo—. Espero que no te importe que lo haya traído.

—No, claro que no —se apresuró a decir Celestial—. Ya sabes que siempre me hace ilusión ver a tu muchachito.

—Quiere ver a su tío Dre —dijo Tamar, bregando con el niño, que no dejaba de retorcerse—. ¿Estás bien? Pareces preocupada. ¿Tienes a un secuestrador en la cocina? —Tamar dejó escapar una risita alegre, hasta que se percató de mi presencia—. Oh. Vale —exclamó—. Hola.

Celestial hizo una pausa y, a continuación, me hizo pasar a la estancia, tomándome del brazo.

—Tamar, este es Roy. Roy, esta es Tamar. Y Jelani. Su hijo.

—¡Roy! —dijo Tamar, arrugando la expresión—. ¡Roy!
—repitió, encajando datos en su cabeza.

—Sí, ese soy yo —corroboré, dedicándole mi mejor sonrisa de comercial. Noté como enarcaba levemente la ceja y me acordé del diente que me faltaba. Me tapé la boca como para toser.

—Me alegro de conocerte —saludó ella, ofreciéndome una mano decorada con uñas de gel de un tono verdiazulado, a juego con la sombra de ojos. Tamar era más Celestial que la propia Celestial. Ella era, realmente, la mujer que tenía en mente cuando dormía en el sucio colchón de mi catre carcelario.

—Siéntate —ofreció Celestial—. Deja que te sirva algo —añadió, y acto seguido desapareció en la cocina, dejándome a solas con aquella chica y su bebé.

Tamar extendió sobre el suelo una colcha en varios tonos de naranja y colocó al niño encima. Jelani, a gatas, se balanceaba de un lado al otro.

—Ya ha aprendido a gatear.

—¿Se parece a tu marido? —le pregunté, buscando tema de conversación.

—Que levanten la mano las madres solteras y sobrecualificadas —dijo obedeciendo su propia orden—. Pero sí, se parece. Jelani es la viva imagen de su padre. Cuando están juntos, la gente hace chistes sobre clonación humana.

Se sentó entonces en el suelo junto a su hijo y, a continuación, abrió un envoltorio de papel en cuyo interior había un tejido marrón, del mismo color que su piel. Luego, desenvolvió otro más oscuro y, por fin, un tercero de un color melocotón claro, ese que antaño los fabricantes de lápices de colores llamaban «color carne».

—*We are the world!* —cantó, parafraseando a Stevie Wonder—. Creo que con esto bastará para llegar a Fin de Año. El inventario de la tienda está en las últimas. Celestial tendrá que coser como un demonio si quiere reabastecer existencias. Yo siempre me quedo horas de más para echarle una mano, pero ella repite una y otra vez que una *poupée* no es una *poupée* si no la cose ella y le estampa su firma en el culo.

Me senté con ella en el suelo. Saqué el llavero y lo agité frente al bebé para llamar su atención. Este rio e intentó alcanzarlo con su manita.

—¿Puedo cogerlo?

—Tú mismo con tu mecanismo —dijo ella.

Tomé a Jelani y lo senté en mi regazo. Al principio se revolvió un poco, pero luego se quedó tranquilo. Yo no tenía mucha experiencia con bebés, así que me sentí bastante torpe. La escena me hizo pensar en una fotografía que Olive tenía en su espejo, en la que aparece Roy Padre llevándome en brazos cuando yo tenía el tiempo de ese bebé. Roy Padre tiene cara de susto, como si en vez de un niño tuviera en brazos una bomba. Sopesé a Jelani, preguntándome si tendría la misma edad que yo cuando Roy Padre se convirtió en mi padre.

Celestial regresó de la cocina con dos copas de champán con una bola de helado. Di un sorbo a la mía y recordé a Olive. Por mi cumpleaños, solía preparar una fuente de ponche con refresco de jengibre, que servía con una bola de sorbete de naranja. Ese recuerdo me hizo querer saciarme y di otro sorbo más. Cuando Celestial regresó de la cocina con la copa para ella, yo ya casi me había terminado la mía.

Nos quedamos ahí sentados los tres; cuatro, contando el bebé. Celestial y Tamar charlaron sobre las telas que esta había traído mientras yo jugaba con Jelani. Le hice cosquillas bajo la barbilla hasta que me regaló una risita de bebé que sonó un poco robótica. Era increíble que ahí, entre mis brazos, cupiera un ser humano entero.

El hijo que Celestial y yo no tuvimos tendría ahora entre cuatro y cinco años, creo. Si en esa casa viviera un niño, de ninguna manera Celestial estaría hablando de Andre de esa forma. «Un hijo necesita a su padre», le habría dicho a Celestial. Es un hecho científico. No habría más que hablar.

Sin embargo, en aquellas circunstancias, sí había mucho de lo que hablar, y muchas cosas que decir. Tantas que no me cabían en la boca.

Celestial

Un rato después, Tamar recogía a Jelani del suelo y le colocaba un grueso abrigo, cuya cremallera le subió hasta la barbilla, lo que le daba cierto aspecto de pequeño astronauta. A Roy y a mí nos dio pena verla marchar. Como si fuéramos sus padres y ella nuestra ajetreada y exitosa hija, que solo podía dedicarnos unos minutos en cada visita, de la que agradecíamos cada instante. Nos quedamos en la puerta, viéndola saludar con la mano por encima del hombro mientras sacaba el coche del camino de acceso a nuestra casa. Su coche se alejó y los pilotos traseros se confundieron con las luces navideñas que decoraban las casas del vecindario. La mía no; la mía estaba oscura. No me había molestado siquiera en sacar la pícea que había comprado hacía un mes. La Vieja Pacana sí estaba decorada: una guirnalda de luces con forma de bastón de caramelo ascendía en torno al grueso tronco. La había puesto Andre, que había dedicado un esfuerzo especial a que todo quedase perfecto.

Me quedé unos minutos mirando el fondo de la calle silenciosa después de que el coche de Tamar desapareciera de la vista. Me preocupé por Andre. Se encontraba en Luisiana, tratando de cumplir con un noble cometido. Lo había llamado por teléfono desde la tienda y aún estaba viajando rumbo al sur. «Nosotros lo merecemos», le había dicho. ¿Cómo podían haber cambiado tanto las cosas en apenas dos horas? Con aire ausente, quise sacar el teléfono móvil, el cual llevaba en el bolsillo, pero Roy me apartó la mano.

—No lo llames todavía. Deja que hablemos primero.

Pero no dijo nada. En su lugar, condujo las yemas de mis dedos al hueco que tenía en el puente de la nariz y sobre una cicatriz que tenía a lo largo de la línea del cuero cabelludo, corta pero marcada por dos líneas de puntos de carne brillante. Su cabeza descansaba en las palmas de mis manos, sólida y familiar.

—¿Me recuerdas? ¿Me reconoces?

Asentí con la cabeza y dejé que mis brazos colgaran inertes mientras él exploraba cada uno de los rincones de mi anatomía. Cerró los ojos, como si no se fiase de ellos. Cuando me pasó el pulgar por la boca, lo capturé entre los labios, frunciéndolos. Roy respondió dejando escapar un leve suspiro. Me condujo a través de la casa sin encender las luces, como si quisiera comprobar que, en efecto, era capaz de guiarse por el tacto. A veces, las mujeres no tenemos muchas opciones, o al menos ninguna realmente relevante. A veces, hay una deuda que pagar, un alivio que se ha de proveer, un paso seguro que la mujer debe saber garantizar. Todas nos hemos metido en la cama con alguien por razones distintas al amor. ¿Podía dar la espalda a Roy, mi marido, regresado al hogar tras luchar una batalla que se retrotrae al tiempo de su padre y al del padre de su padre? Me respondí a mí misma que no. Siguiendo sus pasos por el estrecho pasillo, entendí que Andre lo había sabido desde el principio. Por eso se había echado apresuradamente a la carretera, para impedir que yo tuviera que hacer lo que todos temíamos.

¿Cómo, entonces, debería etiquetar aquello que transpiraba entre mi marido y yo la noche que volvió a mí desde su prisión? Estábamos allí, en la cocina, yo tumbada bocarriba sobre la encimera de granito, con la ropa empapada de sorbete.

Roy deslizó las manos por debajo de mi blusa.

—Me quieres. Sabes que me quieres.

Me cortó el aliento con un beso que sabía a deseo entretejido de rabia, pero no le habría respondido igualmente. «Sí» quiere decir «sí» y «no» quiere decir «no», pero ¿qué significa el silencio? El cuerpo de Roy era hoy más fuerte que cinco años atrás, la última vez que durmió en aquella casa. Roy se había convertido en un hombre desconocido e imponente que me respiraba con ardor en el cuello.

Roy me quiso llevar al dormitorio principal, la habitación esquinera donde habían dormido originalmente mis padres y luego Roy y yo, como marido y mujer, pero yo dije: «Ahí no». Él hizo caso omiso, conduciéndome como si bailáramos. Hay cosas inevitables como la marea.

Me quitó la ropa con la facilidad con que se pela una naranja. Se inclinó hacia un lado para encender la lamparita. Sentí pudor de mi propio cuerpo, pasados cinco años desde la última vez que me viera desnuda. El tiempo puede ser duro con las mujeres. Me llevé las rodillas al pecho.

—No seas tímida, Georgia —dijo Roy—. Estás perfecta. —Me agarró entonces de las pantorrillas, estirándome las piernas—. No te escondas de mí. Descruza los brazos, deja que te vea.

En la biblioteca privada de mi alma, guardo un diccionario de palabras que no existen. En esas páginas, aparece un vocablo misterioso que alude a cuando uno no tiene voluntad, aunque la tenga. En esa entrada, se explica cómo en una o dos ocasiones a lo largo de la vida es habitual encontrarse desnuda, bajo el peso del cuerpo de un hombre, en una situación en la que, no obstante, una única palabra, de lo más banal, puede salvarte.

—¿Tienes condón? —le pregunté.

—¿Qué? —dijo él.

—Un condón.

—No me digas eso, Georgia. No me digas eso, por favor.

Se apartó de mí y se tumbó en paralelo a mi cuerpo. Yo me volví y miré al exterior por la ventana, a la Vieja Pacana que hacía guardia, ancestral y silenciosa. Roy plantó su pesada mano sobre mi cadera, pero no me giré.

—Eres mi mujer, Celestial.

No respondí, así que se dio la vuelta, pesado como un tronco, y hundió la cara en el hueco de mi cuello, haciendo cuña con las manos entre mis muslos.

—Vamos, Celestial. Han pasado muchos años.

—Tenemos que usar protección —dije yo, llenándome la boca con la palabra, notando su peso en la lengua.

Él guio mi mano por debajo de sus costillas, a un promontorio donde la piel se hacía suave y nudosa.

—Me apuñalaron —dijo—. No le había hecho nada a ese tío. Ni lo había mirado, nunca, pero trató de matarme con un cepillo de dientes que había afilado. —Acaricié la cicatriz con el pulgar—. ¿No te das cuenta de por lo que he pasado? —preguntó—. No tienes ni idea de lo que me ha ocurrido ahí dentro. Estoy seguro de que, de haberlo sabido, no me habrías dejado, así como así. —Me besó entonces el hombro y luego cuello arriba—. Por favor…

—Tenemos que usar protección —insistí.

—¿Por qué? —dijo Roy—. ¿Por haber estado en la cárcel? Soy inocente. Tú sabes que soy inocente. Cuando violaron a aquella señora, tú estabas conmigo. Tú sabes que yo no lo hice. No me trates como a un delincuente, Celestial. Eres la única que sabe a ciencia cierta que no lo soy. No me trates como si tuviera algún tipo de enfermedad.

—No puedo.

—Bueno, ¿puedes al menos escucharme?

Empezó entonces a sacar historias del baúl de los recuerdos para justificar por qué no podía obligarlo a poner una barrera entre él y yo.

—Maté accidentalmente a un tipo —me dijo—. He pasado por muchas cosas, Celestial. A la cárcel puedes entrar siendo inocente, pero jamás se sale sin ser culpable de algo. Por favor, Celestial...

—No me supliques —pedí yo—. Por favor, no. —Se acercó un poco más, sujetándome contra la cama—. No —repetí—. No lo hagas.

—Por favor —repitió él.

Estábamos en nuestra cama matrimonial. Yo, inmovilizada contra el colchón, completamente a su merced. ¿Hay otro modo, sin embargo, incluso cuando el amor es verdadero y puro y no lo mancillan el tiempo y la traición? Quizá eso signifique estar enamorado: quedar voluntariamente a merced de otra persona. Cerré los ojos, notando el peso de su cuerpo sobre el mío, y recé como debía hacerlo cuando era pequeña. «Si muero antes del alba...»

—Protección —susurré de nuevo al oído de Roy, sabiendo perfectamente que no la teníamos.

—¿No ves cómo sufro, Celestial? ¿No te das cuenta?

Volví a tumbarme bocarriba, reflexionando sobre todo lo que había sufrido esos años, y, de nuevo, en ese momento, con la cabeza echada en la almohada.

—Me doy cuenta —le dije—. Me doy cuenta.

Se giró hacia mí.

—¿Es porque crees que puedo tener algo, que he hecho algo cuando estaba ahí dentro? ¿O es porque no quieres quedarte embarazada otra vez? ¿Es porque no quieres tener un hijo conmigo? —No tenía una respuesta adecuada a esa pregunta. A ningún hombre le parece bien esta manera de hacerlo sin hacerlo. Acercarse tanto sin llegar—. Dime —insistió—. ¿Cuál es la respuesta?

Tensé los labios y quise guardarme la verdad para mí. Negué con la cabeza. Él se giró, apretando su pecho contra el mío.

—¿Sabes qué? —dijo con cierto deje amenazante—. Podría hacértelo como quisiera.

No luché. No rogué. Me resigné a lo que parecía inevitable desde el momento en que entré en mi propia casa e intuí que había dejado de ser solo mía.

—Podría hacértelo —repitió, aunque en ese momento se levantó de la cama, enrollándose la sábana en torno al cuerpo como una venda, dejándome fría y al aire—. Podría, pero no lo voy a hacer.

Roy

Davina no me trató así. Cuando llegué en su busca, me abrió las puertas de su casa. De sí misma. Celestial, mi legítima esposa, me puso más trabas que Fort Knox. Walter trató de advertirme. Yo estaba preparado para recibir la posible noticia de que hubiese habido otro hombre, e incluso más de uno. Las mujeres son también humanas. No soy idiota. A nadie le queda ingenuidad al salir de la cárcel. Sin embargo, si tu mujer no se divorcia de ti, te sigue metiendo dinero en los libros que te manda a la cárcel y no cambia las cerraduras de la casa en común..., estando en mis circunstancias, imaginas que aún te queda alguna oportunidad. Si, además, cuando tratas de besarla ella no se opone y se deja llevar de la mano al dormitorio, entonces te das cuenta de que no eran imaginaciones. He estado cinco años encarcelado, un tiempo largo, pero no lo suficiente como para no recordar cómo funciona el mundo.

«¿Tienes protección?» Ella sabía perfectamente que no la tenía. Fui a verla dispuesto a todo, pero poco preparado. Es mi esposa. ¿Qué puede pensar una esposa si en la cama su marido saca de repente un preservativo? No se lo tomaría precisamente como una deferencia, sino como una confesión. ¿Por qué no podrían ocurrir las cosas como cuando vivía en Nueva York y éramos casi extraños? Cuántas veces, mientras estuve encarcelado, recordé esa primera noche... Repasaba todos los detalles, como una película muda que se proyectase en mi imaginación, en cuyo guion no aparecía el látex por ningún lado. Esa noche, en Brooklyn, me sentí como el Capitán América. No me importó lo mínimo haber perdido un diente por defender su honor. A un hombre no se le presentan demasiadas oportunidades para comportarse como un héroe. Ahora, ella actuaba como si aquello nunca hubiese ocurrido.

Dejé caer la sábana al suelo y trastabillé en cueros por la casa, buscando algún lugar en que acostarme. El dormitorio principal quedaba fuera de toda cuestión, así que entré en el cuarto de coser y me desplomé sobre el futón que allí había, un poco corto para un hombre de mi tamaño. La habitación estaba atestada de *poupées* en distintas etapas de confección. Además de la máquina de coser, había una cabeza de tela del color del cartón y un par de brazos coronados de manos que parecían saludar. Mentiría si no dijese que resultaba perturbador. Aunque yo ya me sentía perturbado cuando entré de improviso en esa habitación.

Las muñecas terminadas descansaban en una estantería, con gesto paciente y amistoso. Pensé en la ayudante de Celestial... ¿Cómo se llamaba...? ¿Tamara? Recordé a su crío, tan grande y sanote. Cuando Celestial salió del salón para coger los abrigos, la chica me tocó el brazo con sus uñas verdiazuladas. «Vas a tener que dejar que se vaya», me dijo. «Rómpete tú el corazón o te lo romperán otros.» Noté mi ira elevarse en el aire como una columna de humo, espesa y asfixiante. Solo había una cosa que decir, pero no era muy apropiado hablar así a una invitada. «Te lo digo porque sé cosas que tú no. No será a propósito, pero te van a hacer daño.» Intenté averiguar a qué jugaba aquella chica, pero Celestial regresó con los abrigos y besó al bebé como si fuera suyo.

Eran las tres de la mañana. Quizá eran típicas ideas de borracho, aunque no había probado ni una gota. Alargué la mano en busca de uno de los muñecos del estante superior y le di un puñetazo en la cara. La cabeza se abolló, pero no dejó de sonreír. Me estiré en el futón con los pies colgando del borde. No encontraba una postura cómoda. Me levanté, recorrí silenciosamente el pasillo y me quedé de pie junto a la puerta del dormitorio de Celestial. Ella ya estaría durmiendo, pero yo no me atrevía siquiera a colocar la mano sobre el pomo. No quería saber si había echado el pestillo.

De vuelta en el cuarto de coser, llamé desde el teléfono a Davina, que respondió asustada. Lo normal, a esa hora de la madrugada.

—Hola, Davina, soy Roy.

—¿Qué quieres?

—Quería saludarte —le dije.

—Pues ya me has saludado —replicó ella—. ¿Contento?

—No me cuelgues, por favor. Por favor. Déjame que te diga lo mucho que valoro el tiempo que pasaste conmigo. Y que me tratases tan bien.

—Roy —dijo ella con un atisbo de ternura en la voz—. ¿Estás bien? Pareces un poco agobiado. ¿Dónde estás?

—En Atlanta. —Después de eso no podía decir mucho más. No hay muchas mujeres que se queden a escucharte lloriquear por otra mujer. Pero Davina Hardrick esperó hasta que acerté a llamarla de nuevo por su nombre—. ¿Davina?

—Sí. Sigo aquí.

No dijo: «Te perdono». Pero agradecí esas tres palabras en la misma medida.

—No sé qué hacer —continué.

—Vete a dormir. «Por la noche durará el lloro.» ¿No dice eso la Biblia?

—«Y a la mañana vendrá la alegría» —rematé yo.

Es la promesa que se lee en voz alta en todos los funerales baptistas. Pensé en mi madre y pregunté a Davina si había asistido al funeral.

—¿Viste allí a Celestial y Andre? ¿Estaban juntos ya?

—¿Por qué te importa tanto? —quiso saber Davina.

—Porque sí.

—Te voy a decir una cosa. Los vi más tarde, trabajé unas horas en el Saturday Nighter, el local de mi tío Earl. Entraron y empezaron a beber a primera hora de la tarde. Sobre todo ella. Creo que no estaban juntos aún, pero faltaría poco. Se palpaba en el aire, como cuando está a punto de llover. Él fue al baño un momento y ella se apoyó sobre la barra y me dijo: «Soy una mala persona».

—¿Eso dijo ella? ¿Mi mujer?

—Sí. Eso fue lo que dijo, literalmente. El chico regresó y ella recuperó la compostura. Se marcharon cinco minutos después.

—¿Algo más?

—Eso es todo. Más tarde llegó tu padre. Venía manchado de tierra de pies a cabeza. La gente dice que enterró a su mujer con sus propias manos.

Sostuve con fuerza el auricular del teléfono y me lo apreté contra la oreja, como si eso fuese a hacerme sentir menos solo. No llevaba en libertad ni una semana y ya me sentía de nuevo enjaulado, como si una mujer me hubiese atado a una silla con una cuerda de tender. Oyes historias sobre tipos que roban una cerveza en una tienda delante de la cámara de seguridad para que los vuelvan a enchironar, para regresar al único sitio donde saben a qué atenerse. A mí no se me ocurriría, pero no me extraña que haya quien lo haga. Me tapé hasta la cintura con una manta de sofá que había en el cuarto y pensé en Walter, mi padre, el Yoda del Gueto. Me pregunté qué diría él sobre todo esto.

—¿Sigues ahí? —preguntó Davina.

—Sí —respondí.

—Descansa un poco. Para todo el mundo es complicado al principio. Cuídate —dijo ella con voz tranquila, como cantando una nana.

—Davina, quería contarte una cosa. He estado pensando últimamente mucho en algo.

—¿En qué?

—Sí que recuerdo a un chico de la cárcel al que llamaban Saltamontes.

—¿Cómo estaba? ¿Le iba bien? —preguntó Davina. Hablaba tan bajo que no estaba seguro de haber oído bien. Aunque sabía perfectamente lo que había preguntado.

—Le iba bien, sí. Por eso no lo recordé la otra vez, porque no había mucho que recordar.

Cuando colgué, las manecillas del gran reloj de color anaranjado que colgaba sobre la máquina de coser formaron un ángulo recto: las tres y media de la madrugada. Me figuré que Andre estaría en casa de mi padre, durmiendo probablemente en mi propia cama. En la oscuridad, dibujé con los labios una sonrisa torva, imaginándome la cara que habría puesto Andre cuando Roy Padre le hubo contado que yo iba camino de Atlanta. Probablemente, llevaría vaqueros y camiseta, pero yo siempre lo imaginaba con ese traje gris y entallado que se puso para el funeral de mi madre. «Ay, mamá», dije para mis adentros. ¿Qué pensaría ella si pudiera verme en este momento, durmiendo en el sofá de mi propia casa, rodeado de felices muñecos bebé que Celestial iba a vender a ciento cincuenta dólares la unidad?

—¡Solo en Atlanta! —exclamé en voz alta antes de por fin encontrar una postura cómoda para dormir.

Andre

El padre de Roy y yo nos quedamos dormidos viendo la televisión, yo en el sofá y él en su sillón reclinable, como si no se fiara de que fuese a salir corriendo por la puerta en cuanto se quedase dormido. Pero no tenía de qué preocuparse. Cuando me tapé con la fresca sábana y la mullida manta, caí agotado. Estaba deseando, en realidad, pasar página aquel día de locura. El salón quedó en silencio, salvo por el siseo del calefactor de gas que había en un rincón, en el que ardía una cálida llama azulada. Aun así, nos despertamos un par de veces a lo largo de la madrugada e incluso intercambiamos algunas palabras.

—¿Quieres tener hijos? —me preguntó, en uno de esos momentos, justo cuando me estaba quedando dormido de nuevo.

—Sí, quiero tener hijos —respondí, deseando recuperar el sueño.

—Roy también. Necesita empezar de nuevo.

Sintiéndome atrapado bajo sábanas y mantas, me pregunté si Roy Padre era consciente de lo cerca que había estado de convertirse en abuelo. Recordé cuando acompañé a Celestial a la clínica.

—Celestial no sé si querrá. Quizá no —apunté.

—Bueno, eso es lo que ella cree. Un bebé trae amor consigo, siempre, llegue cuando llegue.

—¿Usted y la señora Olive decidieron no tener más después de Roy?

—Yo habría seguido —dijo Roy Padre, bostezando—. Hasta llenar la casa. Pero Olive no se fiaba de mí. Le daba miedo que yo tuviera un hijo por ahí y que la dejase sola con Roy Hijo, pero, por supuesto, jamás habría hecho algo así. ¡Era mi primer hijo y llevaba mi nombre! Aun así, terminó yendo al ginecólogo y dejó el asunto zanjado antes de que yo pudiera decir esta boca es mía.

Luego se quedó dormido. O, al menos, dejó de hablar. Y yo me dispuse a contar las horas que faltaban para el amanecer, jugueteando con la cadena de mi padre y tratando de no imaginar a Roy llegando a casa.

Todavía era de noche cuando Roy Padre se levantó de su sillón reclinable y me señaló el baño, donde había dejado toallas limpias y un cepillo de dientes para mí. Antes de enfilar la carretera, desayunamos juntos: café y bollitos de pan untados de mantequilla. Hacía fresco fuera, aunque no demasiado. Nos sentamos en el porche delantero, con las piernas colgando.

—La quieres para ti —preguntó Roy Padre, manoseando los cordeles de la capucha de su sudadera—. Pero no la necesitas. ¿Entiendes adónde quiero ir a parar? Mi hijo sí necesita a esa mujer. Es lo único que le queda de su vida anterior. La vida por la que trabajó tanto tiempo.

El café, sazonado con achicoria, desprendía un sutil aroma a hoja de tabaco. Yo suelo tomarlo solo pero Roy Padre lo aclaró con un poco de leche y le echó azúcar. Me lo bebí, dejé la taza sobre el suelo de hormigón, me levanté y extendí la mano.

—Señor, ha sido un placer.

Él me estrechó la mano con una apostura a la vez formal y sincera.

—Hazte a un lado, Andre. Eres un buen hombre, lo sé. Llevaste el cuerpo de Olive. Haz lo que es debido y apártate durante un tiempo, un año o así. Si después de ese tiempo Celestial sigue queriendo estar contigo, no pondré ninguna objeción.

—Señor Hamilton, yo la necesito.

Él negó con la cabeza.

—Tú no sabes lo que significa la palabra *necesitar*.

Me despidió con la mano como dándome autorización para romper filas y, con la mente en blanco, me dirigí hacia mi coche. Pero, entonces, me di la vuelta.

—Señor, todo esto que me acaba de decir me importa una mierda, en realidad. —Roy Padre se quedó mirándome con rostro confundido, como si de repente un gato de la calle hubiera hablado y hubiera citado a Muhammad Ali—. He de reconocer que he tenido más suerte que muchos, pero hay muchos más también que han tenido más suerte que yo, y habrá también quienes lo hayan pasado peor que Roy. Sea sincero. Usted también entiende mi postura. Lo vi a usted aquella tarde paleando tierra bajo un sol abrasador. Usted sabe perfectamente cómo me siento.

—Olive y yo estuvimos casados más de treinta años. Vivimos muchas cosas juntos, buenas y malas.

—Eso no le da derecho a hablarme así, como Dios desde su trono celestial. ¿Para intentar ser feliz tengo que haber ido a la cárcel?

Roy Padre se rascó la nuca, donde le crecía el pelo en rizos grises y apretados, y luego se enjugó el sudor que se le había acumulado en los párpados.

—Tienes que entenderlo, Andre. Ese chico es mi hijo.

Roy

La mañana llegó poco a poco. Dormí profundamente hasta que me despertó el chisporroteo del beicon en la sartén. Yo siempre me levantaba medio dolorido. Cinco años durmiendo en un catre carcelario te dejan maltrecho. A la luz del día, las muñecas me siguieron dando mal rollo, pero al menos ya no parecía que se rieran de mí, como por la noche.

—Buenos días —saludé dirigiendo la voz hacia la cocina.

Tras un instante, llegó la respuesta:

—Buenos días... ¿Tienes hambre?

—Me dará hambre en cuanto me dé un baño.

—He puesto unas cuantas toallas en el baño amarillo —contestó ella.

Salí al pasillo y me di cuenta de que iba como mi madre me trajo al mundo.

—¿Hay alguien en casa?

—No, solo nosotros.

Recorrí el pasillo y me fijé repentinamente en mi propio cuerpo: la cicatriz bulbosa bajo las costillas, mis músculos de presidiario y mi pene, con toda su energía mañanera, pero aun así algo tristón. Celestial estaba ocupada en la cocina, cacharreando con ollas y sartenes, pero de algún modo me sentía vigilado en mi camino al baño. Una vez a salvo, vi que ella había colocado mi macuto junto al lavabo para que pudiera vestirme. La esperanza se despertó rugiendo hambrienta, con el estómago vacío.

Esperando a que se calentara el agua, eché un vistazo bajo el lavabo y descubrí un gel de ducha de hombre que debía de pertenecer a Dre. Olía a verde, como a bosque. Seguí curioseando en el armarito, tratando de descubrir otras cosas suyas, pero no había nada: ni cuchillas de afeitar, ni cepillos de dientes ni polvo para los pies. Así que la esperanza volvió a gruñir, esta vez como un cachorro de rottweiler. Andre no vivía aquí. Seguía en su casa, aunque fuera justamente la de al lado.

Bajo el chorro de agua caliente, pensé que no quería usar el jabón de Dre, pero la única otra opción era un gel que olía a flores y a melocotón. Me enjaboné todo el cuerpo, tomándome mi tiempo, sentado en el borde de la bañera, frotándome las plantas de los pies y entre los dedos. Con un poco más de gel me enjaboné el pelo, y me aclaré con agua tan caliente que quemaba. A continuación, me vestí con mi ropa, comprada con mi propio dinero.

Cuando llegué a la cocina, ella había colocado los platos y vasos frente a las sillas que antes no solíamos usar.

—Buenos días —saludé de nuevo, mientras la observaba verter masa en la plancha de gofres.

—¿Has dormido bien? —preguntó ella. Celestial no se había maquillado, pero llevaba un vestido hecho como de punto, como si fuera a salir.

—Pues sí, sí que he dormido bien —respondí, y el cachorro de rottweiler feliz volvió a sus andadas—. Gracias por preguntar.

Sirvió unos cuantos gofres, beicon crujiente y cuencos con fruta. Me hizo un café solo, con tres cucharadas de azúcar. Cuando éramos una pareja feliz, a veces desayunábamos a media mañana en restaurantes de moda, especialmente en verano. Celestial se ponía vestiditos ceñidos y se prendía flores en el pelo. Con los ojos puestos en mi esposa, solía decir a las camareras que el café me gustaba como las mujeres, «bien negro y bien dulce», comentario con el que siempre lograba sacarle una sonrisa. Celestial solía apostillar: «A mí me gustan los huevos como los hombres: transparentes».

Antes de comer, extendí las palmas sobre el mantel.

—Creo que deberíamos bendecir la mesa.

—De acuerdo.

Hablé con la cabeza inclinada y los ojos cerrados.

—Padre nuestro, te pedimos que hoy bendigas estos alimentos. Bendice las manos que los han preparado. Y te pedimos que bendigas este matrimonio. En el nombre de tu hijo, amén.

Celestial no me secundó. Se limitó a desearme buen provecho.

Comimos, pero no fui capaz de saborear nada. Aquello me recordó a la mañana de la víspera de mi sentencia. En el calabozo del condado me pusieron de desayunar huevina al horno, mortadela y un pan tostado que se había quedado blando. Por primera vez desde que me negaron la libertad bajo fianza dejé el plato limpio, porque, por primera vez, la comida no me supo a nada.

—¿Y bien? —pregunté, por fin.

—Tengo que ir a trabajar —dijo ella—. Hoy es Nochebuena.

—Que tu gemela se encargue hoy de la tienda.

—Tamar ya me ha hecho el favor de abrir. No puedo dejarla sola el día entero.

—Celestial, tú y yo tenemos que hablar antes de que...

—¿Antes de qué?

—Antes de que llegue Andre. Debe de estar ya de camino.

—Roy —dijo Celestial—, todo esto está siendo horrible. No me gusta nada cómo estamos haciendo las cosas.

—Escucha —atajé, tratando de parecer sensato—. Lo único que quiero es una conversación. No estoy diciendo que terminemos en la cama. Lo único que quiero es que las cosas entre nosotros estén bien. Si jugamos adecuadamente nuestras cartas y nos contamos el uno al otro toda la verdad, podría estar yéndome antes de que Andre llegue a... —Titubeé un instante. No quería decir «a casa»—. Antes de que Andre este de vuelta.

Celestial colocó mi plato, limpio como una patena, sobre el suyo, en el que sobraba medio desayuno.

—¿Qué más puedo decir? —preguntó con voz fatigada—. Ya sabes todo lo que hay que saber.

—No —respondí yo—. Sé lo que has estado haciendo, pero no sé qué quieres para tu futuro.

Ella se mordisqueó el labio, como si estuviera pensando, recorriendo mentalmente todos los escenarios posibles. Habló cuando se sintió preparada para hacerlo. Yo no lo estaba para oírla, sin embargo.

—Deja que coja mis cosas primero —dije por fin, cambiando de opinión—. Por favor. Solo quiero recoger mis cosas.

Sorprendida, atajó:

—Regalé las cosas a una ONG que ofrece a hombres parados ropa para hacer entrevistas de trabajo. Todo lo demás lo metí en cajas. No he tirado nada personal.

Celestial parecía decaída. Yo echaba de menos su desafiante mata de pelo. Quería verla tal y como era cuando la conocí, preciosa y un poco macarra. Le sonreí para intentar darle a entender que seguía viendo en ella a la jovencita que era antes, pero entonces recordé mi sonrisa desdentada.

Ese diente formaba parte de mi cuerpo y no debería haberlo perdido de vista nunca. Los dientes son huesos, a fin de cuentas. Y todo el mundo tiene derecho a conservar sus propios huesos.

—¿Hay algo que necesites en particular? He hecho una lista en el ordenador.

Lo único que quería llevarme era mi diente. Durante años, lo tuve guardado en una cajita de terciopelo, como las de los anillos. No quise decírselo porque no quería que pensara que me estaba poniendo sentimental, que tenía el recuerdo de nuestra primera cita clavado en la memoria y lo estaba rumiando como un chicle. Ella, de todos modos, no entendería que yo no quisiera irme de allí sin esa parte que le faltaba a mi cuerpo.

*

Celestial había tomado una decisión. Lo percibí en la postura rotunda de sus hombros, mientras lavaba mi plato y mi taza. Ya sabía cómo iban a ser las cosas, y punto. De igual manera, un jurado, tras un rato de charla en un módulo prefabricado anexo al juzgado, concluyó que yo era un violador, y se acabó. De igual manera, un juez, en otra destartalada estancia de ese edificio, decidió que yo iría a la cárcel, y se acabó. Tiempo después, un compasivo juez de Washington D. C. reconoció que el fiscal me la había jugado, así que me sacó de la cárcel. También aquella fue una decisión concluyente. Durante los cinco años anteriores, había dejado que unos y otros decidieran cómo iba a ser mi vida. ¿Qué podía hacer yo al respecto? ¿Decir al juez que no pensaba entrar en la cárcel? ¿Decir a mi abogado que prefería quedarme en la cárcel? ¿Qué podía decir a Celestial? ¿Exigirle que me quisiera otra vez? La noche anterior, cuando estábamos en la cama, cuando entonó el cántico de «la protección», por un momento, menos de un momento en realidad, un instante, un microinstante, un nanoinstante, pensé en demostrarle que aquello no dependía de ella. Cinco años antes, había jurado ante hombres y mujeres honrados que jamás había violado a una mujer. Ni siquiera en los años de universidad forcé las cosas con mis parejas para que fuesen como yo quería. Algunos colegas se jactaban entonces de que, cuando alguna chica les hacía una jugarreta, la metían en la cama para echarles un último polvo furibundo. Jamás fue conmigo lo de castigar sexualmente a alguien, pero la noche anterior se me pasó por la cabeza por una milésima de segundo. Esto es lo que me ha hecho la cárcel, creo. Me ha convertido en el tipo de persona que podría plantearse una cosa así.

*

Para acceder al garaje había que bajar al piso de abajo y luego atravesar el cuartito donde ronroneaban las modernas y eficientes lavadora y secadora. Entré en el garaje y accioné el interruptor que ponía en marcha el portón articulado. El estruendo metálico me hizo tragar con fuerza. Cuando estábamos recién casados, Celestial decía que el chirrido de la puerta del garaje la hacía sonreír porque le anunciaba mi llegada del trabajo. En aquel tiempo, lo habíamos tenido todo, habíamos estado unidos en todos los niveles: mental, espiritual y, sí, físico. Pero ahora era como si ella ni siquiera me conociese. O, peor aún, como si jamás me hubiera conocido. ¿Qué hay de esto, Walter? Nadie me había preparado para esto.

La claridad del día dio algo de luminosidad al espacio. Esa noche era Nochebuena, independientemente de lo que me estuviera pasando a mí. Al otro lado de la calle, una estilosa mujer colocaba en el porche de su casa una docena de flores de Pascua. En la casa que había en diagonal, habían colocado varios candelabros de bombillas que parpadeaban. Con el sol, casi no se distinguían las bombillas, pero ahí estaban si entornaba los ojos. Directamente en mi línea de visión se alzaba el árbol que Celestial trataba como a un animal de compañía. No es que no me gusten las plantas. Cuando era niño, en Eloe, le cogí mucho cariño a una pacana como aquella, pero por una razón muy concreta: daba unas nueces increíbles, que vendía a un dólar la bolsa. Y mi madre cuidaba una hilera de árboles de Júpiter que crecían en el jardín de atrás, porque le gustaban mucho las mariposas y las flores. Eso era diferente.

Al volver mi atención al interior de la casa, me di cuenta de que el garaje estaba muy ordenado. Supuse que aquello era obra de Dre. Siempre fue un tipo organizado. Las estanterías parecían casi expositores: todo estaba demasiado limpio, como si nadie usara nada de lo que se guardaba allí. Cuando viví en esta casa, se olían la tierra que quedaba pegada a la pala, la gasolina del cortacésped y las ramas verdes recién cortadas en la podadera. Ahora, todas las cosas estaban etiquetadas, como si hiciera falta colocarle a un hacha una pegatinita con la palabra *hacha* para saber cómo usarla.

A lo largo de una de las paredes había apiladas un montón de cajas de cartón. Estaban marcadas claramente con letras mayúsculas: ROY H., VARIOS. Habría preferido ver únicamente mi nombre, ROY. O COSAS DE ROY. Hasta MIERDAS DE ROY habría sido más personal. Cuando salí de la cárcel me entregaron una bolsa de papel con una nota que decía HAMILTON, ROY O. EFECTOS PERSONALES. En aquella bolsa estaban las pocas cosas que llevaba cuando entré, salvo una pesada navaja que había pertenecido al tío de Roy Padre, el primer Roy. Ahora tenía ante mí seis o siete cajas no demasiado grandes. Podría transportar todas de una vez en el Chrysler sin problema. Tipos más listos que yo, como Roy Padre o Walter, meterían todo aquello en su coche y saldrían pitando en busca de la autopista. Pero no, yo no. Yo saqué las cajas y las coloqué sobre el banco semicircular que abrazaba el tronco de la Vieja Pacana.

Al regresar al garaje, busqué algo que me sirviera para cortar la cinta que cerraba las cajas, pero solo había un hacha de doble hoja. Me arreglé con las llaves, las mismas que me habían servido para abrir la puerta principal de aquella casa, llenándome el vientre de falsas esperanzas.

La primera caja contenía la cosas que había originalmente en el primer cajón de mi cómoda. No estaban ordenadas. Era como si ella o Andre hubieran abierto la caja, sacado el cajón y volcado su contenido. Junto a un frasquito de colonia Cool Water había un taco de fotografías de mi infancia, y algunas en las que aparecíamos Celestial y yo, al principio de nuestra relación. ¿Por qué no querría guardar las fotos, siquiera? En el fondo de la caja apareció una bolsita de plástico con restos resecos de marihuana. En otra caja encontré mi diploma universitario, bien protegido por su funda de cuero, lo cual agradecí. Pero ¿y el temporizador de cocina y ese frasco de antibióticos medio vacío? No tenía ninguna lógica. Había un pisapapeles de cristal envuelto en una sudadera morada y amarilla. La desdoblé y me la puse. Olía a tienda de segunda mano, pero me abrigó y me hizo sentir bien.

Aquellas cosas ya no me importaban, pero no era capaz de dejar de abrir cajas, una tras otra, esparciendo las cosas sobre el césped y rebuscando entre ellas, a la caza de mi trocito de hueso. En un momento dado, miré hacia la casa y percibí un movimiento tras una de las ventanas. Imaginé que Celestial curioseaba. Por encima del hombro, noté la mirada de la señora de la casa de enfrente. En otra época supe su nombre, pero lo había olvidado. Saludé con la mano, esperando que no sospechara nada raro y llamase a la policía, porque lo último que necesitaba en ese momento era un encuentro en la tercera fase con la autoridad. La señora me devolvió el saludo, colocó un fajo de sobres en su buzón y levantó la banderita roja. La escena era muy de gueto, una de esas a las que no están acostumbrados en la calle Lynn Valley: el Chrysler de Roy Padre, que había dejado montado sobre el bordillo, y yo en el suelo, abriendo cajas y esparciendo trastos por el jardín. «¡Feliz Navidad!», exclamé, saludando de nuevo con la mano. Aquel gesto la tranquilizó, pero no lo suficiente como para que volviera a entrar en su casa.

*

En la última caja había, entre otras cosas, un par de llaves sueltas y un tarro de tapa de rosca lleno de monedas de veinticinco centavos de las que acuñaron para celebrar el bicentenario de la Unión, y que me regalaron cuando tenía seis años. Pero ni rastro de mi diente. Pasé los dedos por debajo de las pestañas de cartón, por si se hubiera quedado ahí encajado, y encontré un sobre de color rosa claro en el que aparecía la letra manuscrita de mi madre cuando era niña, en tinta azul. Me senté en el frío banco de madera, bajo el viejo árbol, y desplegué la hoja que guardaba en su interior:

Querido Roy:

Quiero poner esto por escrito para que te lo tomes en serio. Si te lo dijera cara a cara, tratarías de rebatírmelo, porque no te va a gustar, y el mensaje quizá no te llegaría como quiero que te llegue. Así que allá voy.

Primero, quiero decir que estoy muy orgullosa de ti. Quizá demasiado orgullosa. Hay mucha gente en el templo que ya se ha cansado de oírme hablar de mi hijo, porque a los hijos y parientes más jóvenes de muchos de ellos no les está yendo bien. Todos los chavales están en la cárcel o van de camino, y las chicas son ya madres o están embarazadas. No es así en todos los casos, pero sí en muchos, los suficientes como para despertar celos y envidias hacia mí y los míos. Por eso rezo a Dios para que te proteja todas las noches sin falta.

Me alegra oír que has conocido a una chica con la que te gustaría casarte. Sabes que yo siempre he querido ser abuela (aunque espero parecer una abuela joven). Tú no tendrás que preocuparte jamás de cuidarnos a tu padre o a mí. Hemos estado ahorrando desde el primer momento para poder pagar las facturas cuando nos jubilemos. Lo que te tengo que contar no tiene nada que ver con el dinero.

Lo que quiero preguntarte es si estás seguro de que esa mujer es para ti. ¿Es ella la esposa adecuada para la persona que tú auténticamente eres? ¿Cómo vas a saberlo si ni siquiera la has traído a Eloe para que nos conozca a tu padre y a mí? Sé que has estado pasando mucho tiempo con su familia y que te han causado muy buena impresión, pero nosotros también tenemos que conocerla. Así que, por favor, ven a visitarnos. Te prometo que todo estará precioso y nosotros nos portaremos como es debido.

Roy, no puedo decir ni una palabra negativa contra una mujer a la que ni siquiera conozco, pero he de reconocer que estoy preocupada. Tu padre dice que no quiero que crezcas y me recuerda que cuando él y yo pasamos por la vicaría también mucha gente se preocupó. Pero yo no sería tu madre que te quiere si no te dijese que mis sueños han vuelto. Sé que tú no crees en los augurios, así que no te voy a dar detalles, pero estoy preocupada por ti, hijo.

Tu padre quizá tenga razón. Es posible que te tenga demasiado pegado a las faldas. Quizá cuando conozca a Celeste me relaje. Por lo que cuentas, parece buena chica. Espero que sus padres no nos tengan a tu padre y a mí por dos ratoncitos de campo.

Por favor, léete esta carta tres veces antes de decirme qué opinas. Te he metido en el sobre una estampa. Estoy convencida de que te hará bien leer por las noches la oración que trae. Cuando hables con el Señor, arrodíllate. Rezar no es pensar tumbado en la cama. Pensar y rezar son dos cosas diferentes, y para cosas tan importantes como esta hay que rezar.

Tu madre que te quiere,
Olive

Volví a plegar la carta y me la metí en el bolsillo trasero de los pantalones. Empezó a soplar un viento helado, pero yo estaba empapado en sudor. Mi madre me había intentado advertir, me había intentado rescatar. Pero ¿de qué? Al principio, lo intentó todo para salvarme de dos cosas: la cárcel y las mujeres fáciles. Terminé la secundaria sin que me hubiesen detenido ni una vez y sin dejar a ninguna chica embarazada, así que dio su trabajo por hecho. Me puso en un autobús Trailways destino Atlanta con aquellas tres maletas nuevas y levantó los puños para gritar al aire: «¡Lo conseguimos!». No volvió a preocuparse por mí hasta que le dije que iba a casarme.

Me senté en el banco para leer la carta otra vez. Yo no creía en los sueños proféticos; además, mi mal no había sido Celestial, sino el estado de Luisiana. Aun así, me reconfortó un poco la ternura que se entreveraba en las palabras de mi madre, aunque en un momento dado me asaltó el recuerdo raudo de cómo reaccionaba a ese tipo de comentarios entonces. Siempre respondía, carraspeando y tartamudeando, pero en realidad me sentía como un perro apaleado que aullaba. «No te avergüences de nosotros», parecía pedir mi madre sin palabras.

Leí la carta varias veces más. Cada frase era un latigazo. Cuando no pude soportarlo más, me la guardé de nuevo en el bolsillo. Me quedé contemplando el batiburrillo de mis cosas. Un objeto del tamaño de un diente se podría haber perdido fácilmente entre la hierba. Quizá lo más apropiado era pasar página y adentrarme en ese futuro incierto sin mi diente. Los salteadores de tumbas del próximo milenio me encontrarían incompleto, por toda la eternidad. La historia de mi vida escrita en la mandíbula.

Juro por Dios que mi plan era marcharme de allí en ese momento. Llenar el depósito del Chrysler y volver a la autopista, sin llevarme nada más que la carta de mi madre.

Sin embargo, me acordé de una raqueta de tenis que había visto colgada en el garaje. Aquella raqueta había costado mucho dinero y, lo más importante, era mía. Quizá podría dársela a Roy Padre; cuando yo era pequeño, solíamos darle a la bola en el polideportivo del pueblo. Ascendí de vuelta el camino de acceso de arena blanca, pensando en Davina y reflexionando sobre lo que Celestial le había dicho tras el funeral de Olive. «Georgia, tú no eres la única mala persona del mundo», grité al aire.

Busqué con la mirada en la pared del garaje. La raqueta colgaba de un ganchito fijado en la pared. La bajé y me di cuenta de que el tiempo y la falta de uso habían deformado la estructura. Cuando la compré, nadie tuvo una mejor durante nuestros veranos en Hilton Head, pero ahora no era más que metal corroído y tripas de gato. La empuñadura estaba pegajosa, pero, aun así, imité un revés al aire, y accidentalmente golpeé el parachoques del coche de Celestial. Ese primer golpe fue sin querer. El segundo, tercero y cuarto, no. La alarma del coche empezó a protestar, pero no me detuve, hasta que Celestial entró al garaje con el bolso al hombro y las llaves en la mano.

—Cariño, ¿qué estás haciendo? —preguntó, usando el pequeño control remoto para detener la alarma—. ¿Estás bien?

El tono compasivo de su voz me arañó la piel.

—No, no estoy bien. ¿Cómo voy a estar bien?

Ella sacudió la cabeza y, de nuevo, la embargó una tristeza blanda. Yo jamás he pegado a una mujer. Nunca he sentido el deseo de hacerlo. Pero en ese momento me picaba la mano. Quería borrarle ese gesto de preocupación de su carita preciosa de una bofetada.

—Roy... ¿Qué quieres que yo haga?

Ella sabía perfectamente lo que quería que hiciese. No era tan complicado. Quería que fuese la esposa que debía ser y me diera el espacio que me correspondía en mi propia casa. Quería que me esperase, como han esperado las mujeres desde antes de Jesús. Ella no dejaba de hablar, pero a mí no me quedaba paciencia para lágrimas o para palabrería sobre lo mucho que lo había intentado.

—Deberías probar a pasar un tiempecito como invitada especial del estado de Luisiana. Sí, deberías probar eso, a ver qué tal. ¿Tanto trabajo costaba pasar cinco años sin pensar solo en ti misma? ¿Tanto trabajo costaba hacer que un hombre cansado se sintiera bienvenido? Cuando estaba en la cárcel, trabajé recogiendo soja. Tengo un título de Morehouse College y he trabajado la tierra como hacía mi tatarabuelo. Así que no me cuentes cuentos sobre lo que has intentado hacer.

Ella resopló y yo volví a golpear el coche. La raqueta de tenis no tenía mucho que hacer contra la carrocería del Volvo. Ni siquiera pude romper las ventanas con ella. La alarma volvió a saltar, pero Celestial la silenció al instante.

—Roy, para ya —rogó suspirando como una madre exhausta—. Deja esa raqueta ya.

—No soy tu hijo —dije yo—. Soy un hombre adulto. ¿No me puedes hablar como a un hombre?

No podía de dejar de verme a mí mismo a través de sus ojos: acalorado, con una pinta algo estrafalaria (ropa de Wal-Mart, sudadera de instituto), agitando en el aire una raqueta de tenis hecha polvo como si fuera un arma. La dejé caer al suelo.

—¿Puedes tranquilizarte? —me rogó.

Revisé con la mirada las herramientas, cuidadosamente etiquetadas y ordenadas en filas, esperando encontrar una llave inglesa o un martillo que me sirviera para reventar todas las ventanillas de aquel coche. De repente, ahí, al alcance de la mano, vi el hacha de doble hoja. Me gustó su aspecto. Y, oh, sorpresa, en cuanto eché mano al grueso mango de madera, algo cambió radicalmente en el aire que se respiraba en ese garaje. Celestial inspiró hondo y el pánico se adueñó de sus facciones. Eso también escoció, pero lo prefería a su piedad. Levanté el hacha lo más alto que pude en el estrecho espacio que quedaba entre el coche y la pared. La ventana estalló en añicos que volaron por toda la habitación. Aun aterrorizada, Celestial tuvo la frialdad de volver a apagar la alarma, tratando de evitar un escándalo aún mayor.

Con el hacha aún en la mano, caminé hacia ella. Celestial dio un paso atrás y el cuerpo se le encogió. Yo me eché a reír.

—¿Ahora crees que soy peligroso? Pero ¿tú me conoces o no me conoces?

Me di la vuelta y me dirigí a la puerta del garaje, con el hacha sobre el hombro, como Paul Bunyan. Me sentí un hombre. Salí al sol de aquel frío día y me dispuse a emprender el camino de vuelta a Eloe. Llevaría aquella hacha, la carta de mi madre y el miedo en los ojos de mi esposa.

¿No dice algo el Génesis sobre no mirar atrás? No hice caso y miré como un estúpido por encima de mi hombro. Vi como sus facciones se relajaban, feliz de no haberme llevado nada insustituible y de no haber destruido nada irreparable.

—¿Te importo algo, Georgia? —le pregunté, girándome—. Dime que no y saldré de tu vida para siempre.

Ella se quedó en mitad del camino de acceso, envolviéndose a sí misma en un abrazo, como si tuviera frío.

—Andre está de camino.

—¿Quién ha preguntado nada sobre Andre?

—Llegará en un momento.

Me dolía la cabeza, pero seguí presionándola.

—La respuesta a mi pregunta es «sí» o «no».

—¿Podemos hablar cuando llegue él? ¿Podemos...?

—Deja de hablar de él. Quiero saber si me quieres a mí.

—Andre...

Otra vez ese nombre, y eran demasiadas veces ya. En parte, se puede achacar a Celestial lo que ocurrió después. Le había hecho una pregunta muy sencilla, a la que quería que diese una respuesta sencilla, y ella se había negado.

Le volví a dar la espalda y giré bruscamente en mi trayectoria, pisoteando el césped seco del jardín delantero, notándolo crujir bajo mis zapatos. En seis largas zancadas me planté en la base del enorme árbol. Acaricié la corteza rugosa y reflexioné un instante, dando a la Vieja Pacana el beneficio de la duda. Pero un árbol no es más que un montón de madera inútil. Muy alto, nada más. Para romper la cáscara de una nuez pacana hacen falta un martillo y la aprobación del Congreso, y, aun así, es necesario luego un destornillador para poder sacar el fruto, que está más insípido que un canto rodado. Nadie se disgustaría jamás por una pacana talada, salvo Celestial y quizá Andre.

Recuerdo cuando era pequeño y Roy Padre me enseñó a talar un árbol. Yo apenas podía levantar una hachuela. «Dobla las rodillas, balancea con fuerza el hacha, por abajo, y clava la hoja en paralelo al suelo.» Celestial se echó a llorar como el bebé que nunca habíamos tenido. Chilló y gimoteó con cada hachazo. Creedme si digo que no aminoré el ritmo, aunque me ardían los hombros y los brazos me temblaban por la tensión. Con cada golpe, saltaban desde el tronco herido astillas de madera viva que me arañaban y escocían en la cara.

—Habla, Georgia —grité, mellando la gruesa corteza gris, experimentando oleadas de placer y poder con cada golpe que asestaba—. Te he preguntado si me quieres.

Andre

Esperaba llegar a casa y encontrarme con una escena de caos emocional. Sin embargo, cuando aparqué el Mercedes en la calle Lynn Valley, lo que me encontré tenía más de físico que de psicológico. La calle estaba regada de trastos y trozos de cartón; Celestial estaba en mitad del camino de acceso, vestida para ir a trabajar, lloriqueando, con los puños en los ojos, y Roy Hamilton estaba talando la Vieja Pacana con mi hacha de doble hoja. Quise que fuera una alucinación. Después de todo, había conducido muchas horas seguidas. El sonoro impacto del metal contra la madera verde me convenció de que todo era real.

Celestial y Roy exclamaron mi nombre en voz alta a la vez, con una entonación peculiar. Me sentí dividido, y no estaba seguro de a quién responder, así que hice una pregunta que cualquiera de los dos pudiera responder: «¿Qué coño está pasando aquí?».

Celestial señaló a la Vieja Pacana mientras Roy asestaba otro hachazo con todas sus energías, tan fuerte que la hoja del hacha quedó enterrada en la madera, como una espada en la roca.

Me quedé en el camino de acceso, entre Celestial y Roy. Eran como dos planetas, cada uno con su órbita y su gravedad. El sol centelleaba en lo alto, bañándonos en luz, pero sin calentarnos.

—¡Mira quién está aquí! La tercera peor persona del mundo —exclamó Roy, estirándose la manga de la camisa para enjugarse la frente perlada—. El hombre del momento —añadió, dibujándosele una amplia sonrisa en el rostro, con un diente de menos y aire indiferente. El hacha sobresalía del tronco del árbol, inmovilizada.

No sé si habría reconocido a Roy de habérmelo encontrado por la calle. Sí, era el mismo Roy, pero la cárcel le había dado corpulencia y surcaban su frente profundas arrugas, y los hombros se le arqueaban un poco, por el pecho desarrollado de más. Si bien éramos de la misma edad, él parecía mucho mayor, aunque no hacía pensar en un señor venerable, como Roy Padre. Era más bien una máquina potente que empezaba a desgastarse.

—¿Qué pasa, Roy?

—Bueno... —respondió levantando los ojos y mirando directamente al sol, sin preocuparse de darse sombra con la mano—. Me meten en la cárcel por un crimen que no he cometido y, cuando llego de vuelta a casa, mi mujer se ha liado con mi mejor amigo.

Celestial se dirigió hacia mí como si aquel fuera un día cualquiera y yo acabara de regresar del trabajo. Por mera costumbre, la tomé por la cintura y la besé en la mejilla. Me dio seguridad tocarla. No importaba lo que hubiera podido ocurrir en mi ausencia. Era yo quien la tenía entre mis brazos.

—¿Estás bien, Celestial?

—Sí, está bien —se adelantó Roy—. Sabes perfectamente que jamás le haría daño. Sigo siendo el mismo de siempre. Quizá ella haya dejado de ser mi esposa, pero yo sigo siendo su marido. ¿No os dais cuenta de eso? —Él levantó los brazos como mostrando que iba desarmado—. Ven conmigo, Dre. Hablemos de hombre a hombre.

—Roy —dije yo—. Está claro que tenemos un conflicto entre manos. ¿Qué podemos hacer para resolverlo? —Después de soltar a Celestial, no supe qué hacer con los brazos—. No pasa nada —dije, dirigiéndome a Celestial, aunque lo que intentaba era convencerme a mí mismo. Imité a Roy e hice el gesto de «no disparen». Con los brazos en alto, me acerqué a la Vieja Pacana. El aroma de la madera hendida resultaba extrañamente dulzón, como el del azúcar de caña. Salpicaban el césped seco astillas de todos los tamaños, como una especie de confeti de madera.

—Hablemos —propuso Roy—. Lamento lo que acabo de hacerle a vuestro árbol. Se me ha ido la olla. Todos tenemos sentimientos, ¿sabes? Yo tengo muchos —dijo, barriendo con la mano las astillas de madera del banco curvo.

—Este banco lo hizo mi padre —dije yo—. Cuando yo era pequeño.

—Dre, ¿eso es todo lo que me tienes que decir? —preguntó y, repentinamente, se abalanzó sobre mí y me dio un abrazo viril, palmadas en la espalda incluidas. Yo lo rehuí un poco y me sentí avergonzado.

—Bueno —continuó, soltándome y dejándose caer en el banco—. ¿Qué te cuentas, tío?

—No mucho.

—¿Vamos a hablar de este asunto?

—Podemos hablar, sí.

Roy dio un par de palmadas en el banco, a su costado, y se apoyó contra el árbol, estirando las piernas.

—¿Te ha contado mi padre cómo te la hemos jugado?

—Algo me ha contado, sí.

—¿Qué fue, entonces? Necesito saberlo y te prometo que luego me apartaré de tu camino. ¿Qué es lo que te empujó a decir: «Que le den por culo a Roy. Siento mucho que esté en la cárcel, pero creo que me voy a meter con su mujer en la cama»?

—Estás tergiversando las cosas —dije yo—. Sabes que no fue así como ocurrió.

Me parecía muy feo dejar a Celestial ahí, en mitad del camino de acceso, desde donde no podía oírnos, así que le hice una seña.

—No, no le digas que venga —ordenó Roy—. Esto es entre tú y yo.

—No, es entre todos nosotros —repliqué.

Al otro lado de la calle, la vecina seguía colocando las flores de Pascua en hilera. Roy la saludó otra vez más con la mano y ella le devolvió el saludo.

—Quizá deberíamos invitar a todo el vecindario y que sea algo entre todos.

Celestial se sentó en el banco, entre uno y otro, limpia y pura como la lluvia. Yo le coloqué el brazo sobre el hombro.

—No la toques —dijo Roy—. No tienes que mearle encima como un perro para marcar el territorio. Ten modales.

—Yo no soy territorio de nadie —saltó ella.

Roy se levantó y empezó a andar agitadamente.

—Estoy intentando mostrarme benévolo. Juro por Dios que lo estoy intentando. Yo soy inocente —repitió—. Inocente. Vivía mi vida ocupándome de mis propios asuntos y, de un día para otro, me echaron el guante y me metieron en una cárcel. También podría ocurrirte a ti, Dre. Para que te metan en el trullo no hace falta más que que alguien te acuse de algo. ¿Crees que a la policía le importa que te hayas pagado tu propia casa o que te hayas comprado un Mercedes? Lo que me ha pasado a mí le podría pasar a cualquiera.

—¿Crees que no lo sé? —pregunté—. Soy negro desde que nací.

—Roy, no pasó un día sin que habláramos de ti y pensáramos en ti. Crees que nos dabas igual, pero no es así. Pensábamos que te habías marchado para siempre —añadió Celestial.

Yo guardé silencio mientras Celestial daba sus explicaciones. Dijo lo que habíamos planeado que dijese, pero ahora sonaba menos cierto. ¿Estábamos dando a entender acaso que nuestra relación era un incidente circunstancial? ¿Estábamos diciendo también que nos queríamos el uno al otro solo porque Roy no estaba? Eso no era cierto. Nos queríamos porque siempre nos habíamos querido y yo me negué a aceptar cualquier otra versión de las cosas.

—Celestial —dijo Roy—. Deja de hablar.

—Mira —intervine yo de nuevo—, tío, tienes que aceptar que estamos juntos, punto. Los detalles son lo de menos, punto.

—¿Punto?

—Punto —repetí yo.

—Escuchad, los dos —rogó Celestial.

—Métete en la casa —ordenó Roy—. Déjame hablar con Dre.

Yo la empujé muy suavemente con la palma de la mano colocada en la parte baja de su espalda, indicándole que se dirigiese a la puerta, pero ella se mostró impasible.

—No voy a ir a ningún lado —dijo—. Esta es también mi vida.

Nos giramos los dos hacia ella. La admiración que siento por Celestial se reflejó en el rostro rocoso de Roy.

—Quédate a escuchar, si quieres —concedió Roy—. Te he dicho que entres en la casa por tu propio bien. Lo que Andre y yo tenemos que hablar no te va a gustar nada. Estoy intentando ser un caballero.

—Eso lo decidirá ella —tercié—. Entre nosotros no hay secretos.

—Oh, sí que los hay —dijo Roy con una sonrisa sarcástica—. Pregúntale por lo que pasó anoche.

Lancé una mirada inquisitiva a Celestial, pero su expresión era totalmente neutra. El sol resplandecía sobre su críptico rostro.

—Te estoy diciendo que no te va a gustar —insistió Roy a Celestial—. Cuando los hombres hablan, la cosa se suele poner fea. Eso es lo que más te condiciona cuando estás en la cárcel. Demasiados hombres en un mismo lugar. Estás ahí encerrado, sabiendo que fuera hay todo un mundo de mujeres colocando flores, haciendo que todo sea agradable, civilizando el planeta. Pero la cárcel es una jaula, en la que vives como un animal, rodeado de otros animales. Así que te voy a dar una oportunidad más, Celestial. Me estás dando pena. Métete en la casa, en serio. Ve a coser una muñeca o algo.

—No me voy a mover de aquí —insistió—. Alguien tiene que poner un poco de sensatez en todo este asunto.

—Entra en casa, mi amor —intervine yo—. Ayer tuviste todo el día para hablar con él —añadí, tratando de que la palabra *hablar* sonase lo más neutral posible. Como si no me preguntase qué habrían hecho aparte de charlar.

—Con diez minutos nos sobra —dijo Roy—. No va a llevarnos mucho.

Celestial se levantó. Yo observé su espalda, tersa y torneada, mientras se alejaba en dirección a la puerta principal. Roy miraba a la vecina, que nos miraba desde el otro lado de la calle, sin molestarse siquiera ya en disimular cambiando las macetas de sitio.

Cuando Celestial por fin entró en la casa, Roy habló:

—Como te decía antes, el mundo está lleno de mujeres. Especialmente Atlanta. Eres negro, heterosexual, tienes trabajo, no has estado en la cárcel y te gustan las negras. Estás en la cresta de la ola. Pero no, tuviste que ir a por mi mujer. Eso es una falta de respeto hacia mí como persona. Es una falta de respeto hacia lo que he pasado, hacia lo que estamos pasando todos los negros en este país. Celestial es mi mujer. Tú lo sabías. Joder, tú nos presentaste. —Lo tenía ahora frente a mí. No hablaba con voz más alta, pero sí más profunda—. ¿Por qué lo hiciste? ¿Porque la tenías a mano? ¿Querías tener candela en la casa de al lado para no tener que coger ni el coche?

Fue entonces cuando me levanté, porque hay palabras que un hombre no puede aceptar oír sentado. Me erguí ante él y ahí estaba Roy, esperándome. Chocó su pecho contra el mío.

—Lárgate de aquí, Roy.

—Dime, ¿por qué lo hiciste? —volvió a preguntar.

—¿Por qué hice qué?

—Por qué me has robado a mi mujer. Deberías haberla dejado en paz. Se sentía sola, de acuerdo. Pero tú no te sentías así. Aunque fuese ella quien te buscase a ti, deberías haberla evitado.

—¿Qué es lo que te resulta tan difícil de entender?

—¿De qué cojones hablas, Andre? Sabías que era mi esposa desde antes de que te diese esta tontería del amor. Viste tu oportunidad y la aprovechaste. Te dio igual, con tal de meter en caliente.

Y entonces le empujé, porque no me quedaba otra opción.

—¡No hables de ella así!

—¿Qué me vas a hacer? ¿No te gusta cómo hablo? En la cárcel no somos tan políticamente correctos como tú. Decimos lo que pensamos.

—¿Qué quieres decir, a ver? ¿Qué quieres que diga? Si te digo que lo hice porque está buena, vas a querer pelear. Si te digo que quiero casarme con ella, tres cuartos de lo mismo. ¿Por qué no me pegas ya y te dejas de hablar? El resultado final es que ella no te pertenece. Ella jamás te ha pertenecido. Ella era tu esposa, sí. Pero no te pertenecía. Si no lo entiendes, venga, pégame una paliza y termina ya con este asunto.

Roy caviló por unos instantes.

—¿Eso es todo lo que tienes que decir? ¿Que no me pertenece? —Escupió por el hueco del colmillo—. Pues a ti tampoco te pertenece, colega.

—En eso tienes razón —respondí, y me di la vuelta para marcharme, y me odié a mí mismo por hacerme de repente preguntas que se me enroscaban en torno a las piernas como alambre de espino. Fue esa duda la que me hizo bajar la guardia y descuidar mi propia espalda. La risa de Roy me estremeció y me hizo olvidar que yo confiaba en Celestial como en mis propios ojos.

Me golpeó desde atrás, antes incluso de dar yo el primer paso.

—¡A mí no me das la espalda! —gritó.

Esa era la violencia que mi padre había augurado. «Deja que pase y sigue adelante con tu vida», me había dicho. Me di la vuelta, le puse la cara y Roy me pegó un puñetazo en plena nariz antes siquiera de que pudiese apretar los huevos. Noté primero el impacto y al instante una oleada de sangre caliente en el labio superior, seguida de un intenso dolor. Encajé después un par de fuertes golpes más y un gancho a los riñones. Hundí la cabeza contra su pecho. Forcejeamos y me tiró al suelo. Roy se había pasado cinco años en la cárcel y yo programando en una oficina. Hasta ese instante, yo me había sentido orgulloso de mi currículum limpio, de mi vida alejada de matones y peleas. Pero en la hierba, bajo la Vieja Pacana, protegiéndome de los puños de granito de Roy, deseé ser otro tipo de hombre.

—¡Y todo el mundo tan tranquilo! Como si esta historia vuestra fuera nada, cualquier cosa sin importancia, un bache en la carretera. —Resolló—. Esta era mi vida, hijo de puta. Mi vida. Celestial es mi mujer.

¿Habéis mirado alguna vez a la furia a los ojos? No hay forma de salvarse de un hombre iracundo. Roy tenía el rostro desencajado, ido. Las venas del cuello se le habían hinchado hasta parecer los cables de una grúa; tenía los labios tensos como los bordes de una herida de arma blanca. Alimentaba sus golpes incesantes un ansia por hacerme daño que le era más importante en ese momento que la libertad o el mismo aire. Mis esfuerzos por protegerme eran casi rituales, amanerados, simbólicos. Sus pies, sus puños, sus anhelos mismos seguían el código de la brutalidad y la violencia.

¿Habría aprendido en la cárcel a golpear así a una persona? Aquello no era como las peleas del patio de la escuela, en las que había que intentar pegar y luego dar un paso atrás. Aquello era un hombre sin nada que perder apaleando a otro con saña. Si me quedaba tirado, me pisaría la cabeza. Me incorporé, pero me fallaron las piernas. Caí primero de rodillas, como un edificio demolido, y luego de bruces en la hierba. Me inundó por dentro el olor a hierba y a sangre fresca.

—Di que lo sientes —ordenó, con el pie colocado para patearme.

Aquello era una oportunidad. Una oportunidad para ondear la bandera blanca. No me costaría escupir tres o cuatro palabras mojadas en sangre. Podría concederle eso. Pero no. No pensaba hacerlo.

—¿Sentirlo por qué? —pregunté. —Escudriñé sus ojos entornados por el sol, pero no lo reconocí. ¿Me habría rendido de saber que aquello serviría para salvarme, de saber que no tenía intención de matarme? No lo sé. Pero, si iba a morir en el jardín de mi casa, lo haría con el sabor del orgullo en la boca—. No lo siento nada, tío.

Pero el caso es que sí que lo sentía. No sentía lo que había ocurrido entre Celestial y yo, eso jamás. Pero sentía muchas otras cosas. Lo sentía por Evie, que había sufrido de lupus durante tantos años. Lo sentía por los elefantes a los que habían asesinado por su marfil. Lo sentía por Carlos, que cambió una familia por otra. Lo sentía por todos los que habitamos este mundo, porque todos tenemos que morir y nadie sabe qué ocurre después. Lo sentía por Celestial, quien probablemente lo estaba viendo todo desde la ventana. Y, sobre todo, lo sentía por Roy. La última vez que lo vi, aquella mañana, antes del funeral de su madre, me dijo: «Nunca tuve opciones, ¿verdad? Estaba convencido de que sí».

Ahí estaba el dolor, sí, pero supe hacer que no doliera. Pensé en Celestial y en mí. Estábamos convencidos de que podríamos capear el temporal. Creímos que podríamos solucionar este asunto hablando, razonando. Pero alguien tenía que pagar por lo que le había pasado a Roy, al igual que Roy había pagado por lo ocurrido a aquella mujer. Siempre paga alguien. La bala no lleva ningún nombre escrito, como suele decirse. Creo que lo mismo ocurre con la venganza. E incluso con el amor. Siempre está ahí fuera, aleatorio y mortífero, como un tornado.

Celestial

A veces me hago preguntas sobre mí misma. Roy y Andre giraban en círculo uno en torno al otro, radiando una energía de vestuario masculino de gimnasio: violencia y competitividad. Me dijeron que me marchase y lo hice. ¿Por qué? ¿Ocurriría algo que no querían que viese? No soy una persona obediente de por sí, pero aquel día de Nochebuena hice lo que me mandaron.

Debieron de echarse mano el uno al otro en cuanto cerré la puerta. Para cuando llegué a la ventana —me asomé tras la cortina como una boba damita sureña—, Roy y Andre se habían tirado al suelo y rodaban por el césped, en una maraña de piernas y brazos. Miré durante unos segundos solamente, pero me pareció demasiado tiempo igualmente. Roy se adueñó de la situación, clavó a Andre en el suelo, se sentó sobre su pecho y le golpeó con furia. Sus brazos parecían las aspas de un molino. Yo abrí en ese instante la ventana. La cortinilla de encaje colgaba de la fina barra, cubriéndome los ojos como un velo. Los llamé por su nombre al viento, pero ninguno de los dos me oía, o no querían oírme. Los gruñidos de satisfacción y esfuerzo sofocaban los gemidos de dolor y humillación. Un impulso me llevó a salir corriendo al exterior para salvarlos a ambos.

Llegué al jardín tropezando y temblando de miedo. «¡Diecisiete de noviembre!», grité, esperando que la memoria no fallase a Roy.

Se detuvo, pero solo lo necesario para negar con la cabeza, rabioso.

—¡Es demasiado tarde para eso, Georgia! A nosotros no nos funcionan ya las palabras mágicas.

Ya no tenía opción. Me saqué el teléfono del bolsillo y lo empuñé como una pistola. Tomé todo el aire que pude y vociferé:

—¡Estoy llamando a la policía!

Roy se quedó helado, paralizado por la amenaza.

—¿Harías eso? Sí, ¿verdad? ¡Lo harías!

—Estás obligándome —dije, tratando de controlar el temblor de manos—. Deja en paz a Dre.

—Me importa una mierda —exclamó Roy—. Llama. Que te den por culo a ti. Que le den por culo a este. Que le den por culo a la policía.

—Por favor, Roy —dije—. Por favor, por favor, no me obligues a llamar.

—Hazlo —dijo Roy—. ¿Crees que me importa? Llama a la policía y que me enchironen otra vez.

—No —acertó a mascullar Andre. Sus pupilas, ensanchadas y oscuras, resaltaban el color claro de sus iris—. Celestial, no puedes permitir que lo metan otra vez en la cárcel. Después de todo lo que ha ocurrido, no puedes permitirlo.

—¡Llama ya! —insistió Roy.

—Celestial —repitió Andre con una voz decidida pero distante, como cuando te llaman por teléfono desde otro continente—. Suelta el móvil ahora mismo.

Me acuclillé y lo coloqué cuidadosamente sobre el césped, como entregando un arma. Roy soltó a Andre, que trató de ponerse de rodillas. Su cuerpo flameaba como una bandera a media asta. Me apresuré a acercarme a él, pero me apartó.

—Estoy bien, Celestial —dijo, aunque no era cierto. Tenía trozos de madera pegados en la ropa, como garrapatas.

—Deja que te mire a los ojos.

—Apártate, Celestial —dijo con voz suave. Tenía los dientes teñidos de rojo claro.

A solo unos metros, Roy se estiraba los dedos de las manos y hacía movimientos de calentamiento con los tobillos.

—No le he dado la patada. Cuando estaba tirado en el suelo, podría haberle dado una patada. Y no lo he hecho.

—Pero mira lo que sí has hecho —puntualicé.

—¿Y tú qué? —Roy caminaba ahora de un lado a otro, de acá para allá, como si estuviera encerrado de nuevo en una estrecha celda—. Las cosas no tenían por qué salir así. Lo único que yo quería era volver a casa. Solo quería tener tiempo para hablar con mi mujer y tratar de averiguar qué estaba ocurriendo realmente. Dre no tenía por qué meterse en esto.

*

No llamé a la policía, pero un coche patrulla se presentó igualmente en nuestra calle, con las luces azules puestas, pero sin sirena. Los agentes, una mujer negra y un tipo blanco, traían cara de pocos amigos por tener que trabajar en Nochebuena. Conforme se acercaban, me pregunté qué pensarían de nosotros. Tenían delante a dos tipos magullados que sangraban; uno de ellos vestido como si fuera a cenar a casa de su familia, arreglado y sin un pelo fuera de su sitio. Me sentí como la madre de dos gemelos recién nacidos, corriendo de uno a otro, asegurándome de que a ninguno le faltase de nada, que ambos tuviesen un pedazo de mí.

—Señora —dijo la agente—, ¿está todo en orden?

Yo no había hablado con un agente de policía desde la noche en Piney Woods, cuando me sacaron a rastras de la cama.

Mi memoria corporal se activó y me acaricié instintivamente la cicatriz de debajo de la barbilla. Pese al frío de final de diciembre, sentí el calor espectral de aquella noche veraniega. Nos apuntaron con sus armas y nos gritaron que no nos moviéramos. Mi marido hizo caso omiso y me cubrió con sus brazos. Entrelazamos las manos durante un instante de desesperación, justo antes de que un policía nos separase ayudándose de su bota de cuero negro.

—¡Por favor, no le hagan daño! —rogué a la agente—. ¡Lo ha pasado muy mal!

—¿Quiénes son estos hombres? —me preguntó el policía blanco. Tenía un marcado acento sureño, espeso como la melaza, como si acabase de llegar de una granja perdida. Traté de captar la atención de la mujer, pero ella tenía la mirada fija en Roy y Andre.

Con el mismo tono de voz que usaba al teléfono, expliqué:

—Este es mi marido y este es mi vecino. Ha habido un pequeño incidente, pero ya está todo solucionado.

La mujer miró a Andre.

—¿Es usted el marido?

Andre no respondió y lo hizo en su lugar Roy:

—El marido soy yo.

Ella hizo un gesto con la cabeza a Andre, pidiendo confirmación:

—Entonces, ¿usted es el vecino?

En lugar de asentir, Andre recitó en voz alta su dirección, señalando con la barbilla hacia su casa.

Cuando los agentes quedaron satisfechos, se despidieron con un «Feliz Navidad» que reverberó como un augurio oscuro. Se marcharon con las luces azules apagadas. Solo el maloliente humo del tubo de escape enturbiaba el aire. Cuando hubieron desaparecido, Roy se dejó caer pesadamente en el banco curvo. Me hizo un gesto para que me sentara a su lado, pero fui incapaz. No podía, con Andre a dos metros de mí, con los ojos amoratados y un labio abierto en una brecha que dejaba ver la carne roja.

—Georgia... —dijo Roy, y, metiendo la cabeza entre las rodillas, dio una arcada que estremeció todo su cuerpo. Me acerqué a él y le froté con la mano la espalda, que se le cimbreaba—. Me duele. Me duele todo.

—¿Necesitas ir al hospital?

—Quiero dormir en mi propia cama —dijo incorporándose, como si tuviera que irse a algún lugar. Pero se limitó a girarse hacia la Vieja Pacana—. Esto es demasiado. —Y entonces, muy rápidamente, o así lo recuerdo, si bien tengo conciencia de todos y cada uno de sus movimientos, Roy se mordió el labio, como embargado por el llanto, abrazó el tronco del viejo árbol como quien abraza a un hermano y, a continuación, echó para atrás la cabeza, miró al cielo y se golpeó. El sonido quedó amortiguado por la vieja corteza, fue como el ruido acuoso de un huevo cascándose contra el suelo de una cocina. Lo volvió a hacer, con más fuerza. Eché a correr hacia mi marido y, sin pensar, me coloqué entre el árbol y él. Roy volvió a echar la cabeza hacia atrás, como quien carga un arma, pero, si decidía volver a embestir, me golpearía a mí en lugar de al tronco.

Se detuvo. Sus nudosos hombros temblaron. Acto seguido, contempló a la Vieja Pacana, observó las astillas de madera esparcidas por la hierba, miró a Andre, me miró a mí y, por fin, se miró a sí mismo.

—¿Cómo ha ocurrido todo esto? —preguntó, tocándose la frente. De un pequeño corte manaba sangre que le empapaba la ceja. Por fin, clavó la vista en el suelo. Su mirada era de nuevo amable, pero transmitía un propósito claro—. ¿Qué quieres que haga? —preguntó, girándose a Dre y preguntándole de nuevo a él, con el mismo tono de curiosidad—: En serio, ¿qué creéis que debería hacer?

Andre se sentó con mucho cuidado en el banco, tensando el cuerpo en cada parte que le dolía.

—Te ayudaremos a establecerte y a arrancar. Si quieres, puedes quedarte en mi casa.

—¿Quedarme yo en tu casa, mientras tú vives en mi casa con mi mujer? Pero ¿qué estás diciendo? —Entonces, me dirigió una mirada a mí—. Celestial, tú sabías que esto no iba a funcionar. Tú me conoces. ¿Cómo voy a aceptar yo algo así? ¿Qué esperabas?

¿Qué esperaba? Lo cierto es que, antes de que Roy se materializase en mi salón, yo había olvidado que era un hombre de carne y hueso. Durante los dos años anteriores, ese marido mío que no contaba ya en mi vida se había convertido en una idea. Llevaba más tiempo en la cárcel del que habíamos estado juntos. Me había convencido de que existían leyes que limitaban la responsabilidad de unos y otros. Cuando envié a Andre a Luisiana, esperé que Roy no quisiera regresar a Atlanta, que enviase a alguien a por sus cosas. Esperaba que yo me hubiera convertido para él, como él lo era ya para mí, en un mero recuerdo.

—Roy, di la verdad —rogué en voz alta—. ¿Me habrías esperado tú a mí durante cinco años?

Él volvió a encogerse de hombros otra vez más.

—Celestial —dijo, hablándome como se le habla a una niña—. A ti no te habría ocurrido nunca algo así.

Andre hizo ademán de unirse a nosotros sobre el césped seco, pero yo le hice un gesto negando con la cabeza. Él jadeó agotado, dejando escapar por la boca nubecillas de vaho blanco.

—¿Cómo se siente uno cuando toma todas las decisiones? —preguntó Roy—. Todo ha dependido de ti durante los últimos cinco años. Cuando éramos pareja, las cosas dependían de mí. Tú tenías un dedo que pedía un anillo. ¿Te acuerdas de eso? ¿Recuerdas cuando yo era tu prometido y tú estabas orgullosa, y enseñabas la piedra como si fuera la luz de un foco? No voy a mentir: aquello me excitaba. Pero ahora no tengo nada que ofrecerte, más que a mí mismo. Eso es más de lo que podía darte el año pasado: el año pasado no podía darte nada. Pero aquí estoy ahora. —Miró a su izquierda—. Te toca, Dre. ¿Qué tienes tú que decir?

Andre le hablaba a Roy, pero fijó su mirada en mí.

—No tengo que explicar a Celestial lo que siento. Ella ya lo sabe.

—Pues explícamelo a mí —pidió Roy—. Dime cómo terminaste durmiendo en mi cama con mi mujer.

—Roy, tío —dijo Dre—. Lamento mucho lo que te ha ocurrido. Sabes que lo siento. No te tomes esto como una falta de respeto, pero no voy a hablar de este asunto contigo. —Se tocó entonces el labio roto con la punta de la lengua—. Tuviste tu oportunidad para hablar, pero has preferido pelear. Ahora no tengo más que decirte.

—¿Y tú, Georgia? ¿Tienes algo que decir? ¿Cómo terminaste prefiriendo a Dre antes que a mí?

La verdadera respuesta la tuve cuando vi a Olive, en su féretro, y a Roy Padre; eso me demostró en qué consiste la verdadera unión, a qué sonaba, a qué olía: a tierra fresca y a tristeza. Jamás fui capaz de confesar a Roy que, tal y como sus padres me habían dado a entender, lo que él y yo teníamos no era un vínculo por los siglos de los siglos. Nuestro matrimonio había sido un esqueje en un plantón que ni siquiera había tenido tiempo de agarrar.

Como si escuchase el murmullo de mis pensamientos, dijo:

—¿Dre estuvo en el momento apropiado en el lugar adecuado? ¿Es este un delito pasional? ¿Planeado o no planeado? Necesito saberlo.

¿Cómo decirle que el deseo no funcionaba de la misma manera que cuando yo era más joven, cuando la electricidad de la atracción me hacía girar siempre la cabeza? Andre y yo teníamos algo cotidiano. Nos conmovíamos como lo habíamos hecho siempre. Sí, siempre nos habíamos conmovido el uno al otro.

No respondí. Roy insistió:

—¿Cómo hemos terminado en esto? Mis llaves siguen abriendo, pero tú no me dejas entrar.

Roy se achicó y se arrellanó en el banco, con los ojos en blanco, arrasado por la tristeza. Me giré hacia Andre, pero él no me devolvió la mirada. Observaba concienzudamente a Roy, que se estremecía, roto.

—Tú no eres la responsable de eso —afirmó Andre—. No dejes que te culpe.

Y tenía razón. Alrededor de Roy había esparcidos restos de una vida destrozada. No era el corazón la única víctima. ¿Quién podría negar que, de haber alguna posibilidad, yo era la única que sabría sanarlo? El trabajo de las mujeres nunca es ni sencillo ni limpio.

—Ya sabes dónde estoy —dijo Andre, y se volvió para dirigirse a su casa.

Andre se fue por su lado; Roy y yo, por el nuestro. Yo le guiaba de la forma en que se guía a un hombre al que han disparado o se ha quedado ciego. Subimos los escalones para acceder a la casa y en ese momento oí la voz tranquila de Andre, desde su porche.

—Se ha dado bastante fuerte en la cabeza. Puede tener una conmoción. No dejes que se quede dormido.

—Gracias —repuse yo.

—¿Gracias por qué? —preguntó Andre.

*

En el baño, Roy me dejó que le limpiara la herida, pero se negó a ir al hospital.

—Sé que tú sabrás cuidar de mí.

En realidad, poco podía hacer yo más que desinfectar la herida. La noche se alargó y estuvimos haciéndonos preguntas el uno al otro para mantener el sueño a raya. A los dos se nos caían los párpados, como lastrados por monedas.

—¿Qué estabas buscando? —le pregunté—. Cuando vaciaste todas las cajas.

Roy sonrió y se metió el extremo de un meñique en el hueco que se abría en su dentadura.

—Mi diente. Mi diente no era basura. ¿Por qué lo tiraste?

—No —respondí—. Lo tengo guardado.

—Eso es porque me quieres —rezongó.

—No te duermas —dije yo, sacudiéndolo—. Si tienes una conmoción cerebral podrías morirte durmiendo.

—Eso sería la hostia —dijo—. Salir de la cárcel, volver a casa, encontrar a mi mujer con otro hombre, recuperarla, pelearme con un árbol y despertarme muerto. —Debió de sentir algún cambio en mí, aun a la tenue luz—. ¿He hablado demasiado pronto? ¿No te he recuperado?

Cada vez que se le cerraban los ojos, yo lo revivía.

—Por favor, no te duermas —susurraba, abriéndome por dentro para él, descorriendo un cerrojo oxidado—. No puedo perderte de esta manera.

Andre

Es por estas cosas por las que estoy solo.

Cuando Celestial abrió la puerta principal de mi casa con su llave y entró en el salón familiar, se había cambiado de ropa, pero yo seguía vistiendo los vaqueros sucísimos de aquella terrible tarde de pelea. Antes incluso de que se acercara a mí lo suficiente como para distinguir la hinchazón de sus ojos, percibí la sensatez en su mirada. No había dado aún la una de la mañana, pero era ya un nuevo día.

—Hola —saludó, levantándome las piernas y sentándose en el sofá. Me bajó de nuevo las pantorrillas y las posó sobre su regazo—. Feliz Navidad.

—Sí, bueno —respondí yo, alargándole el vaso cuadrado que contenía el último culo del *whisky* escocés de mi padre. Lo engulló y los vapores alcohólicos me hicieron pensar en Carlos.

Me apreté contra el respaldo del sofá y le hice hueco.

—Ven, túmbate —le ofrecí—. No quiero hablar de esto si no puedo sentirte cerca.

Ella negó con la cabeza y se incorporó.

—Necesito caminar. —Se levantó y paseó por la habitación como un fantasma atrapado y sin rumbo.

Con mucho esfuerzo, tiré de mi propio cuerpo para sentarme. Me había vendado las costillas, pero dolían cada vez que tomaba aire.

—Entonces, ¿entiendo que Roy sigue vivo?

—Dre... —empezó a decir. Encontró el rincón del salón más alejado del lugar en que yo estaba y se sentó sobre la moqueta blanca con las piernas cruzadas. Tenía los pies desnudos y seguramente helados—. Está hecho polvo.

—Eso no tiene nada que ver con nosotros.

—Hay tantas cosas que no sabes... Cosas que la gente como nosotros no puede ni imaginar.

—¿Por eso estás escondiéndote en ese rincón? Celestial, ¿qué estás haciendo? —Le hice una seña—. Ven aquí, pequeña. Háblame.

Celestial regresó al sofá y nos tumbamos. Celestial se acurrucó contra mí, con la frente apoyada en la mía.

—Si me casé con él, fue por algo —empezó a decir—. Realmente, nunca dejas de querer a alguien. Quizá lo que sientes por esa persona cambia de forma, pero ahí sigue.

—¿Eso piensas?

—Dre, nosotros tenemos muchas cosas —dijo—. Él no tiene nada. No tiene ni una madre. Mientras me hablaba, todo el tiempo, notaba la cara encendida de calor, como durante el funeral de Olive. La huella de la mano de Olive ardiendo en mi mejilla, asegurándose de que no olvidase. Ahora mismo me arde. —Trató entonces de tomarme la mano—. Mira, tócame.

Yo la aparté de mí de un codazo, irritado de repente por su contacto, por el *whisky* en su aliento, hasta por la fragancia a lavanda de su cuello. No quería hacerle sentir cómoda y que me contara más historias de bofetadas fantasma, madres muertas y lo que es correcto o incorrecto.

—Vete, entonces —dije yo—. Si lo que quieres es dejarme, vete. Hazlo. No trates de dar una explicación sobrenatural. Eres tú la que está tomando las decisiones, Celestial. Tú.

—Sabes a lo que me refiero, Dre. Hemos tenido suerte. Hemos nacido con suerte. Roy está empezando de cero. De menos que cero. Viste cómo intentó matarse al pie de ese árbol. Quiso romperse la cabeza contra el tronco.

—En realidad, era a mí a quien intentaba matar.

—Dre… —añadió—.Tú y yo tenemos el corazón roto. Eso es todo. Solo el corazón.

—Quizá así lo sea para ti —repetí.

—Mi amor —insistió ella—. ¿No te das cuenta? Cualquier cosa que te haga a ti me lo estaré haciendo a mí misma.

—Pues no lo hagas entonces. No te obliga nadie.

Ella se estremeció y dijo:

—No lo has visto. Si lo hubieras visto, estarías de acuerdo con todo lo que estoy diciendo ahora mismo.

—Te necesito, Celestial —susurré—. Toda mi vida te he necesitado.

Ella cambió de postura para que volviésemos a tocarnos de nuevo. Cuando cerró los ojos, noté el cosquilleo de sus pestañas.

—Tengo que hacerlo —dijo.

*

Celestial no me debía nada. Unos meses atrás, en eso radicaba la belleza de nuestra relación. No había deudas, no había agravios. Ella decía que el amor puede cambiar de forma, pero, al menos para mí, eso es mentira. La rodeé con mis brazos sin soltarla, aunque el cuerpo me dolía y me atravesaban los calambres. Pero así la sostuve contra mí, hasta que me fallaron los músculos. Cuando la dejase ir, se marcharía para siempre.

Roy

Cuando me desperté eran las once y cuarto. El aire limpio olía a bosque. Salvo por el pelo, Celestial volvía a ser mi Georgia. Me levanté y ella me abrazó, extendiendo los dedos sobre mis hombros. Tenía la piel caliente como una taza de leche con cacao.

—Feliz Navidad, cariño —deseé, evocando a Otis Redding.

—Feliz Navidad —respondió ella con una sonrisa.

—Con todo esto, casi me olvido de las fiestas —dije, lamentando, demasiado tarde, no haber empleado parte del dinero de Olive en comprar a Celestial el regalo perfecto. Algo grande en un paquete pequeño.

—No seas idiota —dijo ella—. Estás sano y salvo. De una pieza.

Ella sabía que aquello no era completamente cierto. Me avergonzaba pensar en la tarde anterior, no por la violencia empleada, sino por las desesperadas confesiones que había hecho mientras trataba de mantenerme despierto para salvar mi vida. Cuando le conté lo de la pera, me arrulló con un himno, el mismo que cantó en el funeral de Olive. Yo había olvidado el poder de su voz, la manera que tenía de rascarte el alma hasta dejarla suave y pulida. Me hizo pensar en Davina y en su método para devolver a un hombre la vida. ¿Qué pensaría Celestial si supiera que yo me había preparado para esta llegada a casa rompiéndole el corazón a una buena chica? Hacer daño a la gente sale caro. Pero supongo que Celestial eso ya lo sabía.

—¿Sabes lo que quiero por Navidad? —pregunté—. Mi diente.

Ella se me escabulló de entre los brazos y se dirigió al armario solo con unas braguitas que le daban un aire virginal. La primera vez que la vi con ropa interior blanca fue el día de nuestra boda; la última vez había sido la noche en que tiraron abajo la puerta de nuestra habitación.

Sobre su cómoda había un joyero que era una réplica en miniatura de la cómoda. Lo abrió y extrajo de él una cajita. Me la entregó; yo la agité y me llevé una grata sorpresa: el repiqueteo de un trozo de hueso.

—¿Recuerdas aquella noche? Como quien no quiere la cosa, me obligaste a hacer de Superman.

—Estuviste a la altura —dijo ella—. No, no estuviste a la altura, volaste por encima. Como Superman.

—Te voy a decir una cosa y no quiero que me malinterpretes. Sé que eres una mujer independiente y todo eso. Ganas tu propio dinero y tu padre también lo tiene. Pero me gustó ser capaz de salvarte. Perseguir a ese chaval por la calle. Fui un héroe, aunque me arrancara un diente de una patada.

—Te podría haber matado —puntualizó ella—. Aunque no lo pensé realmente hasta que lo pillaste.

—Podría, pero no lo hizo. No tiene sentido preocuparse por cosas que no han llegado a ocurrir. —La tomé de la mano—. No me preocupa ni siquiera lo que sí ocurrió, así que imagínate. Hoy es ya otro día. Tenemos que empezar de nuevo.

Preparamos un desayuno tardío en pijama. Me presenté voluntario para hacer buñuelos de salmón. Ella se ofreció a hacer gachas de maíz. En la mano que sostenía la sartén, refulgía un rubí oscuro y llameante.

Sonó el teléfono y Celestial lo cogió y respondió con un «Feliz Navidad», como si fuera el nombre de un local. Deduje que hablaba con sus padres. El señor y la señora Davenport, el papá genial y excéntrico y la profesora de instituto, seguían disfrutando de una vida segura en su casa encantada. Los echaba de menos a ellos y también aquella seguridad y confort. Alargué la mano, esperando que me pasara el teléfono, pero ella negó con la cabeza y me chistó.

—¿Vamos a ir a cenar con ellos hoy? —pregunté cuando hubo colgado.

—No nos llevamos muy bien últimamente —argumentó ella—. Además, no estoy preparada todavía para enfrentarme al mundo. Tengo que digerir todo esto.

—La Navidad es mi festividad favorita —dije yo, sumiéndome en el recuerdo—. Desde que tengo memoria, Roy Padre me cortaba una manzana en rodajas y luego la compartíamos. Cuando él era pequeño, lo único que le traía Papá Noel era eso: una manzana. No sabía que a los otros niños les llevaba coches de juguete, ropa para la escuela y otras cosas. A él le hacía mucha ilusión su regalo: una fruta solo para él.

—No me habías contado eso —dijo Celestial.

—Supongo que por no dar lástima, porque en realidad es uno de mis recuerdos más felices. Recuerdo que, la mañana de la Navidad de después de casarnos, me levanté antes que tú y vine a la cocina para comerme mi manzana.

Ella me miró con expresión de comprender por fin.

—Me lo podrías haber dicho. No soy como crees que soy.

—Georgia, lo sé ahora. No te molestes. Aquello fue hace mucho. Cometí errores. Tú también. No pasa nada. Nadie está reprochando nada.

Ella hizo ademán de cavilar sobre lo que yo acababa de decir, abrió el horno y sacó un pan hecho al modo que Olive solía, blandito por debajo y crujiente por arriba, salvo donde había introducido cinco pedacitos de mantequilla. Su rostro decía: «Lo estoy intentando. Lo estoy intentando con todas mis fuerzas».

Asalté el frigorífico y encontré únicamente una manzana roja de las que se regalan a los profesores en las películas. Saqué del taco de los cuchillos uno pequeño pero afilado. Corté una gruesa rodaja y se la ofrecí a Celestial. Luego corté otra para mí.

—Feliz Navidad.

Ella alzó el trozo de fruta en el aire como para hacer un brindis.

—Salud. Y que aproveche.

Aquel fue el primer momento en el que las cosas parecieron encajar y vislumbré en el horizonte la verdadera reconciliación.

El sabor de la manzana, dulce al principio y con una punzada amarga al final, me hizo pensar en Roy Padre. Lo imaginé pasando en soledad estas fiestas. Wickliffe estaría con su hija y sus nietos. Roy Padre no hacía buenas migas con casi nadie más.

—Celestial —dije yo—. Ya sé que te dije que no debíamos quedarnos atrapados en el pasado. Pero necesito hablar contigo de una cosa más.

Asintió con la manzana aún en la boca, aunque en sus ojos se reflejaba el temor.

—No estoy buscando pelea con nadie —dije yo—. Juro que no. No tiene que ver con Andre ni tampoco con lo de tener hijos. Tiene que ver con mi madre.

Ella hizo un gesto de asentimiento y me cubrió la mano con la suya, pegajosa por el jugo de la manzana.

Tomé aliento.

—Celestial, Roy Padre me contó que tú le contaste a Olive lo de Walter. Y me aseguró que eso la mató. Que fue lo que literalmente la llevó a la tumba. Al parecer, estaba mejorando, pero, cuando le contaste lo de Walter, tiró la toalla. No le veía ya sentido a nada.

—No, no, no —replicó ella al retirar yo la mano—. No. No fue así.

—¿Cómo fue, entonces? —pregunté, y acto seguido prometí que no estaba enfadado, aunque quizá no fuese cierto. El trozo de manzana que tenía en la boca me supo a tierra.

—Es verdad que al final del todo fui a verla. Estaba muriendo poco a poco, Roy. No te habría gustado verlo. La enfermera de la residencia lo intentaba de todas las maneras posibles, pero Olive no se quería tomar los analgésicos porque pensaba que acelerarían su muerte y ella intentaba vivir por ti. Cuando estuve allí, tenía los pulmones tan invadidos que se oía un burbujeo cuando respiraba, como cuando haces pompas con una pajita. Luchó endiabladamente, pero no podía ganar. Tenía los dedos y los labios azulados. Pedí a tu padre que saliera de la habitación y le conté todo.

—¿Por qué? ¿Por qué hiciste eso? No vivió ni veinticuatro horas más después de aquello. —Olive murió sola, cuando Roy Padre salió a un 7-Eleven para comprarle puré de manzana. «La eché de menos incluso ese rato», me dijo después. «Cuando volví, se había muerto»—. Mi madre no se merecía eso.

—No —dijo ella, negando con un ademán—. Puedes culparme de muchas cosas, pero no de eso. Cuando se lo dije, ella hizo un gesto con la cabeza, alzó la vista hacia el cielo y dijo: «Dios es un bromista. Mira que mandar a Othaniel al rescate...». Tu padre piensa que se rindió, pero no fue así. Cuando supo que no estabas solo en la cárcel, dejó que las cosas siguieran su curso.

Celestial se cruzó de brazos, como abrazándose a sí misma.

—Sé que me pediste que no se lo dijera. Pero si hubieras estado allí...

Entonces adopté yo la misma postura, con los brazos cruzados sobre el pecho y agarrándome los costados.

—No fue culpa mía no haber estado. Si me hubieran dejado...

Nos sentamos en la mesa, incapaces de consolarnos el uno al otro. Ella se recordaba como espectadora del sufrimiento de mi madre y yo me fustigaba por haber apartado de mí aquella dolorosa experiencia.

Cuando se recompuso, Celestial cogió la manzana de la mesa y cortó dos trozos más, uno para ella y otro para mí.

—Come —ordenó.

La noche siguió al día, como siempre, con la promesa de un día más por llegar. Este pensamiento me reconfortó durante todos aquellos años tan malos. Mientras Celestial se duchaba, llamé a Roy Padre. Oí en su voz la melancolía al pronunciar en el teléfono mi nombre, que también es el suyo.

—¿Estás bien, papá?

—Sí, Roy. Estoy un poco indigesto. La señorita Franklin me trajo cena anoche, pero comí demasiado y demasiado rápido, quizá. No cocina como tu madre, pero no lo hace nada mal.

—No pasa nada, papá. Tienes que disfrutar. Adelante, déjate querer.

Él rio con una risa que no parecía suya.

—¿Estás intentando casarme con alguien para no tener que venir a casa a cuidarme?

—Quiero que seas feliz.

—Eres libre, hijo mío. Eso bastará para que yo sea feliz el resto de mis días.

Después llamé a Davina, cuando del cuarto de baño seguían saliendo nubes de vapor.

—Hey, feliz Navidad —le deseé. De fondo se oían música y risas—. ¿Te pillo en mal momento?

Ella vaciló un instante y a continuación dijo:

—Voy a salir un momento fuera. —Yo esperé y la imaginé con un espumillón prendido en el pelo y la mano libre en la cadera. Cuando regresó al teléfono, trató de sonar informal y relajada.

—Solo quería desearte una feliz Navidad —aclaré, sosteniendo el teléfono con ambas manos, como si temiera que alguien fuese a arrebatármelo.

—Roy Hamilton, tengo una pregunta para ti. ¿Estás listo? Es esta: o algo o nada. A lo mejor se me ha subido el ponche de huevo a la cabeza, pero necesito saberlo. Lo que ocurrió entre nosotros ¿fue algo o no fue nada?

Así son las cosas con las mujeres. Preguntas de concurso de televisión sin respuesta correcta.

—¿Algo? —pregunté a modo de respuesta, con un tono interrogativo espiral como el rabo de un cerdito.

—¿No estás seguro? Pues escucha: para mí, Roy Hamilton, fue algo, sí.

—Davina, no me obligues a mentir. Estoy casado. He descubierto que sigo estando casado.

Ella me interrumpió bruscamente.

—No te he preguntado eso. Lo único que he preguntado es «algo» o «nada».

Retorciendo el cable del teléfono entre los dedos, recordé el tiempo que pasamos juntos. ¿De verdad habían sido solo dos noches? Aquellas dos noches, sin embargo, marcaron el inicio del resto de mi vida. Entré por su puerta arrastrándome, pero salí caminando por mi propio pie.

—Fue algo —dije, inclinando la cabeza hacia delante—. Fue algo, sí. Claro que sí. Ojalá pudiera detallar el qué.

Colgué cuando Celestial apareció por la puerta del baño. Parecía un regalo de Navidad, envuelta en un camisoncito de encaje oscuro que recordaba haberle comprado en algún momento del pasado. Ella se había quejado de que tenía pinta de picar, dando a entender que debía de ser de mala calidad. Yo había pagado un buen dinero por él, pero ahora que lo llevaba puesto entendía lo que quería decir. Ella se giró un poco.

—¿Te gusta?

—Sí, mucho —dije yo—. De verdad.

Ella se echó bocarriba sobre los almohadones, como una diosa un día festivo. Tenía el pecho espolvoreado de finas virutas doradas.

—Ven aquí —ordenó como una actriz de televisión más que como una persona de carne y hueso.

Acudí a su llamada, pero no apagué la luz.

—Una cosa más —dije—. Una última cosa, para dejarlo todo claro por fin, ¿de acuerdo? Antes de que nos metamos en esto… ¿De acuerdo?

—No tienes por qué hacerlo. ¿No dijiste que estábamos empezando de cero?

Al oír «de cero» me estremecí. Sé que ella no quería dar a entender que no teníamos nada con lo que empezar. Se refería a empezar algo con aires renovados, como cuando uno entra en una habitación ordenada y limpia y cierra la puerta tras de sí.

—No quiero empezar de cero. Quiero empezar de verdad.

—Dime entonces.

—De acuerdo —comencé—. Los primeros días en Eloe lo pasé muy mal. Tenía muchas cosas por delante con las que lidiar. Hay una chica. Una chica que iba conmigo al instituto. Me invitó a su casa a cenar y una cosa llevó a la otra.

Por extraño que parezca, aquella confesión me sonó natural al oído, cercana y familiar como un par de vaqueros muy usados. Aquella dinámica parecía un vestigio de tiempos pasados, cuando reñíamos solo como lo hacen los amantes. En esta ocasión, Celestial no tenía derecho a sentir celos, pero ¿desde cuándo necesita uno saberse con derecho para sentir lo que se siente? Sonreí de medio lado, recordando cuando tiró mi trozo de pastel de boda y se bebió ella sola lo que quedaba de la botella de champán. Quizá echaba de menos tanto los conflictos como el amor, porque con Celestial los unos no habían existido nunca sin el otro. Nuestra pasión era poderosa y peligrosa, como un átomo inestable. Jamás olvidaré la vez que hicimos las paces con un largo beso después de que me mordiera el pecho, marcándome con un anillo púrpura que estuvo doliéndome día y medio. Con una mujer así, uno sabía que tenía algo importante entre manos.

—¿Cómo iba a enfadarme contigo? No soy una hipócrita —dijo ella.

Estudié su rostro, que solo mostraba cansancio. Quizá se encogió de hombros también. Yo había estado fuera mucho tiempo, pero seguía conociéndola un poco. Hay cosas en el interior más profundo de una persona que jamás cambian. Ayer, bajo el árbol, luchó por mantener la compostura, por tener a raya el fuego del cuerpo, pero yo la sentía arder.

—Georgia, ¿entiendes lo que estoy intentando decir?

—Sí —respondió ella—. Has sufrido mucho, y esta historia no ha significado nada para ti. Eso es lo que estás intentando decir, ¿verdad?

—Celestial —dije yo, acunándola entre mis brazos. Yo llevaba puestos pantalones y calcetines, y ella estaba medio desnuda ya. Olía a purpurina y jabón—. No te importa, ¿verdad?

—No es que no me importe. Estoy intentando tomármelo como una persona adulta.

—La he llamado hace un momento, cuando tú estabas en la ducha —conté, ralentizando mis palabras, dejando que cada una de ellas hiciera su efecto. No me gustó dar esos detalles. Juro que no quería hacer daño a Celestial, pero necesitaba saber si podía. Tenía que saber si seguía ostentando ese poder, esa influencia—. Estuve con ella y me enseñó a ser yo mismo de nuevo —continué—. O quizá abrió las puertas a mi nuevo yo, la persona que debo ser de ahora en adelante. No fue puramente sexual. Mentiría si dijese que no significó nada. Me trató como a un hombre. O quizá solo como a un ser humano.

Celestial me dirigió una mirada vacía como el aire.

—Y bien, ¿cómo se llama?

—Davina Hardrick. Me ha preguntado si lo que había ocurrido entre nosotros dos había significado algo. Se refería a ella y a mí, no a mí y a ti.

—¿Qué le has respondido? —quiso saber Celestial, en la inercia de la curiosidad.

—Le dije que estaba casado.

Celestial hizo un gesto con la cabeza, apagó la luz y me arrastró a la cama.

—Sí, eres un hombre casado.

Me tendí en la oscuridad. Me sentía inseguro, como si hubiera olvidado mi propio nombre.

Davina dijo que las únicas respuestas posibles eran «algo» o «nada», pero en esa disyuntiva hay tanta fantasía como en el empezar de cero. Durante el resto de nuestra vida habría «algo» entre Celestial y yo. Ninguno de los dos volvería a disfrutar de la paz perfecta que otorga la «nada». Después de que el reloj de la mesita de noche diera medianoche y la Navidad hubiese quedado atrás, sentí a mi esposa besándome levemente entre los hombros. Olfateé la infelicidad en su aliento, pero ella continuó acariciándome, pronunciando mi nombre en un velado susurro. Volví el rostro hacia ella y sentí su cabeza entre mis manos, tan frágil como una bombilla.

—No tienes que hacerlo, Georgia.

Me mandó callar entonces con un beso que yo no estoy seguro de querer haber recibido. A la luz del reloj digital, vislumbré su entrecejo fruncido y los temblorosos párpados.

—No tenemos que hacerlo —dije—. Podemos dormir.

Noté su piel ardiente contra mis muslos. Repasé con la yema del índice el ribete de encaje de su camisón. Mis manos cubrían la suyas, pero al instante buscaron el resto de su cuerpo. Sus músculos se tensaban en la estela de mis dedos, como si estuviera petrificando su cuerpo, célula a célula.

—Así es como yo te amo —dijo ella, dejándose caer sobre el montón de almohadones. Incluso en la oscuridad, supe distinguir el rápido crecer y decrecer de su pecho, su respiración como la de un pajarillo en la mano de un niño—. Por favor, Roy. Déjame que haga las cosas como deben hacerse.

*

Cuando estaba en la cárcel, Olive me visitó todos los fines de semana hasta que ya no tuvo fuerzas. Siempre me alegraba que viniera, pero me sentía humillado de que tuviese que verme en esa situación. Un domingo la encontré distinta, pero no sabía por qué. Quizá le habían dado el diagnóstico del cáncer. A mí no me contó nada. Lo que sí percibí fue su respiración ruidosa. Olive era muy consciente de ella y se notaba. Tomaba el aire como Celestial en ese momento, aceleradamente, con temor.

—Roy, hijo mío —me dijo Olive en esa ocasión—. No albergo ninguna duda en mi interior. Lo único que necesito es oír de tu boca que tú no lo hiciste.

—Estuve con Celestial todo el tiempo. Puedes preguntárselo a ella.

—No quiero preguntárselo a ella —repuso mi madre—. Quiero oírlo de ti.

No soy capaz de evocar ese día sin recordar el aire que envolvía sus palabras, sin imaginar los tumores multiplicándose, consumiendo su cuerpo. Olive se moría y yo le dedicaba un tono acre. Que no supiera de su enfermedad no me exime de culpa.

—Mamá —dije yo, hablándole como si le costara entender las cosas o no entendiera de repente el idioma—. No soy un violador.

—Roy, hijo mío... —empezó a decir, pero la corté.

—No quiero seguir hablando.

Se marchó diciendo: «Te creo».

Mientras la observaba alejarse caminando, repasé mentalmente todas las cosas de ella que no admiraba. Dejé de lado la devoción en la que solía envolverse como en una capa, no valoré su fuerza y su belleza de mujer trabajadora. Me senté ahí, pensando en todas las cosas que no amaba de ella, tan enojado que ni siquiera me despedí.

*

En la silenciosa habitación, mi esposa alzó sus adorables brazos y me enlazó el cuello, atrayéndome hacia su cuerpo con una fuerza desconocida.

—Quiero que estés bien —dijo con voz valiente y decidida.

—Yo no lo hice —respondí—. Jamás toqué a esa señora. Ella pensó que fui yo. Tú no tuviste oportunidad de decirle que no fui yo quien entró en su habitación y la inmovilizó contra la cama. Cuando subió al estrado, ni la miré a la cara, porque a sus ojos yo era un bárbaro. Peor que un perro. Cuando vi cómo me miraba, me convertí en lo que ella pensaba que era. No hay nada peor que pueda decirse de un hombre.

—Ya ha pasado todo —dijo chistándome suavemente.

—Nada pasa nunca —repliqué desenredando sus brazos de mis hombros. Me eché a su lado y recordé cuando la policía nos tiró al suelo y nos prohibió siquiera tocarnos—. Celestial —dije, y me sorprendió la gravedad con que la voz me retumbaba en el pecho—. No soy un violador. Entérate de una vez por todas, por favor.

—Sí —respondió, aunque parecía confusa—. Jamás pensé que pudieras haber hecho algo así. Sé con quién me casé.

—Georgia, yo también sé con quién me casé. Tú estás dentro de mí. Cuando te toco, tu carne se comunica con mis huesos. ¿Crees que no soy capaz de percibir lo triste que estás?

—Estoy asustada —dijo ella. Sus dedos transmitían apostura y a la vez infelicidad—. Es difícil empezar de nuevo.

*

La vasta generosidad de las mujeres es un túnel misterioso que nadie sabe adónde conduce, en cuyas paredes hay escritas preguntas capciosas. Los hombres han de saber que es imposible encontrar una salida razonadamente. La maldad me mostró que Celestial me amaba revelándome las maneras en que no me amaba. Celestial se ofrecía como un banquete preparado en presencia de mis enemigos, como una pera roja y sin mácula. Su crueldad me reveló que le importaba, precisamente por hacerme entender los límites de esta.

—Escucha —dije con lo que amenazaba ser mi último resuello—. Escucha, Georgia. Escucha lo que voy a decirte ahora mismo. —Endurecí cada palabra y ella se puso rígida al escucharlas. Para compensar, hablé entonces suavemente, como si me dirigiese a una mariposa—. Celestial, yo jamás me impondré a una mujer de ese modo. —Y entonces aparté sus manos asustadas de mi cuerpo y las sostuve entre las mías—.

¿Me oyes? No voy a obligarte. Aunque me dejes, incluso aunque quisieras que lo hiciera, no te haría caso.

Besé su dedo en la primera falange, donde antaño lució mi anillo.

—Georgia… —dije, para comenzar otra frase más, pero no fui capaz.

—Lo intenté —comenzó a decir ella.

—¡Chis…! Duérmete, Georgia. Duérmete.

Pero ninguno de los dos cerró los ojos en la negrura inconmensurable de aquella noche de paz.

Epílogo

Querida Celestial:

La gente de por aquí piensa que la cárcel me salvó. Pero la cárcel es una casa de espejos encantada; era imposible para mí alcanzar la verdad en un lugar como ese. Cuando intento explicar esto, la gente se gira y me pregunta si soy musulmán, porque no pertenezco a ninguna iglesia, aunque en realidad saben muy bien que me tengo por un hombre creyente. En realidad, no puedo explicar estas cosas en detalle, porque ni yo mismo las entiendo. ¿Quién podría creer que fuese a ocurrir lo que me ocurrió en la sacrosanta oscuridad de nuestro dormitorio?

Me avergüenzo de lo que le hice a Andre. Te juro que jamás he hecho daño a alguien como a él. Ni siquiera cuando estuve en la cárcel. Jamás he pegado a nadie así. Siento unas horribles punzadas tras los ojos cuando reflexiono sobre lo cerca que estuve de matarlo. Dre no me opuso mucha resistencia. Eso me dio a entender que no le merecía la pena el esfuerzo de dar la cara ante un tipo como yo. Quizá quise que lo vieses sufrir, porque no parecía que te importara mi sufrimiento, y, sin embargo, sí te preocupabas por él. Sé que nada de esto tiene sentido; solo estoy intentando expresar las emociones que experimenté en ese momento. Perdí la cabeza. Sentía celos incluso de tu árbol. Me sentí dejado de la mano de Dios. Es la única expresión que lo puede definir. Tu móvil fue para mí como una pistola y esperé que disparases con ella. Tendrías que vivir con eso a cuestas y yo no tendría nada que vivir. Así era como funcionaba mi mente en esos momentos. Así bombeaba mi corazón. Estaba listo para morir y llevarme a Dre conmigo. Iba a matarlo con las únicas manos que Dios me ha dado.

Usé esas mismas manos para firmar los documentos que tu tío Banks redactó. Davina es notaria, así que verás también su nombre. Sé que esto es lo correcto, pero no puedo soportar ver mi firma sobre esa línea de puntos. Lo hemos intentado. Supongo que es todo lo que podíamos hacer y es todo lo que podemos decir.

Un abrazo,
Roy

P. D.: ¿Y el árbol? ¿Ha sobrevivido?

Querido Roy:
Leer tu letra manuscrita se parece a tener un breve encuentro con un amigo al que sabes que no vas a volver a ver. Cuando estuviste en la cárcel, las cartas me hacían sentir cerca de ti, pero ahora me recuerdan el largo viaje que hemos hecho por nuestra cuenta y lo mucho que nos hemos alejado el uno del otro. Espero que un día tú y yo podamos volver a conocernos.

Ahora que tengo los documentos, pensarás probablemente que Andre y yo tomaremos el próximo autobús para el juzgado, pero no tenemos la necesidad de casarnos. Mi madre, su madre e incluso gente que no nos conoce, todo el mundo, quieren verme de blanco. Pero a Dre y a mí nos gusta lo que tenemos y cómo lo vivimos.

A fin de cuentas, no quiero ser la esposa de nadie. Ni siquiera de Dre. Él dice que no quiere tener una esposa que no quiere ser esposa. Vivimos la vida juntos, en comunión.

Gracias por preguntar por la Vieja Pacana. Vino un especialista la semana pasada y nos dijo que se puede calcular la edad del árbol con una cinta métrica y una calculadora. Según sus cálculos, tiene unos ciento veintiocho años de edad. Dice también que le quedan otros tantos por delante, a menos que alguien la tome con ella hacha en mano.

Y ahora va la noticia: estoy embarazada. Espero que te alegres por Andre y por mí. Sé que debe de resultar doloroso. No creas que he olvidado por lo que pasamos hace tantos años. Quizá no tenga mucho sentido pedirte esto, pero ¿rezarás por nosotros? ¿Rezarás todos los días por nosotros hasta que nazca la niña?

Con cariño,
Georgia

Querida Celestial:
No te rías, pero soy yo el que va a salir corriendo al juzgado en breve. Davina y yo no estamos intentando tener un hijo, pero quiero probar suerte con el matrimonio de nuevo. Dices que tú no estás hecha para ser esposa, pero yo no estoy de acuerdo. Fuiste una buena

esposa para mí cuando las cosas fueron bien, y también lo fuiste durante mucho tiempo cuando se torcieron. Te mereces más respeto del que yo jamás te ofrecí y más del que te das a ti misma.

A mí me gustaría ser padre, pero Davina ya tiene un hijo y esa situación no es nada sencilla. Ella no quiere empezar de nuevo, y, la verdad, aunque yo siempre he fantaseado con la idea de tener un pequeño Trey, no quiero arriesgar lo que tengo con ella por un sueño que quizá no se ajuste ya a lo que necesito. Desearía ser como Roy Padre y poder criar al hijo de Davina como si fuera mío, pero ya es adulto. Ella y yo formamos con creces una familia. Si hace falta un crío para estar juntos, ¿cómo de juntos estamos, realmente? Eso es lo que ella dice y probablemente tiene razón.

Por supuesto que rezaré por tu familia, pero ¡ni que yo fuera predicador! No quiero sermonear a nadie, salvo a mí mismo.

Me he buscado una parcelita de tierra sagrada junto al río. ¿Recuerdas ese lugar? Voy por la mañana, temprano, y escucho al viento interpretar la música del puente mientras reflexiono o rezo. Todo el pueblo conoce mi rutina matinal. De vez en cuando invito a una persona o dos a que me acompañen. Roy Padre viene conmigo a veces, y, de cuando en cuando, Davina. La mayor parte de las ocasiones, no obstante, estoy yo solo, con los recuerdos que pueblan mi cabeza.

Hablando de cabezas, Roy Padre y yo nos hemos metido a empresarios. Hemos abierto una barbería y la hemos llamado Mechones & Mechas. Ya sabes que siempre he tenido cierto ímpetu empresarial. Imagina una barbería de toda la vida, con su típica barra giratoria roja, blanca y azul, pero con un montón de servicios y comodidades 2.0. Estamos haciendo un buen dinero, nada que ver con Poupées (todavía), pero me doy por satisfecho.

Rezo por ti, para que tengas paz, si bien la paz es algo que, en realidad, es necesario crear. La paz no llega por sí sola (esto son sabias palabras de Walter, a quien voy a visitar casi todos los domingos: está envejeciendo, algo de lo que cuesta mucho ser testigo).

En cualquier caso, estoy viviendo una buena vida, en su mayor parte. Es buena en un sentido distinto al que yo había imaginado. Algunos días me puede el ansia y le propongo a Davina jugarnos el todo por el todo y empezar de nuevo en Houston, en Nueva Orleans o incluso en Portland. Ella me consiente la fantasía, pero cuando termino de explicar el plan me sonríe porque los dos sabemos que no me voy a mover de aquí. Cuando me sonríe, no puedo evitar devolverle la sonrisa. Este es mi hogar. Aquí es donde estoy.

Un abrazo,
Roy

Agradecimientos

Hubo muchos momentos a lo largo de la redacción de esta obra en los que temí no ser capaz de resolver los espinosos conflictos que a la vez unen y separan a sus personajes. Me gustaría expresar un muy sincero agradecimiento a todas las personas e instituciones que creyeron en mí durante esos duros momentos en los que luché por creer en mí misma.

En particular, debo dar gracias a mis amigos y familiares, que me ayudaron leyendo los primeros borradores y, sin quererlo, dieron pie a charlas que acabarían teniendo un peso crucial en la obra. Me desafiaron a abrir las miras y me ayudaron a enderezar el rumbo del barco personas como Barbara y Mack Jones, Renee Simms, Camille Dungy, Suheir Hammad, Shaye Arehart, Maxine Clair, Denis Nurkse, Maxine Kennedy, Neal J. Arp, William Reeder, Anne B. Warner, Mitchell Douglas, Jafari S. Allen, Willie Perdomo, Ron Carlson, Ginney Fowler, Richard Powers, Pearl Cleage, Lisa Coleman, Cozbi Cabrera, June M. Aldridge, Alesia Parker, Elmaz Abinader, Serena Lin, Sarah Schulman, Justin Haynes, Beauty Bragg, Treasure Shields Redmond, Allison Clark y Sylvia Jenkins.

Las artes, por desgracia, reciben en los Estados Unidos una financiación cada vez más escasa, así que me siento muy agradecida por el generoso apoyo ofrecido por las siguientes organizaciones: el National Endowment for the Arts, la Ucross Foundation, MacDowell Colony, la Universidad Rutgers-Newark y el Radcliffe Institute for Advanced Study de la Universidad Harvard.

Jane Dystel, mi excepcional agente, me acompañó desde el principio; ni siquiera Dante pudo disfrutar de un Virgilio tan encantador y tan capaz. Lauren Cerand ha sido mi publicista y mi confidente. Bridgett Davis me escuchó cavilar y enredarme en esta historia durante años, con oído paciente y amable. Gracias, Jamey Hatley, por no perder nunca la fe. Terraine Bailey, Ronald Sullivan y James Tierney son expertos tanto en la lengua como en la ley: gracias por ayudarme a aclarar tantos detalles. Mi editor, Chuck Adams, es un perspicaz colaborador y un hombre muy agradable; la editorial Algonquin Books no puede sino definirse como una verdadera adalid de las artes. Jeree Wade, gracias por descubrirme el camino para obtener tantas respuestas. Tom Furrier, eres el mejor mecanógrafo del mundo y todo un caballero. De Amy Bloom me hice amiga en un instante, y tuvo la amabilidad de encenderme una luz en la oscuridad. Claudia Rankine y Nikki Giovanni me permitieron tomar prestados sus versos: me esfuerzo mucho por seguir vuestro excelente ejemplo. La doctora Johnnetta B. Cole me dijo que siguiera adelante, y tuve que obedecer. Andra Miller me empujaba a dar el carpetazo final a la obra, mientras que Elisabeth Scharlatt me insistía en que «ningún libro debe ver la luz antes de tiempo». Ambas tenían razón y a ambas les doy las gracias.

La dulcísima Lindy Hess fue mi amiga querida, mentora y protectora. Me duele en el alma que no haya vivido para ver este libro publicado.

ÍNDICE